L. J. HERNÁNDEZ: LA MEMORI

DE AMADÍS

JOAQUÍN MORTIZ • MÉXICO

serie del volador

Luisa Josefina Hernández

La memoria de Amadís

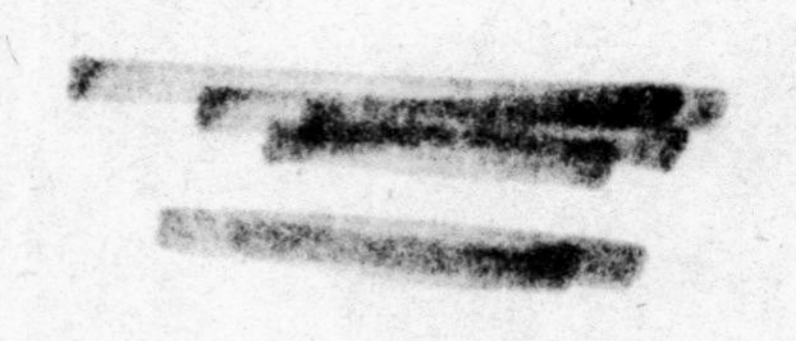

Primera edición, octubre de 1967

Guaymas 33, México 7, D. F.

A
GUILLERMINA
Y
A CARLOS

Viva la memoria de Amadís y sea imitado de don Quijote de la Mancha en todo lo que pudiere; del cual se dirá lo que del otro se dijo: que si no acabó grandes cosas, murió por acometellas.

DON QUIJOTE

primera parte

Adelina esperaba en la antesala con una nerviosidad impalpable que podía adivinarse en el temblor de las aletas de su nariz y en un tic que afectaba su labio superior y que tenía lenguaje propio, puesto que decía: "He esperado años en la antesala de mi hermano el general, he esperado en mi casa, he esperado en mi cama, cuando el sueño no se dignaba presentarse. . ." Y no era cierto. No era cierto porque su vida había sido impaciente, apresurada, sin preámbulos y sin meditaciones.

—Adela, tú no piensas en nada —decía Carlota, sonriendo. Ella no tenía tic sino una sonrisa abierta, hermosa.

Adelina temía que el general se retrasara o no tuviera tiempo de verla porque esta vez se trataba de su hermana Carlota, mujer de mala suerte, y no de que le prestara dinero a ella, ni de que le consiguiera un permiso para que su marido abriera una tienda de refacciones para automóviles: todo eso lo conseguía porque eran cosas para ella, y esta vez se trataba de Carlota.

No era nada, por supuesto. Dos becas para que sus hijas siguieran estudiando en ese buen colegio de monjas donde habían hecho la primaria. Pero, ¿por qué resulta tan molesto pedir becas cuando abrir tiendas de refacciones y solicitar dinero viene a ser lo más natural? Se frotó la boca y la nariz con la mano derecha mientras se repetía el tic, olvidada de que se emborronaba la pintura de los labios. Así era todo lo de Carlota, provocaba esa mala gana, esa resistencia inmediata. También a ella.

Se acomodó en un sillón, estaba en la sala particular y por lo menos allí no había nadie y podía quitarse el zapato que le molestaba y sentarse así, un poco de lado porque no resistía estar mucho tiempo derecha. No, ella tampoco tenía una buena actitud hacia Carlota. La última vez, la vez aquella que Carlota había querido ir con

Benjamín a Nueva York, por poco no recibe a los niños y habría querido decirle:

—¡Qué Nueva York, ni qué Nueva York! Fíjate en que estos niños sirvan para algo y déjate de pensar en viajes —se tragó las palabras y ruborosa, con los ojos aguados, le dijo que trajera a los niños cuando fuera necesario.

Carlota no pensó jamás que ese viaje se convertiría en realidad, hablaba a menudo de lo horrible que sería que sus hijos no sirvieran para nada y tenía derecho a hacerlo, después de años de vivir sometida a las más grandes necesidades. Adelina, sin quererlo, trataba a sus sobrinos con un oculto despego. Ni Benjamín hijo, ni Concha, ni Gloria, servían para nada; Mario, el pequeño, tal vez. Pero no, él tampoco, porque todos habían sido simpáticos de niños y a los catorce años se les iba la gracia, la inteligencia, todo. Ella no tenía hijos. Este no tener hijos venía a ser una garantía de castidad con el tiempo, no antes, no cuando era una mujer de treinta años.

Muy cierto. Los hijos de Carlota y sus abortos eran la prueba tangible de su vida sexual. La de los otros, Adelina y el general, se había borrado con los años como si no hubiera existido, sólo porque ninguno de ellos tenía hijos. Era una cosa irracional; ahora que el cuerpo empezaba a perder su elasticidad, a volverse hueso y tendón en el caso de él y grasa en el de ella, la castidad los señoreaba. Con las arrugas, con el cansancio, todo contacto pasado con otro cuerpo pierde sentido y no hay testigos, no hay pruebas de que ese encantamiento y esa locura fueran reales.

No era posible que Carlota hubiera sido más frecuentada que ella teniendo en cuenta los embarazos y el tiempo prudencial después de los partos, pero debía de haber sido más real... ¿cómo, si no, había tenido aquellos hijos? ¿Por qué no los evitó? ¿Por qué no se concentró en su no aparición si ya sabía que les esperaba la pobreza y la dependencia? Carlota, tal vez, había estado tan enceguecida, tan gozosa y entregada, que no recordaba la miseria, ni los futuros favores que les debería a sus hermanos, ni el viaje a Nueva York que quizá no haría. Por eso, ahora lo veía claro, Carlota era menos merecedora. Demasiado feliz, tan feliz que no tenía derecho a pedirles que se ocuparan de ella.

Se abrió la puerta y entró el general. La besó en la frente y se sentó en otro sillón de cuero. Luego sacó un pañuelo blanco y se lo pasó sobre la cara.

—¿Qué me cuentas?

—Te veo contento, pero no bien de salud. ¿Te duele algo?

El general sonrió. No se parecía a sus hermanas; era alto, moreno, delgado, con el rostro rectilíneo y las pestañas lacias. Apenas había sonreído cuando su expresión se convirtió en una de profundo sufrimiento.

—Ay, mira. No sé qué hacer. ¿Te acuerdas de la dieta? No sabes. Resultó que tenía parásitos y me ha hecho un efecto... En resumen, que cada uno de mis parásitos debe de haber subido de peso, ganado fuerzas y arruinado mi salud para siempre.

Adelina contempló a su hermano. Bien sabía ella que en cuanto se enfermaba, su compostura militar, sus piernas delgadas y tirantes que expresaban vigor, todo, se convertía en una especie de juguete sin esqueleto y sin fuerza.

—Pobrecito —murmuró muy a tiempo, dejando pasar la pausa exacta que le permitiera a él imaginar que ella, mientras lo miraba, llegaba a la apreciación total de sus desgracias—. ¿Y ahora? Es enteramente necesario que veas al médico con la debida frecuencia. No sé por qué te cuesta tanto trabajo.

—Claro, claro —afirmó él con entusiasmo y calló en seguida para seguirla escuchando.

—Pues nada, a ser constante. O, ¿quieres cambiar de médico?

—Prefiero seguir con el mismo. La culpa no es suya.

—Es suya. ¿Quién no tiene parásitos? Antes de recetar cualquier dieta es necesario cerciorarse.

El general sonrió abiertamente. Siempre que alguien relacionado con él era acusado de algo, sentía satisfacción.

—¿Cómo andas?

—Nosotros... bien. Ramón a las mil maravillas, ya lo

conoces —probablemente el general protegía a Ramón porque cuando él y su hermana estaban solos hablaban de él sin entusiasmo y como si se tratara del hijo adoptivo de ambos. Adelina no quería hacer creer a su hermano que venía a visitarlo sin el proyecto de pedirle algo: él siempre agradecía la franqueza—. Pero sí quisiera hablarte de Carlota.

—¿Por qué no vino ella?

Ambos sabían que la pregunta era retórica. Carlota, desde hacía años, veía al general en pocas ocasiones y para decirlo con exactitud, durante los últimos tres, él no la recibía pretextando diversos motivos.

—Con esos niños. . .

—¿Niños? A la edad de Benjamín yo ya estaba a la mitad de la carrera y con muchas responsabilidades. Siempre lo mismo. ¿Qué les pasa ahora?

—Quiere que le des una tarjeta para conseguir unas becas en la Secretaría de Educación.

—¿Becas? ¿Quién necesita becas en esa casa? ¿No hay colegios de gobierno?

—Ya sabes cómo es Carlota —dijo eso por no mencionar a Benjamín padre, o el general hubiera empezado a hablar en un tono tenuemente oratorio que la ponía particularmente nerviosa.

—¡Carlota y los colegios particulares!

—Son para sus hijas. Con las niñas, todo es muy delicado.

El general entrecerró los ojos. Las niñas. . . todo es muy delicado. . . Esas palabras le producían una añoranza dolorosa. Como si él fuera pequeño y en un parque correteara detrás de unas niñas reilonas y etéreas, envueltas en tules blancos. En su imaginación las niñas nunca se convertían en ninfas ni en dríadas. . . lamentablemente. No hablaba y Adelina respetaba su silencio. La infancia. . . ¿qué infancia?, ¿en qué estaba pensando?

—Voy a darte la tarjeta.

La sacó allí mismo, tomó su pluma y con una escrupulosidad y una limpieza muy suyas le puso unas letras y se la entregó a su hermana.

—Gracias —no dijo que Carlota iba a ponerse feliz, no serviría de nada—. Haces tantas cosas por nosotras. . .

El general puso la pluma en su lugar y cruzó la pierna. Con su uniforme impecable, su delgadez que sólo ahora empezaba a parecer excesiva, parecía un militar de revista. Muy mexicano el color de la tez, la blancura de los dientes, la dignidad de mirar a los ojos en una forma translúcida, como por encima de la mentira y de la bajeza.

Adelina empezó a hablarle de nuevo sobre su salud y él, de nuevo, se suavizó, se volvió de trapo y de juguete. Así pasaron media hora. Luego, fue ella la que se levantó a besarlo en la frente.

—Mañana te hablo para saber cómo sigues.

—Háblame, sí —se puso en pie y la acompañó hasta la puerta de la habitación—. Háblame.

No era posible decirlo con palabras porque las palabras tienen en su esencia un cierto rasgo mágico que convierte lo dicho en realizado y lo imposibilita para transformarse en acción. Hubiera sido mejor, por supuesto, atreverse a hacer una declaración de fe y no firmarla con su nombre. No, Benjamín no. Benito.

Benito para que no se volviera personal y siguiera siendo realizable, cierta; un documento con valores futuros. ¿O es que lo escrito debe referirse al pasado por fuerza de la condición humana? Por ello, era inaceptable dedicarse a la profesión de escritor: al paso de los años no se habría reunido más que un informe denigrante de sucesos deslucidos, sin vigencia y sin vida. No, el pasado es la muerte.

Una declaración de fe donde constara que todo lo que conforma la vida le parecía despreciable y que no lo aceptaría jamás. Ni a los cincuenta años, ni cuando se enamorara de la mujer, de la famosa mujer que siempre está en el camino de los adolescentes.

¡Un libro sobre la mujer! Pero no. Las palabras para describir a esa mujer tendrían que ser las mismas usadas por otros que a su vez habían descrito sus mujeres ya muertas, ya no vírgenes, ya usadas y estériles.

Nada nuevo. Todo con las huellas de las manos ajenas, de los pies, de la humedad, de los alientos de otros. Una tarde se sintió enloquecer porque contempló, en casa de un amigo, la operación de un polluelo que se disponía a salir del cascarón. Eso sí era para enloquecer, para gritar. ¿Cómo era posible nacer?

Sí. "Renuncio al mundo del principio al fin. No quiero dormir ni estar despierto y me hacen perder la cabeza los pequeños movimientos que observo a mi alrededor y que alguien ha definido como la vida y sus fenómenos. Renuncio al ruido y al silencio. No quiero contemplar ni el nacimiento ni la muerte."

No sonaba grandilocuente. ¿Dónde estaría la calidad oculta que debería tener un testamento grandioso? Era necesario redactar otro.

"Desprecio este mundo donde cualquier objeto tiene más duración y dignidad que las personas y donde un rayo de sol es el único elemento móvil e importante. Jamás pasaré por toda la humillación que implica el estar vivo. ¡Qué vergüenza comer, lavarse, defecar! ¿Cómo mirar a los otros después de haberse lavado los dientes? Qué sucio todo."

El estómago se le contraía y el asco matizaba su rostro de muchacho apenas salido de la infancia; lloraba de repugnancia, gemía de pudor y se retorcía de incomprensión.

Las cosas no pueden ocultarse por mucho tiempo. Estas cosas. Este poder pensar en Dios y comer un pan, porque este puro hecho tiene las más recónditas consecuencias: quiere decir que todo puede hacerse sin cambiar la benevolencia de Dios, quien debía contemplar inalterable la podredumbre humana. ¿Por qué no caminar por las calles vestido de harapos, sin bañarse y con el pelo largo si nada puede cambiar y la bondad de Dios es infinita? ¿Por qué organizar cuidadosamente los lapsos de tiempo que existen entre Dios y Dios? Estudiar profesiones, explorar la vocación, trabajar en una oficina, sufrir por no tener pan, pedir prestado. . .

Decir todo esto en un documento final, firmarlo con el nombre de Benito y luego, tal vez. . . Eso. Eso tampoco podía escribirse y cuando se meditaba venía muy a medias, sin detalles, envuelto en una nebulosa.

Pero sí, el asco. Hasta las paredes de las calles, el barandal de una escalera lo hacían estremecerse: tantas manos, las huellas digitales de los pulgares... cerraba los ojos y palidecía. ¿Por qué era tan sucio que extendía su repugnancia hasta las cosas que no eran naturalmente sucias?

La mugre indescriptible de una azucena, el horror de una dalia, la náusea de los pétalos de las rosas. Y los pensamientos... ¡qué usados, qué manchados por los otros! Igual que las palabras.

No había salida. Este fermento, esta levadura en movimiento no podía detenerse. Por lo contrario, amenazaba con crecer y volverse cada vez más significativa, al punto de tragárselo, convertirlo en ella misma, atarlo a los bancos de una universidad, embarrarlo en las mesas de una oficina, entregarlo al malhadado misterio del amor y de la convivencia. ¡Cómo debía ser la convivencia con otro ser horrorizado de sí mismo, enfermo de contemplar su cuerpo, escandalizado de su vida! Miedo, un miedo terrible a ser dos, a ver un espejo vivo en el mismo lecho, un fantasma exacto bajo la luz eléctrica y una sombra blanca en la calle. Imposible, un solo ser humano no puede cometer todas las vilezas; están repartidas, graduadas, casi podía decirse que numeradas.

Punto, punto final y para siempre. Ésa era la clave para ser puro y para que todo fuera puro.

Adelina fue al salón de belleza antes de decirle a Carlota que había conseguido la tarjeta.

—Voy a peinarme, me depila las cejas, manicure y... nada más. ¿Oyó, Eugenia?

Eugenia había oído y asintió. Luego se alejó con Berta y le dijo detrás de la cortina:

—Esta vieja ya no halla qué hacerse.

—Que baje de peso, ¿no? Tiene unas chichotas... y unas nalgotas.

—Parece puta vieja.
—Ya cállate, mana.

Adelina tenía los ojos cerrados y estaba en un trance especial que siempre le ocurría en el salón de belleza. Parecía exigente y no lo era; en realidad se dejaba hacer. Eugenia sólo sabía que estaba despierta por el tic. Le arrancaba las cejas y no parpadeaba, como si se tratara de pasto. Berta y Eugenia se la repartían como si la hubieran comprado en la carnicería y la aderezaban como para ser servida en un banquete con su manzana en la boca y sus papas fritas.

Adelina había sido guapa. Sólo que tenía catorce kilos de peso que no venían al caso y cuarenta años. El cine mundial estaba lleno de ejemplos de mujeres para las cuales cuarenta años no querían decir nada, pero, ¿qué hacían? Ella se cuidaba, compraba los cosméticos adecuados, no se lavaba el pelo en su casa para no estar sin peinar más de quince minutos por semana, pero. . .

—Yo creo que sí fue puta —dijo Eugenia cuando volvieron a encontrarse detrás de la cortina.

—Ella dice que estudió para profesora y además trae un anillote de matrimonio.

—Mentiras, el anillo te lo compras donde quieras. Además, me contó que había tenido dos maridos. Si dice que dos, querrá decir doscientos, ¿no crees?

—Eso sí, se antoja decir uno o ninguno.

Ella seguía con los ojos cerrados, ahora bajo el secador, sintiendo el calor en la cabeza con una satisfacción física que terminaría cuando le dijera a Eugenia con una voz neutra, especial para peinadoras:

—Baje tantito el calor, por favor.

Eugenia se apresuraría a obedecerla apretando un botón con su mano flaca y con expresión indiferente en su rostro delgado de mujer que "sabe hacer bien las cosas".

Sobre la mesa había una gran cantidad de revistas ilustradas del peor gusto, unas con historias dibujadas en forma casi grotesca de tan sencilla y otras con fotografías. Ella no leía nunca; aparte de ello, el general se expresó en una ocasión muy desfavorablemente de estas publicaciones y añadió que lo de las fotografías era sin duda obra de algún degenerado acuciado por la morbosidad más peligrosa.

—Ya no leo, ni bordo, se echa a perder la vista —y se reía como si aquello oscilara entre la peculiaridad y la gracia.

—Ay, Adela, ¿pues qué haces? —dijo Carlota sin dejar de sonreír.

—De todo, menos eso.

Carlota no hizo comentarios. La verdad es que a Adelina le encantaba ir de compras, caminar en la calle, registrar las tiendas y hasta aprenderse los precios de memoria. Le gustaba la ropa, las telas, los muebles. ¿Por qué no cualquier cosa?

Otro encuentro junto al escaparate donde se guardaban las pinturas de uñas.

—Ese anillo no es de matrimonio.

—Pobre, tú. Déjala.

—Es de esas que siempre se quedan mirando la panza para saber si ya te embarazaron.

—Nos va a oír.

—Ya me hubiera oído hace años. Tú la peinas.

—No. Dice que la jalo.

—Y no es cierto. ¿Verdad?

—Quién sabe.

Sonrientes, se acercaron de nuevo a Adelina.

—¿Cómo la peino?

—Como la última vez.

Eugenia no se acordaba y empezó a peinarla a la buena de Dios; tenía confianza en su instinto estético nunca denominado ni reconocido como tal, pero acertado la mayoría de las veces.

Adelina pensaba en Carlota. Su hermana vivía en su casa, con el marido que le había tocado en suerte y con sus hijos; si así lo deseaba, podía dejarla de ver durante quince o veinte días, ¿por qué entonces no se la sacaba de la cabeza? Por supuesto que nunca había estado sin visitarla un mes entero porque no se atrevía a enfrentar los ojos inquisitivos, la boca seria como a la fuerza, la pregunta. Carlota era ingenua.

—¿Qué mala cara has visto por aquí? ¿Quién te ha ofendido?

No, no habían llegado a eso porque ella, como una esclava, seguía presentándose a verla con regularidad, sin olvidarse de llevar el regalo gracioso y a veces importante: una noche, cayó en la cuenta de que lo único que había para merendar era café negro y el pan que ella había llevado. Conchita había dicho, con los ojos fijos sobre una dona de chocolate.

—¡Qué bueno que viniste, madrina!

Ella sintió antipatía violenta. Aquella criatura sería igual a su madre; siempre creyendo ciegamente en los otros, dándolo todo por hecho. Había seres que recibían la vida como un regalo y avanzaban por ella con una sensación tan grata que no había modo de convencerlos de que su situación era exactamente la contraria.

—Niña de mi alma —hubiera querido decirle—. Te casarás mal, tendrás cuatro o cinco hijos que mendigarán becas y tu marido será un bueno para nada.

Se limitó a sonreír como si fuera la madrina de los cuentos y Carlota se puso contenta porque le encantaba que los comentarios de sus hijos fueran halagüeños; luego miró a Gloria de reojo porque ella se entercó en no decir nada y tampoco comió dona. No lo hizo por inteligente; era literal y sencillamente ingrata.

¿Y estos rencores? ¿No eran demasiados y demasiado repetidos? Casi siempre salía de la casa de Carlota mascullando impertinencias: ella, Adelina, no era digna de lástima ni de consideración porque había triunfado en la vida.

Se miró al espejo. Eugenia estaba terminando de peinarla igual a la vez anterior, ¿cómo haría aquella mujer para tener tan buena memoria? Llevaría la tarjeta mañana, no quería verla después de pensar estas cosas; si los pensamientos se delataran... Le hablaría por teléfono, no tenía derecho a dejarla en la duda.

Eugenia dijo con una sonrisa fantasma y mal adiestrada:

—Ya está lista, ¿quiere que le traiga el espejo?
—No, gracias —se revisó las uñas.
—¿Están bien? —preguntó Berta, también con sonrisa.
—Sí, no me las pinte.
Pagó, les dio buenas propinas y salió caminando de prisa; le chocaba caminar despacio, como araña, decía ella. Buscaría un taxi, quería entregarle a Carlota la tarjeta sin más tardanza.

Sus padres siempre le producían el mismo efecto, no podía evitarlo. Su padre había sido tipógrafo; su madre la abnegada compañera. Una vez, cuando tenía diecinueve años y estaba borracho, les gritó:
—¿A qué viene tanto sufrimiento y tanto sacrificio? ¿Qué se han creído ustedes?
Su padre le pegó con la tranca y ella, aunque lloró y gritó, no iba a llamar a nadie pidiendo auxilio porque estaba de acuerdo. Era el colmo que se reproche a alguien el puro hecho de ser excelente, de ser más y mejor que nadie, como ellos eran. Esta inversión de las cosas era la monstruosidad y el absurdo. Podía soportarse que Benjamín se emborrachara, que llegara a las seis de la mañana, que, como decían sus amigos y otras personas, poco se presentara en la universidad y estudiara menos que poco, pero que odiara lo bueno y lo bello, que aparentara amar lo feo y lo vulgar, era insoportable.
Ahora, después de estos años, ah, de estos veinte años, era lo mismo. Llegaba a visitarlos y ellos recitaban aquello:
—Hay que ser responsable.
—Cuando se tiene hijos hay que pensar en ellos.
—No hay que dar malos ejemplos.
—Los gritos y las malas palabras perturban a los niños.
—La embriaguez es la perdición del hombre.
Si ellos hubieran sido menos honorables ahora tendrían la boca cerrada, no se sentirían dignos de esa comentada situación de ventaja que era la paternidad.
Carlota se enteraba de que había visitado a sus padres

por su comportamiento hacia los hijos de ambos. Gritaba en la mesa, no les permitía hablar, le producía una hilaridad incontrolable cuanta pregunta hacía Benjamín chico y le contestaba con una ironía salvaje como si fuera un enemigo a quien se desprecia demasiado para retarlo frente a frente. A sus hijas no les hablaba; resultaban débiles para resistir su odio.

Luego lloraba amargamente. Era extraño y nadie que no lo hubiera visto lo hubiera creído. Lloraba en su cama, mordiendo la almohada para no ser escuchado y no hallaba a quien echarle esta culpa sombría que era su compañera.

—¿Qué es esto? —gemía—. ¿Por qué me pasa esto?

Se presentaba de nuevo ante sus hijos con el rostro inflamado y un aire frágil y sumiso. Con un sonido podía hacérsele pedazos, con romper un vaso, se causaría su muerte. Los niños no hablaban, no miraban, ponían los cubiertos con cuidado sobre el mantel y nadie se hubiera reído. Entonces Carlota hacía bromas en el silencio de los otros diciendo algo para que sus hijos se rieran aunque ellos no se rieran.

Benjamín tampoco se reía, no dejaba siquiera nacer el agradecimiento por el esfuerzo de ella; apenas parpadeaba y se contenía, pues de haberse dado oportunidad, vendría otro alud de lágrimas. Lentamente olvidaban lo ocurrido o parecía que olvidaban; al día siguiente, a las cuatro de la tarde, ya estaban todos hablando de nuevo alrededor de la televisión. Menos Gloria; ella no había tenido que ver en el asunto para bien ni para mal, ella casi no estaba presente.

En la oficina era otra cosa. En todas las oficinas hay uno que es más inteligente, más gracioso, más querido y que trabaja menos que nadie y con más prosopopeya que cualquiera; éste era él. Entonces sustentaba un desconocido afán de agradar y lo lograba. Un jefe suyo dijo:

—Lástima de hombre tan inteligente.

Él no lo supo. Le hubiera sorprendido lo de "lástima" y lo de inteligente. Creía que su inteligencia no era captada por sus jefes sino por sus compañeros y todavía no reconocía su situación como lamentable. ¿Lástima? ¿Dónde podría estar de no trabajar en la Oficina de Impuestos Federales? En principio, en cualquier parte: en una embajada, en una cátedra, en una editorial o en un comercio. ¿Servía para todo? No, no por eso. La respuesta no la tenía él, no la tenía nadie. Algunas personas se desvivirían por opinar, pero nadie iba a hacerles preguntas: Adelina, el general, su padre y su madre. Tendrían que guardarse sus opiniones y podrirse con ellas.

Lo mejor era que nadie hablara excepto aquellos amigos que le decían las otras cosas.

—Tú, el que mejor habla.

—El que más piensa.

—El más apasionado.

—El que más sufre.

Ellos sí. Ellos sí sabían el misterio, tenían las respuestas. Una vez él les dijo como rúbrica, después de una alabanza desmedida y con modestia auténtica.

—Yo sólo soy el que más piensa en Dios.

Callaron, miraron a otra parte, meditaron. Era verdad que a Dios dedicaba muchos monólogos y gran parte de sus pensamientos.

Pero Dios no se dejaba desentrañar, estaba lejos, hacía que sus imágenes enmudecieran para Benjamín y él no les veía halos, ni luces, ni escuchaba, como algunos místicos, secretas palabras.

Cuando Adelina llegó al departamento de Carlota no pudo reprimir un gesto, que al fin y al cabo no era más que el tic, porque allí estaba ese olor desesperante a comida, a ropa vieja, quizá a ropa sucia. Cuando llegó a la puerta se había acostumbrado o tenía la esperanza de que el tufo se quedara en el pasillo. Tocó el timbre y abrió Conchita. Otro olor, más agrio, un olor triste, ya que los olores inducen estados de ánimo.

—¿Por qué no fuiste a la escuela?

—Dijo mi mamá que estaba resfriada.

—¿Dijo? ¿No estás resfriada?

Concha se sentó junto a ella en el sofá.

—No sé, madrina. Me parece que no tengo fiebre. Tócame. —Adelina le tocó la frente y la mejilla.

—No tienes nada. ¿Donde está tu madre?

Concha pensó un momento largo y su madrina apretó los puños de impaciencia.

—Pues. . . —la niña vacilaba porque no quería traicionar unos hechos, ya fuera delatándolos, ya por una mala interpretación de la que se sabía capaz.

—Mira, mi hijita, si tu mamá te recomendó que no dijeras donde estaba, no lo digas y basta, ¿no te parece?

Concha tenía catorce años y apenas iba a entrar a la secundaria, igual que Gloria, quien tenía doce. Pero Concha había alcanzado su desarrollo físico completo: era de la estatura de su madre y un poco más gruesa.

—No fue así —se rió y se animó un poco—. Es un secreto, madrina. Mamá salió corriendo. . . no fue al mercado ni nada. Se puso una mascada para no tener que peinarse y no se despidió de mí.

—Y, ¿tú qué hiciste? —preguntó Adelina maldiciéndose porque la niña iba a contestarle que se había puesto a llorar como si fuera un bebé. Pero no, Concha estaba adquiriendo una especie de premonición y contestaba con una cierta dignidad, cuidándose de los ojos rasgados y negros de su tía.

—Pues me levanté de la cama y me puse a limpiar la casa. No me siento mal, de veras.

Adelina dio un suspiro de alivio.

—Vine a dejarle a tu mamá una tarjeta de recomendación para que puedan, Gloria y tú, seguir en el mismo colegio el año que entra. Me le dio tu tío Arnulfo.

—¡Qué lindo! ¡Qué buenos son ustedes! —Concha la abrazó y la besó impulsivamente y Adelina sin desearlo, sin proponérselo siquiera, se quedó con la niña entre los brazos, escuchándola—. ¡Qué bien hueles, madrina! ¿Como se llama tu perfume?

—Es un spray de Guerlain —sentía la respiración de Concha cerca de su cuello y, mecánicamente, le arregló los cabellos.

—Me da tanto gusto lo de la escuela... Tenía miedo de que nos mandaran a otra escuela distinta, con otras niñas y sin las madres.

—En todo caso, hubieras ido con tu hermana.

—Peor. A Gloria no le gusta sentarse cerca de mí. Ni se junta con mis amigas. Es... es como si fuéramos extrañas.

Adelina no hizo comentarios. Los sentimientos eran así, difíciles. Gloria no se le echaba encima, ni le preguntaba cosas, ni imponía su presencia como Concha; Gloria, desde su más remota infancia mantenía una actitud que ella, para ser parca, calificaba de poco simpática. No era cariñosa, ni comunicativa, ni parecía interesarse en nada... en nada que no le interesara, porque, en realidad, Gloria poseía una gran capacidad de concentración sólo mostrada en estudios, en buenas calificaciones, en voluntad de esfuerzo.

—Pues ya tienes tu escuela de madres por tres años más. Pero debes estudiar mucho para que mantengan la beca, si no, se quedará Gloria y tú... —lo decía para asustarla. Ni Concha era capaz de sacar calificaciones altas, ni nadie permitiría que se quedara sin monjas, como ya estaba visto y comprobado.

—Claro. Claro.

Concha no era propiamente una niña floja, sino la clase de persona, cada vez en forma más marcada, que piensa que ha hecho algo cuando ni siquiera se ha acercado a su realización. Si decía que había estudiado y alguien le tomaba la lección, ella misma se sorprendía de no recordar nada, nada absolutamente, como si no hubiera pasado media hora repitiéndola. Así era también con otras cosas: sus propósitos de no ser infantil, de no decir impertinencias, de barrer o de lavar los platos.

—Fíjate... —vaciló de nuevo, más largamente—. Fíjate que anoche... ¿No se lo cuentas a nadie?

—No —lo de siempre. Concha tampoco tenía idea de la inmensa cantidad de informaciones que le comunicaba a su madrina; se olvidaba en seguida, mientras Adelina se atormentaba horas y días después de recibirlas. Hubiera querido detenerla, que no le contara detalles que la hacían temblar cuando después de salir de allí se metía en un buen restaurant y se miraba al pasar por un espejo, perfectamente bien vestida. Concha bajó la voz.

—Papá estaba anoche muy extraño. No creas que había tomado. . . no era eso.

—Tú qué vas a saber —se lo decía para quitarle importancia, para que no hablara como una experta en esas cosas.

—Bueno, pero no estaba. Hablaba. . . En nuestro cuarto se oye todo. En el de los muchachos también, no creas. Se oye todo. Mi mamá no contestaba. Duró horas, horas. Yo me dormí y desperté varias veces y eso seguía.

—¿No estaría leyendo en voz alta? —esta niña no era tan tonta, no debía haberle dicho eso.

—No, porque lloraba y se le iba la voz. Mamá no hablaba de nada, como si se hubiera dormido. Pero no estaba dormida, porque él seguía hablando, ¿no te parece?

—Mejor hablamos de otra cosa.

—Tiene que ser de esto, de lo que pasó. No he acabado de contar. Ya muy tarde, cerca del amanecer, papá se quedó callado. Se levantó Benjamín y al rato despertaron Mario y Gloria. Antes de que yo me levantara, mamá vino a decirme que no fuera a la escuela por. . . eso. Pero yo no me había quejado de nada.

—¿No te sentías mal ayer?

—No. Entonces despertó mi papá y empezaron a hablar en voz baja. Esta vez no se oía nada. Al rato mi mamá entró con el desayuno. "No te levantes para que no te vaya a dar calentura", me dijo. Luego se fue mi papá y después de un rato muy largo, salió ella.

—Bueno, y, ¿qué tiene de particular todo eso?

—Que mi papá se llevó una maleta.

—Iría de viaje.

—Nos lo hubiera dicho.

—Tiene que ser un viaje.

Concha se ruborizó y se apartó de ella para mirarla.

—Madrina, yo creo que se fue de la casa —hizo un

gesto, el mismo gesto con que Carlota, de niña, anunciaba su llanto—. Siempre he tenido miedo de que se fuera porque siempre parece que tiene ganas de irse. Unas ganas tremendas de irse y no volver.

No pudo más y bañada en lágrimas, abrazó de nuevo a Adelina. Y ésta de nuevo sin sospecharlo ni desearlo, volvió a hacer su papel cariñoso, de tía cuerda sin hijos.

—Estás loca, mi niña. Estás pensando puras tonterías. ¿Cuanto tiempo falta para que vengan tus hermanos chicos?

—Como una hora.

—Bueno, vístete y vamos a dar una vuelta.

A Concha se le iluminaron los ojos. De sobra sabía que Adelina no podía sacarlos a la calle sin comprarles algo, desde malteadas hasta suéteres, faldas, pantalones. Y ella necesitaba unos zapatos.

—Tenemos que regresar antes que ellos porque no tienen llave. El único que tiene es Benjamín, para poder llegar tarde.

—¿Llega muy tarde tu hermano?

Concha mintió apresuradamente.

—No. No. Dije tarde por decir. En cuanto se acaba su última clase viene para acá. Ahorita vengo.

Fue hasta su cuarto y dejó a Adelina en el sofá. En ese sofá que ella misma le había regalado a Carlota hacía veinte años y que se mandaba a componer cuando ella, ella sola, se cansaba de verlo sucio o roto. Este sofá fue rojo, luego gris y ahora negro exclusivamente gracias a ella. Lo acarició, no quedaba mal de este color. Aquí, una vez, Xavier la besó apasionadamente. Sí. . . así fue. Pero al paso del tiempo los recuerdos del amor también se deslavan; hacía diez años no podía recordar ese beso porque sentía estremecimientos y ahora. . . nada. El amor debía ser más grande para que su recuerdo perdurara; debía una poder morirse de amor.

—Ya estoy lista —se puso una falda arrugada y una blusa no muy limpia.

—Niña, ¿qué zapatos son esos?

—Los únicos. ¿Ya están muy feos?

—Muy feos. Vámonos corriendo a ver si nos da tiempo de llegar a una zapatería que me gusta mucho porque. . . A ver si te compro dos pares. Qué horror.

—¿Me pongo el suéter?

—No. Afuera hace calor. ¿Tienes limpios y enteros los calcetines?

—Sí.

—Vámonos. Qué horror de zapatos.

En la calle empezaron a caminar muy aprisa. Concha agarrada del brazo de Adelina y ésta haciendo cálculos mentales porque no recordaba cuánto dinero había puesto en su bolsa.

Arnulfo Ayala se sentó a la mesa y el asistente empezó a traerle la comida en silencio, asesorado por la larga práctica de diez años de servir a un hombre tenso, callado cuando estaba solo, consciente de las diferencias entre ellos. Eran las dos en punto de la tarde: el general había roto con las tradiciones de los empleados públicos referentes a la comida y estaba orgulloso de ello. Desayunaba poco, almorzaba temprano y no cenaba. Tal vez, a lo largo de su vida, había luchado más de la cuenta por vencer obstáculos sin significado real, simbólico sólo para él.

Esperaba a Samuel Macías a quien no había invitado a comer porque se resistía a salir de sus hábitos sencillamente para recibir a un invitado que no le despertaba interés convencional. Samuel era su amigo o tan amigo como podía serlo dado el carácter de Arnulfo, y la verdad es que lo mandaba llamar nada más en ciertas ocasiones. Café o coñac. Nunca decía comida ni la implicaba.

La relación con Samuel estaba teñida de una cierta confianza, de una desvergüenza que Arnulfo mostraba ante todas las personas pero no sobre todos los asuntos. ¿Por qué? Porque Samuel había sido compañero de estudios suyo y desde el principio se intuyeron a las mil maravillas; al mirarse se decían sus ojos: "Yo te conozco y tú me conoces. No nos hablemos."

Pero se hablaron innumerables veces en forma lacónica y directa, sin cariño, sin consideraciones; exclusivamente porque se habían descubierto. Luego, Samuel abandonó el ejército, trabajó en una compañía importante, fue despedido con una buena indemnización y ahora vivía con pobreza, tal vez con angustias y necesidades extremas; no se sabía si de la renta de aquel dinero o de la amistad de alguien. Estaba en un entredicho económico y el general, que lo sabía, no se dignaba ofrecerle un puesto cualquiera, no digamos secretario suyo; un puesto en que hubiera podido, al mismo tiempo, ayudarlo y mantenerlo lejos. Sus destinos eran diferentes y Arnulfo quería conservarlos así.

Cuando llegó Samuel el general acababa de sentarse en la sala, su hermosa sala mandada a decorar lujosamente según una última moda de mezcla de muebles muy antiguos con alguna mesa de hierro y cristales, muy moderna, y un largo sofá color crema, inconcebible en otro sitio que no fuera una revista. Le gustaba el lujo, necesitaba presentarse bien para sentirse bien y sin embargo, su ascetismo escondido le impedía interesarse efectivamente, detenerse a pensar dos minutos en el arreglo de un cuadro o en el mejor ángulo para poner una mesa.

—¿Quieres café?

—Por supuesto —lo dijo con malicia porque sabía que al otro le hubiera complacido que no aceptara. El general, en efecto, hizo un gesto de fastidio y tocó el timbre. Pero el asistente ya venía con el café servido.

—Gracias, Juan.

—Para servirle, señor Macías.

Se tomó de un trago el café a la italiana y se quedó con la tacita en la mano, como para que el general sospechara que iba a pedir más.

—Bueno, ¿qué pasa?

—Todo —Arnulfo hizo su gesto duro. Se despreciaba a sí mismo, pero condescendía a tomarse en serio, como si se tratara de otra persona—. Todo. Se fue Alberto, ¿lo sabías?

Samuel lo sabía y estaba esperando que Arnulfo lo llamara.

—No. ¿De viaje? —la pregunta llevaba un sarcasmo que Arnulfo se negaría a tomar en cuenta.

—Se fue *para siempre de esta casa* —el tono era definitivo y violento—. Se fue porque quiso, yo no lo corrí.

Samuel pensó en Alberto. Veinticinco años, aficionado a la actuación, colección de suéteres y sonrisa. Sonrisa tonta, agregó para sí.

—No, hombre. ¿Qué va a hacer ese muchacho?

—Morirse de hambre. Por cierto, antes de irse me habló de no sé qué ideales. . . yo le dije: "Cuidado, Chato, que yo no soy tu papá. No me andes con cuentos." —Siguió en otro tono, menos violento y más emotivo—. Pretende que a mi lado no puede convertirse en un gran actor seguramente porque come y se viste. . . Bueno, tampoco es posible pedirle que se dé cuenta de su poco talento. No tiene voz.

—¿Se lo dijiste?

—No —negó sin apresuramiento. Tal vez despreciaba tanto a Alberto que no le concedía el derecho a la franqueza—. Lo descubrirá solo, si acaso. Claro, tampoco te llamé para que habláramos de Alberto.

Samuel cruzó la pierna y se quedó mirando sus tacones gastados. Se consoló al pensar que sus zapatos estaban limpios; él mismo les había dado grasa antes de presentarse en esta casa. ¡Y había quien afirmara que Arnulfo le pasaba una pensión! Muy lejos estaban de suponer los sacrificios que hacía para presentarse decentemente vestido frente a este mismo Arnulfo para quien la pobreza era indiferente siempre que no se tratara de la ropa sucia o rota.

—Dime.

—La amistad que yo tengo contigo no está fundada en la compasión o en el complejo de culpa. . .

Lo tomó por sorpresa y Samuel soltó una carcajada.

—Por supuesto. ¿Como se te ocurrió esa aclaración?

—Quería hacerte notar que estamos en igualdad de circunstancias.

—Ah, era por eso. Sí, claro, así estamos.

—Porque voy a pedirte un favor y no desearía que te sintieras obligado.

Samuel nunca había dejado de hacerle al general cuantos favores se le ocurrían, desde encargarse de cambiar todas las tuberías picadas de su casa, hasta vigilar el lento progreso del carpintero sobre los muebles de difícil diseño. Y nunca había pedido ni un centavo aunque el general, en algunas ocasiones pensaba que era de justicia ofrecerle algo a manera de comisión.

—¿De qué se trata?

—Quisiera encontrar otro muchacho de las mismas características de Alberto.

—¿Qué estás diciendo?

—¿No conoces a nadie que. . .?

Samuel se puso en pie y se acercó a la ventana bien cubierta con cortinas de gasa para no ver el exterior, alumbrado por el sol de las tres de la tarde.

—Tú estás loco, Arnulfo.

—Te ofendí, ya me lo imaginaba.

—No. Estás equivocado. Pero no puedes pretender que todas las cosas funcionen mecánicamente. Yo no puedo poner un anuncio en el periódico o ir a pasearme frente a las escuelas de actuación hasta que dé con uno que reúna los requisitos. . . ¿No te das cuenta de que si lo hiciera tú no ganarías nada?

—Estoy resuelto, de hoy en adelante o de ayer en adelante, a tener un tipo de relación que funcione mecánicamente, como muy bien has dicho.

Samuel se volvió hacia él y le tuvo lástima. Esas palabras en boca del general, equivalían a lo que en otra persona hubiera sido una larga lamentación, un admitir que había sido lastimado y un confesarse incapaz de resistir un nuevo golpe. Ah sí, ahora lo veía claro, su amistad con Arnulfo sí estaba regida por la compasión. Suspiró. Parecía que entre ellos no había nada que decirse y no se sentía un ambiente tenso como de quien espera una respuesta, sino algo familiar e inactivo, la costumbre de estar juntos y lejos, por ejemplo.

—No sé —dijo al fin Samuel. No era necesario que Arnulfo le explicara que él no podía exhibirse en ciertos ambientes ni hacer pública su decisión, esta decisión que era una abierta declaración de desesperanza y de fracaso. El general no salía nunca con sus amigos y cuando recibía visitas, ellos tenían consigna de no aparecerse—. Veremos.

Arnulfo no se atrevió a expresar con palabras su agradecimiento. Tampoco sabía si lo era. Era más bien la sensación entusiasta de quien verá un capricho cumplido o un asunto llevado hasta su última consecuencia. Samuel prendió un cigarro. Ahora, Arnulfo quería sin duda que él se fuera, para desvestirse y echarse en la cama hasta las cinco de la tarde. Decidió irse.

—Me voy.

—¿Cuándo me hablas?

—Tan pronto como haya algo... ¿Estás seguro de lo que me dijiste?

Arnulfo asintió con las pestañas bajas y el rostro vacío.

—De la misma edad y estatura, y... —se avergonzó, le parecía estar describiendo un objeto—. Tú me entiendes.

Samuel volvió a pensar en Alberto: cultura deficiente, escapado de su casa a los veinte años a causa de que su padre insistía en que fuera abogado, buen carácter, muy susceptible. El general jamás podría soportar a alguien que tuviera una educación inferior a la de él, aunque ese alguien fuera más inteligente o más hermoso que Alberto; pero nadie había dicho la palabra hermoso.

—Hasta luego.

Arnulfo no contestó. Samuel salió de prisa y cerró las puertas con cuidado, como si en aquella casa hubiera enfermos graves.

La fascinación verde azulosa de las islas. No sería posible soñar con felicidad sin tenderse en la arena infinita, sumido en la contemplación de las poblaciones marinas y fantásticas.

Aquel que no ha visto de cerca una estrella de mar no

comprende ni el aspecto del mundo ni sus claves. Sentir los cinco dedos de la estrella, rojos, rasposos, colmados de poros y protuberancias; una estrella sorprendida a medio gesto, con un dedo encogido, una estrella que se petrifica antes de estar perfectamente muerta.

La concha de los colores del iris, creación de la insistencia exquisita de la naturaleza coordinada e impalpable. La concha brillosa, verde, azul, la concha divina que no es espejo, ni flor, sólo adorno y abrigo.

Luego, el suave desplazarse de las tortugas negras con su espalda recargada y notable dispuesta a recibir todos los pesos de las cruces secretas que caen sobre los hombros pacientes e impacientes o la del vientre oculto que cede sólo a empujes menores e innombrables.

La isla, con la cabeza desmelenada de palmeras, una cabeza peluda de cíclope con un solo ojo de agua o un surtidor apaciguado para bañarse, mojar el labio duro, calmar los ácidos de la lengua pastosa y reflejar la imagen.

Sin las estrellas de mar, sin las conchas, sin los reflejos deslumbrantes de las aguas a las doce del día, la vida no tiene sentido; no hay gozo en la epidermis, hay oscuridad, frío, olores sucios, aire viciado.

Allí estaba Benjamín el joven, sentado bajo un árbol grande, en el suelo y no en la banca de un parque, sin cuidarse de la humedad que mojaba su ropa y sus libros, sin pensar en las horas ni en los minutos, sin saber siquiera que hay personas que saben la hora por intuición y así llegan a tiempo a los lugares.

Benjamín el padre llevaba su maleta en la mano izquierda porque tenía la derecha ampollada de tanto soportar el peso cada vez más insoportable. ¿Había metido la pijama? ¿Sí o no? Porque él no estaba acostumbrado a dormir sin ropa. Eso, según su madre, era una indecencia. . . él se quedó con el hábito de cubrirse el cuerpo con fruición, inclusive con un poco de ridiculez y tontería. ¿El cepillo de dientes? No, no lo traía, era un estúpido. En cambio, había puesto las Obras Completas de Gogol y el Teatro de O'Neill. ¿Por qué? No iba a leerlas aunque se hubiera quedado en su casa, pero un libro prestaba cierto punto de apoyo como el que necesitan los actores cuando insisten en salir a escena con un cigarro o con un pañuelo. ¿Para poner las manos? Cosas.

Claro, no todas las camisas estaban limpias, por eso había metido dos, tres. Y la de franela, cuatro. Esa nada más la usaba algunos domingos, cuando no hacía calor.

No venía un coche. Tenía exactamente treinta pesos; un coche, podía pagárselo. No debía haber permitido que Carlota se quedara con lo de la quincena; si él se iba de la casa tenía que llevar dinero suficiente para vivir con decencia. . . pero tampoco podía rebajarse a discusiones viles, ni arrancarle el dinero una vez entregado y guardado en los sitios diversos que eran los escondites de Carlota; debajo del colchón, en el clóset, en la bolsa de su delantal, en su pecho tibio y carnoso.

Por supuesto que es difícil hablar: plantarse como los hombres, apretarse el cinturón y decir las cosas. Las dijo seriamente aunque no pudiera evitar el conmoverse, aunque en cierto momento sus lágrimas corrieran como un río insobornable. Un hombre tiene que recurrir a decisiones drásticas cuando está perdiendo la vida. Cuarenta años. Cuarenta años sin dinero, sin futuro, sin ejercitar esta inteligencia en nada que fuera efectivo: ni un libro, ni un folleto, ni un artículo. ¿Dónde estaba la prueba escrita y editada de esta brillante capacidad de razonar, de esta fascinación verbal que se sabía capaz de ejercer?

Su madre, con no tener una visión clara de la vida y confundir prácticamente todas las cosas, sabía perfectamente de lo que se trataba cuando se refería a su talento. De niño le decía:

—Tu padre es un tipógrafo de primera, conoce su oficio como pocos, pero a ti te han de conocer en muchos países por los libros que vas a escribir.

¡Qué buenos habían sido después de todo! ¡Qué solícitos y qué fe inquebrantable tenían en él! Por esa fe, por esas esperanzas, había que romper con todo y lanzarse.

Se detuvo en una esquina, con la maleta en el suelo.

Parecía que esperaba un autobús pero no era cierto. Sólo estaba pensando.

Todo se lo había dicho a Carlota: desde el momento aquel, maldito ahora mil veces, en que puso los ojos en ella, cuando la miró, la quiso y de un golpe se unió con ella en el mundo de la emoción y para siempre, hasta ahora, dieciocho años después, cuando ella ya no era una niña, pero era guapa y conservaba un cuerpo apetecible y la sonrisa... Le dijo lo odiosos, lo ruines que fueron esos años, lo estériles; cómo lo habían secado, carcomido; cómo en presencia de esos cuatro hijos (¿cuántos abortos? ¿seis?) no era posible sentir deseos creadores, acercarse a una mesa con decisión, tomar la pluma...

Los hijos eran la causa de la angustia, pero la culpa de la esterilidad la compartían con ella. ¿Cómo podía un hombre atormentado por la necesidad de ganar el pan de cada día, un hombre perseguido por las miradas de su prole y de la madre de su prole cuando gastaba un centavo más en un libro o en un disco, ceder a sus impulsos creadores y realizarse en la acción que mostrara su genio?

Si se hubiera quedado en la casa de sus padres el triunfo fuera suyo. La madre, con su manía del ruido, del eco y de la resonancia, lo hubiera apartado de las mil distracciones y su padre lo hubiera fortalecido con su ejemplo. ¿El odio, los gritos y las recomendaciones? No vendrían, el trabajo y el esfuerzo serían los valores de su vida y sus padres no tendrían motivo de discordia.

Eso también se lo había dicho, eso también era un reproche y debía hacerlo para no quedarse a medias, con la sensación repugnante de ser aquel que no termina lo que inicia; el incompleto, como si fuera tonto o estuviera mutilado.

Carlota escuchaba impávida. Por supuesto, recursos de mujer; acostada en la cama matrimonial, con los ojos entreabiertos y el rostro tranquilo. Otras veces, él intuía el miedo que Carlota albergaba frente a sus arranques, ahora no. Se trataba de una reclamación meramente verbal y así tendría que conservarse porque toda la vitalidad de Benjamín estaba en su lengua y en su inteligencia.

—Nadie puede hacer nada con cuatro hijos y una esposa como tú. Tal vez no eres peor que las otras, pero yo necesito irme, cambiar de ambiente, olvidarme de ustedes —la voz se volvía suplicante—. Olvidarlos, como si se pudiera... No quiero ser cruel, Carlota. Quiero ser justo, justo. ¿Quién puede decir que ha sido justo? Es el mundo que no nos deja ser lo que queremos. Cuando esté lejos seré diferente. Carlota, yo te admiraré y tendré en cuenta tu abnegación y lo que me has amado. Bien sé cuánto me has amado...

Las últimas frases fueron pronunciadas con complacencia. Era agradable calibrar el amor de Carlota en el momento de la despedida. Carlota contestó hasta el fin.

—Tienes razón.

Fue heroica como una madre romana, como una reina bárbara... Esta impresión se desbordó a la mañana siguiente, cuando él sólo había dormido dos horas y ella lo sacudió.

—Benjamín, es hora de irte. Ya saqué la maleta del clóset.

También era hora de salir hacia la oficina. Tendría que hablar por teléfono para avisar que llegaba tarde porque...

—¿Ya se fueron los niños?

—Conchita tiene fiebre.

—Va a darse cuenta.

Carlota no dijo nada, como si evitar eso ya no estuviera en su mano. Él se levantó; la maleta estaba sobre una silla, abierta y recién sacudida. Allí puso sus cosas y se fue a la calle. A la calle. No pasaba un taxi y él no podía subirse en el autobús con aquella maleta.

Volvió a levantarla y sintió que de nuevo le lastimaba la mano; echó a caminar.

El viaje a Nueva York fue una maravilla. Era, además, la confirmación de todas aquellas ilusiones acerca de Benjamín.

—Carlota, voy a llevarte a Nueva York. Tú y yo, tomaremos el café en el Rockefeller Center.

Ella lo creyó entonces. Y ahora, porque Benjamín sabía hablar inglés, lo escogieron para que tomara un curso de seis semanas en aquella ciudad.

—Un curso raro —le decía él a sus amigos— para manejar unas máquinas de oficina.

Se reía como si en efecto fuera raro y no lo más normal teniendo en cuenta que hacía casi veinte años que trabajaba en una oficina.

Hay momentos así, privilegiados, momentos para sentir otro país, otra temperatura, otro olor en el aire.

Ella no era vieja, tampoco. Treintaidós años, según muchos dicen, es la edad más hermosa. Un momento de brillo, de gracia, de entusiasmo, no cualquiera lo tiene y ella lo había tenido en Nueva York. Recordaba conmovida una imagen de la ciudad, por la tarde, mirándola desde el río: una ciudad dorada, bella como un deseo, rebosante y gloriosa. Hay momentos plenos. Aquellos en que se tiene despierta la conciencia geográfica y uno sabe que está en medio de un río, en Norteamérica, más abajo que el planeta Venus y sin olvidar las sensaciones de la espalda, el bienestar del cuerpo y la idea agradable de tener ojos, ver, ser una misma la que disfruta. Carlota sabía que sólo por medio del sexo pueden obtenerse sensaciones comparables; era una especie de teoría no formulada que jamás se hubiera atrevido a expresar frente a Adelina o a esbozar en presencia de sus hijos.

Carlota no le había dicho a sus hijos que las parejas se acoplan, que los niños nacen del vientre de sus madres y que existe el placer sexual. No lo diría jamás, en gran parte porque eran cosas sencillas de adivinar y también porque ella las había dotado de una calidad mágica inigualable. Después de dieciocho años de vivir con Benjamín repasaba en la memoria su manera especial de acariciar, de mirar o de reír cuando se preparaba para hacerle el amor.

—Mi vida, te adoro —decía Benjamín con la respiración larga y profunda. Eso era todo, las olas de la pasión siempre vivas y vibrantes. Esta Carlota siempre joven concentrada en tal o cual gesto o en un movimiento mínimo pero de grandes resonancias sensoriales.

—Adelina, ¿todos los hombres son iguales? —eso sí se había atrevido a preguntarle.

Adelina la miró con frialdad forzada porque tenía el tic en las aletas de la nariz y murmuró una palabra que ella no oyó con claridad.

—¿Cómo?

—Digo que si todos los hombres son iguales.

—No sé qué quieres decir. No te entiendo ni entiendo cómo a alguien se le puede ocurrir una pregunta tan vaga.

Carlota prendió un cigarro mientras Adelina seguía mirándola sin parpadear: respiró varias veces, al exhalar echaba la cabeza hacia atrás y entrecerraba los ojos.

—Bueno.

Adelina marchó a la puerta sin dar ni buscar un pretexto; simplemente salió y cerró de golpe. Carlota se sorprendió al ver que no volvía, ¿qué le habría pasado esta vez? Ofendida, pero, ¿por qué? Esa era la gran pregunta, la más frecuente.

Cuando, como hoy, se sumergía en la gravedad de un asunto inaplazable, se sorprendía aislada; no sola, pero muy poco al tanto de las reacciones del prójimo, como si entre ella y su marido, sus hijos y sus hermanos estuviera una nube de incomprensión en la que sabía, tal vez, una sola cosa: esto que la separaba del prójimo era suyo y no de los otros. No eran los silencios de su hija Gloria, ni los silencios (tan diferentes, de otro género) de Benjamín hijo, ni la charlatanería de Concha; era que ella, Carlota, le había dado a la vida una especie de interpretación que no coincidía con la que sin duda le daban los niños, o Adelina. . . o Arnulfo.

Le costaba trabajo pensar en Arnulfo. Ahora estaba tan lejos de él que le dolía el esfuerzo de recordarlo; lo descartó inmediatamente. Hizo gestos y la conciencia de ser observada por otros la aquietó. A pesar de todo iba en un tranvía. En un tranvía estaba dándole vuelta a todas estas cosas. Cosas absurdas y sin orden.

Gloria le llevaba cuatro años a su hermano Mario, juntos tomaban el autobús escolar por las mañanas y juntos regresaban. Las relaciones entre ellos eran secretas aun para Concha, que las presenciaba sin sospecharlas.

JAMÁS era su palabra preferida. Una mañana que por equivocación entró en un salón de clases vacío la escribió en el pizarrón con letras góticas adornadas con nervaduras y hojas en forma de alcatraz.

—Jamás digas que nos hablamos de noche, cuando todo el mundo se sienta en la sala a ver la televisión. Jamás admitas que vamos a la cocina, nos sentamos en el banco y yo te cuento cuentos; jamás me llames a gritos sino pasa junto a mí y yo te seguiré para hablar a solas.

Mario sabía esto desde hacía años, intuía la conducta exigida por su hermana y ella, con una especie de falta de piedad, se la formulaba expresamente, para que supiera de lo que trataba. Era el SECRETO sellado con la diabólica palabra. Era lo INCÓGNITO vuelto invisible con el silencio de ambos.

Ahora, porque Concha no estaba con ellos, se hablaban en el autobús y Gloria le tenía una mano agarrada con disimulo. La consigna era para los de la casa; los compañeros, la gente de la calle, no existían.

—¿Oíste anoche?

—Sí —Mario hablaba apenas porque sabía que su hermana era autoritaria y desmentiría cualquier hipótesis.

—Papá va a fugarse de la casa. ¿Entendiste? —le apretó la mano y Mario la miró para que siguiera hablando—. Dice que todos le estorbamos y que se va para volverse un gran hombre. ¿Oíste eso?

—Sí.

Mario no había oído una sola palabra, tenía el sueño muy pesado y era una suerte, porque Benjamín hijo prendía la luz, dejaba caer objetos y decía palabras en medio de la noche. Además esta idea de la fuga del padre, encarnaba para él todo el romanticismo de que era capaz su alma de ocho años.

Fugarse. . . tener una aventura con la mochila al hombro y una pluma azul en el sombrero. O un viaje marítimo, tenderse al sol bajo las velas blancas de un barco largo como una flecha, hermoso, cortante como un cuchillo de acero sobre las aguas. La fuga era bella y él no se sentía desvalido porque estaban su madre y su tía, pero sobre todo porque Gloria tenía esta capacidad inacabable de tocarlo con sus manos resecas, cubrirlo con la cobija a cuadros cuando Carlota estaba sirviendo la cena y Concha cabeceaba sobre su costura, y ordenarle:

—Duérmete y hasta mañana.

Él correspondía con su valor de ánimo. Por ejemplo, cuando le pegaron los niños del departamento de abajo no la llamó, ni estaba el nombre de su hermana entre los aullidos que venían aglomerándosele en el pecho, sino que se retrajo, soportó y cuando pudo escaparse no la buscó porque Concha y Carlota estaban siempre presentes como si fueran ubicuas. Hasta el día siguiente, en el recreo, se encontraron bajo un árbol seco que había en un arriate alambrado.

—¿Qué te hicieron?

Entonces sí lloró, pero quedamente. En un raudal de palabras le contó todo a Gloria: la dureza de los golpes, el ensañamiento, la humillación. Gloria apretó los dientes. Esa misma tarde les pegó a los vecinos y no sólo, sino que los amenazó tan seriamente que ellos no le dijeron nada a sus padres, ni tampoco a los de ella, ni volvieron a acercarse a Mario. Eso hizo y no se sintió ufana sino obligada, triste por haberse visto en una situación que no podía resolverse de otro modo; así era ella, de grandes recursos y Mario se sentía protegido, intocable porque la tenía a su lado en el misterio.

No iba como Robin Hood, colgando de los árboles, en medio de los caminos de lianas y ayudado por las divinidades de los bosques. Ni tenía sombrero de fieltro adornado con la gracia aérea de la pluma azulosa, ni forradas en mallas las piernas ágiles y perfectas.

Tampoco estaba tendido en la cubierta del barco espléndido, soñando sobre la cubierta de un velero con otros millones de veleros mayores y menores en vía de correr por el mar y anclar en continentes extraviados donde uno descubre el paraíso y lo reencuentra.

Él iba a pie, sudando, despacio porque le dolía la mano aquella y ahora veía que los zapatos que se usan para estar en la oficina de ninguna manera se prestan para las excursiones bajo el sol y sobre el pavimento de una ciudad arbitrariamente asfaltada. Qué imbecilidad. Solo traía sus pantuflas dentro de la maleta, los otros zapatos se habían olvidado en casa del zapatero quien les iba a cambiar las medias suelas porque. . .

Samuel Macías creía saber dónde encontrar a Alberto porque una vez, durante una crisis de sus relaciones con Arnulfo, allí lo había hallado, borracho a las cinco de la tarde, frente a un plato de comida intacto.

Era un restaurant con exageradas apariencias de limpieza y de decencia, situado nada menos que en la Avenida Juárez, y que tenía como peculiaridad más aparente el hecho de que en él no se veían mujeres, como si alguien les prohibiera la entrada. Los meseros no llegaban a los veinticinco años y la mayor parte de los clientes pasaban de los cincuenta. Un amigo de Samuel le dijo un día riendo:

—Los clientes somos viejos porque este lugar es muy caro.

Sin embargo, allí se había refugiado Alberto, donde no sería objeto de interrupciones ni surgirían incidentes enojosos. Samuel fue sin la intención de quedarse a comer porque no tenía dinero suficiente. . . a menos de que encontrara algún amigo con ganas de hablar. No le daba vergüenza, la gente paga por cosas más molestas, más penosas que una simple conversación. Nunca había vendido su persona en "ese" sentido. Si la palabra venta tenía otros significados metafóricos, la culpa no era suya.

Por supuesto, Arnulfo no lo había enviado a buscar a Alberto y su aspecto era el de un hombre que ha terminado sinceramente con una relación; en su rostro y en sus ademanes se leía la decisión más absoluta de substituir a Alberto. . . con otro parecido a él pero bajo términos más humillantes para Arnulfo, para el favorecido y para él, que era el intermediario. ¿Por qué entonces no presentarse con el mismo Alberto para mayor comodidad de todos? Era muy claro que Arnulfo no lo rechazaría.

Entró y el aspecto del lugar lo hizo reflexionar por primera vez en que necesitaba unas reparaciones. Las cortinas de terciopelo color vino no parecían tan suntuosas y las sillas mostraban las huellas del continuo manoseo. Manoseado, esa era la palabra. Le haría una sugerencia al dueño, quien siempre que él le decía una de esas cosas, se la agradecía invitándolo a cenar. Tampoco los meseros lucían su mejor aspecto y de una ojeada notó que el muchacho que le abrió la puerta tenía deshilachada la orilla de una de las mangas de su saco blanco. Además, el color vino. . . tal vez un azul rey o un verde seco. Claro, el vino era tradicional en los casinos, en los restaurants de lujo y en estos lugares. Además, le daba al ambiente un fuerte sabor colonial que se llevaba bien con el cuadro auténtico de un mártir no identificado que era conducido al suplicio por unos hombres de rostro negro mientras mostraba su cuerpo blanco y translúcido listo para ser despedazado. En fin.

Alberto no estaba allí. Pero al tender los ojos vio al Chato Barret que lo llamó en seguida.

—Hola, Sammy.

—Hello, ¿por qué tan solo?

—Siéntate. Tengo un problema. . . —llamó al mesero con una señal—. Nos trae la carta.

El Chato tomaba un vermut lentamente y no le preguntó a Samuel si quería un aperitivo. Eran más de las tres de la tarde.

—¿A poco no has comido?

—No tengo hambre, desayuné como a las doce.

El mesero trajo la carta y Samuel esperó que el Chato ordenara para no desentonar. Algunos de estos hombres comían poquísimo. Tenía razón: el Chato pidió un plato de carnes frías y él tuvo que pedir otro.

—Mira, ¿para qué andar con rodeos? —guardó silencio como para ordenar sus ideas.

—¿Qué te pasó?

El Chato tenía un aire entre pícaro y fatigado.

—Bueno, me llevé a uno de estos muchachos y...

Samuel era experto en estos incidentes y sabía de memoria todas las variantes posibles que repasaba con aire profesional y desinteresado: hacía más de diez años que él era casto.

—¿Te robó o le diste algo que quieres recobrar?

—¡Qué bárbaro eres! Fíjate que tenía yo guardados varios anillos en una caja y me dieron ganas de regalarle uno; se veía buen muchacho, ¿ves? Y se lo di en la oscuridad. Hoy en la mañana caí en la cuenta de que se trataba de un anillo de oro que tiene para mí... un valor emotivo.

—¿Es caro? —Manuel no creyó lo del valor emotivo y quiso cerciorarse.

—No mucho y estoy dispuesto a darle otro parecido, hasta más grueso —se sacó del bolsillo un aro con una placa vacía como en espera de unas iniciales. Samuel sospechó que acababa de comprarlo y creyó lo referente al otro anillo—. ¿Tú crees que se podrá?

—Eso no es difícil. ¿Ese muchacho lleva tiempo aquí?

—Unos seis meses —el Chato Barret se ruborizó, sólo él sabía por qué—. Pero ahora no lo he visto y hace rato que llegué.

Trajeron lo que habían pedido y Samuel se lanzó a comer con apetito mientras Barret picaba aquí y allá. De sobra sabía Samuel que era necesario tomarse su tiempo, no plantear la solución con demasiada rapidez porque entonces el otro resentiría la invitación si es que no empezaba a mirarlo con impaciencia y con deseos de irse.

—¿Cómo se llama? —preguntó con calma, dispuesto a escuchar muchos datos inútiles pues el trámite a seguir era sencillo: ver a Venegas, el dueño del restaurant y pedirle la dirección del mesero quien evidentemente estaba en su día libre. Luego, que el Chato le diera dinero para ir a buscar al otro y ofrecerle el anillo nuevo. Eso le llevaría toda la tarde.

Alberto no se veía por ninguna parte.

Adelina le compró a Concha dos pares de zapatos y unas pantuflas porque descubrió en su bolsa un billete de quinientos pesos doblado y guardado en un compartimiento quién sabe desde cuando.

—Niña, ¿cuánto tiempo hace que te levantas descalza?

—Como seis meses —hacía un año, pero a Concha le parecía una delación de sus padres el admitir que nadie se había preocupado por el hecho de que sus pantuflas ya no sirvieran.

—Y Gloria, ¿tiene pantuflas?

—No. . .

—Pero es necesario que esté presente. No me acuerdo de su número.

—Tenemos el pie del mismo tamaño.

—No lo creo, no puede tenerlo tan grande.

Concha no insistió; a sus luces, la mejor política para congeniar con Adelina era no discutir nunca con ella. Tampoco había que apresurarla porque tenía una fuerte tendencia a ponerse nerviosa y a alzar la voz. Si no llegaban a tiempo para abrirle la puerta a sus hermanos, que se esperaran, ni remedio.

Uno de los rasgos de carácter más continuo en Concha era la despreocupación: no le importaba llegar tarde a ninguna parte, ni resentía las palabras duras, ni sufría por su aspecto sino hasta que la necesidad la orillaba. Por otra parte, protegía este estado irresponsable e indiferente dándole a cada quien por su lado y tratando de no crear antagonismos. Esta vez, Adelina compró los zapatos sin consultar los gustos de su sobrina y a ella ni siquiera se le ocurrió insinuar una preferencia. Tal vez ni siquiera se molestó en tenerla.

Tomaron un taxi y al regresar al edificio se encontraron a los dos niños sentados en la escalera de la entrada. Mario se levantó en seguida y fue a besar a su tía Adelina;

Gloria, con una especie de fatalismo, se dejó besar en la mejilla mientras la tía se disculpaba, frotándose la nariz con la mano.

—Mi hijita, a ti también te voy a llevar a comprar zapatos, pues aunque dice tu hermana que tienes los pies del mismo tamaño de ella no lo puedo creer. A ver, enséñame los pies. —Gloria, sin moverse de donde estaba parada, se cambió de mano su mochila—. ¡Qué barbaridad! Tienes unos pies inmensos, te hubiera comprado. . . Es que vas a ser muy alta.

Concha abrió la puerta de la entrada y subieron por la escalera mal oliente.

—¿Quién les va a dar de comer?

—Es que no hay comida, madrina —dijo Concha.

—¿Cómo?

—¿No te acuerdas de que mi mamá salió sin ir al mercado?

Adelina apretó la boca.

—Abre.

Concha obedeció y los cuatro marcharon hacia la cocina. En el refrigerador pasado de moda que Adelina le regaló a Carlota hacía ocho años "porque era de muy buena marca", estaban dos huevos, un paquete de mantequilla medio gastado y una rebanada de tocino.

—Podemos comprar algo en la cocina económica. Tenemos portaviandas.

—¡No! —Adelina no podía resistir la idea de que sus sobrinas salieran a la calle con un artefacto de ese género. Tenía la imagen de la portaviandas estrechamente asociada con las criadas—. Miren, tomen esto y vayan a la tienda. Compren trescientos gramos de queso, trescientos de jamón, una lata de chícharos y una docena de huevos. Ah, y en la frutería, una manzana para cada uno.

Concha agarró a Gloria de la mano y salieron corriendo. Mario se sentó frente a Adelina, sin soltar su mochila.

—¿Y a ti cómo te ha ido, tía? —la pregunta era gentil, bien dispuesta, acompañada de una mirada bondadosa. A Adelina se le llenaron los ojos de lágrimas porque hacía

días, tal vez semanas, que nadie se interesaba así por ella.
—Bien, hijito, muchas gracias. Cuéntame de tu escuela.

Benjamín Benito se llamaba porque el primer nombre lo había heredado de su padre y el segundo se lo dio a sí mismo para recrearse. Era necesario, era urgente, inventar una persona que superpuesta a la primera disimulara sus debilidades, asumiera los propósitos valientes, viviera ignorada de algunos y fuera respetada intensamente por él.

Benito, el asceta, el decidido a no aceptar la felicidad y el enteramente ignorante de lo que era la felicidad.

Los momentos intensos. El más intenso de los que recordaba fue cuando levantó la silla y estuvo a punto de pegarle. Esto era tan inminente que el otro depuso su actitud y tomó otra humillada y resentida.

Eran como las dos de la mañana y oyó el taconeo rápido de su madre, como si estuviera corriendo, pero no era posible, ¿correr en el comedor y a esas horas? Inmediatamente se sumió en un sueño pesado, parecía que el sueño se empeñaba en detenerlo, en inmovilizarlo para que no cometiera ese crimen. Crimen, extraña palabra, pero no podía decirse de otro modo, ni darle otro nombre.

El repiqueteo de los tacones se oyó de nuevo y él lo integró a sus sueños para no despertar, con el propósito malévolo de no despertar. Entonces escuchó el grito ahogado y brincó de la cama con mayor energía porque hasta entonces no había querido hacerlo, con mayor violencia porque se sentía culpable de descuido.

Carlota estaba en un rincón del comedor cubriéndose el rostro con los brazos y Benjamín padre la golpeaba en los hombros, en la cabeza, en los costados y Carlota no gritaba ya, esperando sin duda que se cansara de pegarle.

Él, Benamín Benito, Benito solo, es cierto, levantó la silla y estaba a punto de dejarla caer cuando su padre se dio cuenta de lo que iba a pasarle y a su vez se cubrió la cabeza con las manos. Él sostuvo la posición un momento largo. Gozaba con el pánico que adivinaba en la cabeza protegida a medias de Benjamín padre, gozaba como loco. . . hasta que ella se descubrió el rostro y dio, esta vez, un grito penetrante. Entonces la miró atentamente sin bajar la silla, con más asombro que reconocimiento, como si no la hubiera visto nunca. Y bajó la silla al tiempo que su padre, como un niño o como un animal, asomaba un ojo por una rendija de manos y brazos.

—Hijo de puta.

Esas fueron las palabras de Benito, pero, ¿qué podía haber dicho después de renunciar a romperle la silla en la cabeza? Para eso se hicieron los insultos. Carlota dijo con su voz musical muy alterada.

—No, Benjamín, no. . .

Él dio media vuelta y dijo en voz muy baja una insolencia, esta vez dirigida a ella. Los odiaba. Eran dos monstruos, seres sin dignidad, sin huesos, sin verdaderos gritos.

Varios días después cayó en la cuenta de que no había meditado en el motivo de aquella escena y se aterrorizó por ello. ¿Era acaso la vida diaria sorprender a los dos en aquellas actitudes e insultarlos? Reaccionó como si lo fuera y esto lo llevó a la conclusión de que él sin duda vivía en una dimensión donde aquellos sucesos venían a ser enteramente normales y esto era terrible porque indicaba que la diferencia era suya y de nadie más: tenía un mundo propio y ese mundo estaba formado por algo parecido a la violencia, la muerte, la destrucción y el caos.

No les hablaba porque había cosas que no se perdonan y allí estaban tres personas que no se perdonaban y vivían en la más encontrada disposición de ánimos. Él adivinaba la vergüenza de su padre, en el fondo de ella el miedo y por ende la indignación ahogada a su vez por la vergüenza en un continuo círculo. En cuanto a ella, ¿era posible que la ternura que debiera sentir hacia él no fuera más grande que el deseo de "ponerlo en su sitio y conservar el respeto al padre"? Adivinaba lo que pensaban y sentían; al mismo tiempo, albergaba la absoluta seguridad de que ellos no sospechaban nada suyo, salvo la mirada con que debía de haberlos visto aquella noche, salvo el momento en que con la silla levantada, se delató ante ellos.

Poco a poco, así, con la convivencia, surgieron los monosílabos, las frases enteras y luego las frases fragmentarias que eran la forma de comunicación más cordial entre ellos.

—¿Qué clases tuviste hoy?

—Historia y Geografía.

—Está bueno.

O Carlota:

—Ponte el suéter verde porque el azul ya está muy viejo.

—Bueno.

—No se te olvide.

Esto era todo, la rutina exterior era la misma. Pero adentro, allá lejos y en lo hondo, seguían desarrollándose sucesos espeluznantes.

Arnulfo Ayala se tendió en su cama a sobrellevar el dolor con método. No era nuevo el dolor ni él era inexperto. Sabía sus recovecos, sus dobleces y sus mentiras; la característica más repugnante del sufrimiento era sin duda la hipocresía: esta capacidad humana de distraerse, de buscar pretextos, de sonreír creyéndose aliviado. Arnulfo hubiera soportado morir de dolor pero no podía aceptar este término medio que le permitía comer con relativo apetito, dormir cuatro o cinco horas y trabajar.

Pero después, en los momentos desocupados, entre una actividad y otra, el dolor caía como una mole, transitaba por el aire, se respiraba y se veía. Arnulfo no temía el llanto. Se colocaba un brazo sobre los ojos y dejaba que las lágrimas cayeran a lo largo de su pelo hasta mojar la almohada; no sollozaba, era una cosa tranquila, como un ejercicio: el dolor de un monje frente a su propio látigo.

Ciertas palabras, ciertos gestos de Alberto alimentaban este correr de lágrimas, por ejemplo la autenticidad con que se mostró cruel, doblemente alarmante porque Alberto era suave y amable.

—Esta vida es estéril, no me da nada, siento que mata

en mí la imaginación y los deseos. Estoy muriéndome poco a poco, como si me tuvieras enterrado.

Tal vez repetía lo que alguien le dijo. Un alguien que merecía morir en pecado mortal, porque, ¿como envenenarle así la cabeza a un tonto? Así era Alberto y Arnulfo no era de aquellos que se hacen ilusiones sobre esta condición de la especie; cuando se da, ¿no es un contrasentido esperar que la gente lo admita y pierda la esperanza? Ser tonto es justamente eso, no conocerse, mantener esperanzas infundadas o ilusiones sobre la realidad. Alberto no podía contemplarse a sí mismo como un muchacho sin talento, débil de carácter pero con el orgullo de abandonar a las personas y de salirse de las casas con el firme propósito de no volver. Se lo había hecho a su familia y ahora se lo hacía a él.

Cuando el padre de Alberto se enteró de que vivía con Arnulfo hizo investigaciones para saber de quién se trataba y recibió las respuestas consecuentes. Actuó entonces como no lo hacen la mayor parte de los padres: se explicó la conducta de su hijo pasada, presente y futura por su flagrante homosexualidad y decidió que "había muerto para él". No quiso hacerse de la vista gorda, ni inventar una coartada para su hijo, nada; fue un padre ingrato.

Arnulfo no tenía la misma disculpa ni quería imitar la conducta del padre, pero reconocía que se trataba de una verdadera tentación. Era, al fin y al cabo, lo más fácil que puede hacer una persona cuando se encuentra en ese predicamento y en cualquier otro. Cerrar las puertas, fingir que quienes actúan como si no nos amaran están muertos, viene a ser lo más sencillo del mundo.

Lo malo de todo, la dificultad para mostrar la nobleza de alma que lo diferenciaba del padre de Alberto es que él era Arnulfo Ayala y no podía recorrer los bares ni los hoteles baratos en busca de un muchacho vestido casi siempre de azul celeste, con suéteres inmensamente grandes para su cuerpo flaco que colgaban alrededor de su cintura mínima y hacían de su persona un objeto de profunda y agradable contemplación. Esto no podía hacerse, él no podía, ni siquiera había podido insinuárselo a Samuel, el hombre que lo entendía todo y a todo le buscaba remedio. Por lo contrario, le dijo una cosa enteramente imprevista que a estas alturas le parecía disparatada, ¿qué iba a hacer él si Samuel se le presentaba con un muchacho flaco recogido de la calle como un gato roñoso? Se estremeció, no podía imaginar situación más odiosa, más repugnante a su estado de ánimo actual.

Samuel no era imbécil, le quedaba esa esperanza. Samuel, tal vez, con esa sutileza que lo proveía de alimento, poco dinero y humilde techo, habría caído en la cuenta de que él era un idiota, pero mucho menos que otros porque reconocía sus actuaciones como lo que eran y no traería al expósito, al corrupto, al infeliz aquel que ocuparía el sitio de Alberto sin llenarlo jamás.

No sabía si tocar o no la puerta porque la acosaron inmensas consideraciones sobre lo que podía interpretarse como propio o impropio... de una dama, naturalmente. Decidió caminar una cuadra o dos y regresar si se atrevía o si alcanzaba conclusiones de peso sobre el asunto.

Caminó por la avenida Álvaro Obregón y la encontró sin gracia, con alguna cosa escueta que estaba en los árboles o en los edificios de la época de Lázaro Cárdenas; también estaban las hermosas, las grandes casas francesas recuerdo de la gloria y del poderío de unas cuantas personas.

Observó que ésa era la primera reflexión de tipo social que hacía en su vida: las casas, la riqueza, la pobreza. ¡Qué pobres habían sido y qué poco lo había lamentado ella! Ahora tenía los ojos llenos de lágrimas y miraba entre ellas, como detrás de un vidrio, la arquitectura blanca de una casa enorme en medio de un jardín cuidado, con las famosas ventanas forradas en visillos.

Así, violentamente, resintió todos aquellos días en que no salía a la calle porque no tenía medias o cuando el dinero sencillamente no alcanzaba para nada que se refiriera a sus hijos y ella al verlos juntos por la noche, o al mediodía, pensaba sin formularlo:

—No se visten, no comen, no pasean...

Repentinamente le dolía el cuidado con que ocultaba la miseria a los ojos de su hermana y la especie de olfato que la otra tenía para descubrir las llagas en los momentos más inesperados. Como cuando la sorprendió haciendo cola en el Monte de Piedad para empeñar su reloj con el único objeto de hacerle a Benjamín padre un regalo de cumpleaños. Camisas. ¡Cómo se asustó y el esfuerzo que puso para convertir aquello en algo natural!

—¿Para qué quieres el dinero?

—Voy a comprar unas cosas para los niños.

—¿Cuánto necesitas?

—¿Yo? ¿Qué andas haciendo por aquí?

—Vine a ver si encuentro un anillo que haga juego con mis aretes. ¿Cuánto necesitas?

—Pues... no sé cuánto me irán a dar.

—Toma quinientos.

—¿Eh? Gracias, pero...

—Ya me voy, nos veremos después.

No se quedó con ella porque sabía que el dinero no era para lo que había dicho. Se retiró con la mirada digna y agraviada, como si fuera una reina.

Ahora Carlota se preguntaba por qué, real y auténticamente, no le había comprado a sus hijos las cosas que necesitaban. Algunas cosas. Pero no, ella corrió con el billete en la mano, presa de un júbilo incontenible, al Centro Mercantil, al Puerto de Liverpool, al Palacio de Hierro y con vacilaciones, con una intensidad nueva en el rostro, escogió una serie de prendas para Benjamín grande. Dos camisas, pañuelos blancos, unos calcetines altos como a él le gustaban. Regresó a su casa dichosa, henchida por dentro, olvidada de Adelina y de su reserva intencionada.

Pero no, ella y sus hijos habían sido toda la vida unos mendigos, siempre recibiendo, siempre obligados a agradecer, siempre descontentos a medias por no atreverse a pedir lo que verdaderamente deseaban. ¿Cómo decirle a Adelina que no le regalara una blusa verde sino azul? ¿Cómo insinuarle que sus hijos, en vez de satisfacerse con las cosas necesarias soñaban con las fantasiosas? Era un contrasentido que los pobres no tuvieran derecho a la fantasía y al mismo tiempo se alimentaran sólo de fantasía; hambre al hambre. De estos términos debía surgir un resultado, un estallido, algo.

Lloró más, con mayor verdad, sintiendo como una inundación el sabor del llanto. Era bueno, era urgente llorar porque nunca había visto tan clara la verdad de su vida.

En su ropero, ropero y no clóset porque vivían en un departamento viejo, sólo estaban dos vestidos que el sastre le había hecho de unos trajes de Benjamín, dos blusas, un suéter. . . no tenía pijamas ni camisones, un solo fondo que lavaba de noche. Además, ¿era posible, era soportable tener que contemplar la ropa de Adelina, el despliegue de sus diferentes grados de buen gusto, siempre concentrada en no tener envidia? Por último, ¿también era de rigor observar cómo Adelina se vestía lo más sencillamente posible cuando iba de visita a su casa con el propósito de "no ofender la pobreza ajena"?

¿Cómo había soportado, cómo había escogido vivir así? Se sentó a sollozar en una banca. La vida estaba ausente, como las decisiones, era un naufragio que no respetaba nada del presente ni del pasado. Ya no era posible volver a los quince años y estudiar contabilidad en vez de declarar que "no le gustaba la escuela". Ya no podía casarse con Xavier, el primer marido de Adelina, en vez de cedérselo cortésmente y sin dolor, para que la hiciera partícipe de su dinero y le pusiera las bases inclusive para otro matrimonio, otra casa, negocios. Xavier Casillas con sus ojos negros.

Recordó la muerte de Xavier y se le secaron los ojos. Adelina la llamó por teléfono cuando le pareció que no sería demasiado temprano para que abrieran el estanquillo y ella escuchó su voz cortante como si pronunciara con demasiada intensidad todas las palabras o tuviera miedo de que su lengua, por sí sola, dijera cosas.

—Amaneció muerto Xavier.

—¿Qué dices?

—Parece que murió del corazón durante la noche.

—Ay, Adelina. . .

Porque era terrible, ella no se atrevió nunca a hacerle más preguntas y porque había entre ellas un acuerdo especial tampoco quiso ver el rostro de Xavier después de muerto y luego se enteró por una pariente que no hubiera podido; Adelina le cubrió la cara y nadie, en ningún momento, pudo verlo.

Ahora, diez años después, la muerte de Xavier servía para dejar de llorar en la avenida Álvaro Obregón, para entretenerse sospechando motivos ocultos y acciones nunca aclaradas. Que sirviera. Sólo Dios y Adelina sabían lo que allí había ocurrido.

No era viejo, ni estaba enfermo, pero el vértigo lo invadía en forma irresistible. Estaba bañado en sudor frío y los ruidos de la calle se agigantaban para atravesarle los tímpanos, para torturarlo en formas todavía no imaginadas por la mente humana.

Luego el pensamiento, que le sembraba los dolores más intensos entremezclados con vergüenza y miedo: si se desmayaba alguien llamaría a la Cruz Roja, le robarían la maleta, el reloj y. . . ¿regresar a casa el mismo día de su fuga, desnudo y humillado?

Era infantil; imperdonable por ello. Otras veces se había dado tiempo y oportunidad para admitirse como pobre, como adúltero, como mal padre (¿era cierto?, ¿esa descripción era la suya?), pero no podía aceptarse como niño; era la derrota final.

Lo mejor era sentarse, por otra parte. Vio un edificio de oficinas y entró a acomodarse en la escalera. Puso la maleta en el suelo y se sostuvo la cabeza con las manos. Esto era distinto, muy distinto. Ya se sentía mejor.

El elevador estaba a su lado y el muchacho que lo manejaba no dejaba de mirarlo.

—¿Le pasa algo? —esta pregunta con un dejo de repulsión como si temiera verse obligado a limpiar el suelo o algo, en un futuro próximo.

—No, mano, estoy cansado —lo dijo con su tono mundano, especialmente íntimo, para meseros, elevadoristas y niños que no fueran los suyos. El muchacho se dejó engañar.

—Es que a veces se mete gente enferma.

—No, no te apures —qué bueno que ya el sudor no le corría por la frente y tenía las manos firmes—. No. Yo nada más estoy cansado...

—¿Vende medicinas? —preguntó con un interés ocioso y los ojos fijos en la maleta demasiado grande.

—No, tengo que llevarle su ropa a un amigo.

—Ah —el muchacho estaba cada vez más convencido, más afín con el desconocido de la maleta—. ¿Usted tiene profesión?

—¿Yo? Sí, claro.

—¿Verdad? Luego se le nota. Yo estudio preparatoria.

"Como Benjamín chico." Lo miró con ojos recelosos. En la preparatoria nunca se aprendía nada bueno y menos que nada, respeto.

—¿Qué vas a estudiar después?

—Ingeniería eléctrica.

—Está bien.

—¿Verdad?

Se miraron. Benjamín padre se sentía mucho mejor, ya no tenía el vértigo.

—Oye, ¿no me guardas la maleta por aquí? Luego vengo por ella en un coche.

—Cómo no —el muchacho abrió la puerta de un cuarto pequeño al lado del elevador donde había una escoba, una cubeta y trapos de limpieza—. Se la guardo aquí.

—¿A qué horas te vas?

—A las cinco.

—Yo vengo mucho antes. Gracias, mano.

Benjamín salió a la calle de nuevo con el cuerpo ligero y la cabeza fresca. Sin la maleta, todo era diferente. ¿Cómo no se le había ocurrido comer algo? Además, no era posible, no era "real" que no hubiera podido encontrar un coche.

Samuel Macías le preguntó el nombre a Venegas, quien se lo dio sin vacilar ni un segundo. Federico Rodríguez, calle de la Santa Veracruz 318. Por lo menos sólo había que atravesar la Alameda.

Samuel pasó por la Alameda a ciegas. Una vez, hacía años, se entretuvo en ella porque no tenía adonde ir y vio, sentados en hilera a las seis de la tarde, los chinos y los viejos. Pero él entonces no creía en la vejez; los miró con miedo, como si fueran seres de otro planeta, con la seguridad de que él siempre pertenecería a "éste", el de los jóvenes, los despreocupados, los que pueden correr con soltura, amar con pasión y estar satisfechos de su aspecto.

Atravesó la Alameda a toda prisa, sin detenerse a examinar a los paseantes y sin reflexionar en sus habitantes menores, como los pájaros, los insectos y los enamorados.

La Santa Veracruz, según recordaba Samuel, había sufrido una minuciosa depuración en los últimos diez años, pues antes era una de las diez o doce zonas rojas del Distrito Federal. Las mujeres se amontonaban en las puertas de los hoteles como racimos de uvas, conversando en voz alta o dirigiéndose a los hombres con toda libertad. Había otras que llamaban mucho más su atención aunque nunca se detuvo a observarlas a sus anchas para no ofender: eran las que vivían en un cuarto con puerta ventana hacia la calle, cuarto que iluminaban para mostrarlo arreglado con una coquetería especial, fabricada de telas brillantes, muñecas de trapo sobre las camas, lazos color de rosa en el tocador envuelto en raso. Era menos triste, o más ocultamente triste. Ellas se acodaban en su puerta ventana y sonreían ofreciendo su persona y su cuarto adornado, mostrando más que otras, anticipando y exhibiendo los lugares donde se desarrollaría la intimidad.

Samuel empezó a buscar el número y no le sorprendió que fuera uno de esos cuartos.

—Mejor —dijo en voz baja. La perspectiva de entrar a una vecindad de las que se huelen a tres cuadras de distancia no le atraía. Bastante sabía él de vecindades. Tocó la puerta con la mano cerrada. No hubo ruidos y él tocó de nuevo, hasta que abrieron. El muchacho estaba descalzo y acababa de despertar.

—¿Qué deseaba?

—¿No me invitas a pasar? Digo, para no hablar aquí en la puerta.

El muchacho abrió bien los ojos para clasificar a Samuel según sus experiencias de las visitas que recibía: ropa buena pero vieja.

—Pase.

El cuarto era mínimo, con las paredes encaladas y adornadas en forma insistente, obsesiva, con grecas de papel de china. A Samuel le pareció entrar en la caricatura de un templo árabe. En un rincón, un sofá cama convertible, ahora con almohada y una cobija, cuatro sillas de paja y dos mesitas sin pulir.

—Oye, ¡qué arregladito tienes esto!

—Ya ve usted —no lo invitó a sentarse—. Dígame que deseaba. Tengo sueño —casi no acabó la frase con el bostezo.

—¿Tú te fuiste con un viejo anoche? —el muchacho se puso serio—. Tú eres Federico Rodríguez, ¿no?

—Sí —estaba pálido de miedo—. ¿Qué pasó? ¿Pasó algo?

Samuel se conmovió. Le daban una lástima intensa estos muchachos que vivían dentro de una naturalidad imposible de mostrar en un ambiente de relativa normalidad.

—No, hombre. Es que ese señor te regaló un anillo y ahora quiere cambiártelo por otro.

Federico corrió una cortina que Samuel no había notado al entrar y descubrió un perchero mínimo: dos sacos de mesero, pantalones negros y un traje. Buscó en los bolsillos de los pantalones, encontró el anillo y lo tiró con resentimiento sobre una de las mesitas.

—Ahí está el anillo. No es gran cosa.

—No. Aquí tienes el que te manda, es mejor.

Federico lo tomó con un movimiento rápido, una fracción de segundo más rápido de lo conveniente y lo examinó.

—Sí... es mejor. ¿Para qué quiere ése? ¿Recuerdo de su novia? Tiene un nombre adentro.

Samuel revisó a su vez el que le había devuelto Federico. Oro de catorce quilates, de color normal, liso y con una palabra escrita: LOVE.

—Bueno, te dejo dormir.

—Usted va a veces al restaurant, ¿verdad?

—Sí —no se acordaba de Federico porque esos meseros eran muy parecidos entre sí: cabellos negros y lacios, rostros pálidos con "algo" que iba desde el cuidado con que a veces se depilaban las cejas hasta el corte de pelo o la forma de las patillas. Cuerpos frágiles, ojos hambrientos... éste era un poco más alto que los otros.

—Ese viejo... —Federico se sentó en una de sus sillas como si se hubiera resignado a no dormir y no importara conversar un rato—. ¿Es amigo suyo?

—Poco. Nada más para cosas como ésta. —Samuel se apoyó en el respaldo de la otra silla y pensó en los cincuenta pesos que el Chato Barret le acababa de dar para "gastos". Estaban en su bolsillo, sin cambiar.

—Oiga, ese viejo es una lata. Exigente, dulzarrón y, ¡cómo habla! No para de hablar.

Samuel contuvo una sonrisa. Tampoco era bueno que Federico lo considerara cómplice suyo.

—Así hay gente.

La intención de Federico no era expresarse mal del Chato Barret sino establecer intimidad con Samuel.

—Y ése, ¿vive solo?

—Tiene sirvientas, me parece.

—Sí, pero vive solo, no tiene a nadie. ¿O sí?

—¿Te gustaría irte a vivir con él?

—Pues... sí. ¿No?

—No sé.

Federico empezó a hacer ademanes para ayudarse a razonar porque le faltaban palabras. Samuel lo escuchaba con atención.

—Mire, en el restaurant había uno que se fue con un viejo comelón y... ¡no sabe! No trabaja, lo visten, lo llevan de vacaciones. No le dan permiso de ver a sus amigos en la casa, pero cuando el viejo no está él nos deja entrar nada más para que veamos. En su cuarto tiene un mueble con cincuenta, ¿qué digo?, como cien discos, ¿qué se le hace? —Samuel no dejaba de mirarlo—. ¿Verdad que sale bien? Yo me paso el día cabeceando, parece que no llega nunca el momento de dormir. . .

Este muchacho tenía la tez clara, buenos dientes, con otro corte de pelo. . . pero hablaba con un acento insoportable. Arnulfo Ayala no le consentiría un acento así ni a su asistente; no sólo emitía los sonidos más viles sino que torcía el labio superior. . . Caramba, después de todo, un mesero no es lo mismo que un limpiabotas o un papelero.

—Oye, tienes que aprender a hablar mejor. Eso es bueno para las apariencias —el muchacho se asombró, nadie se lo había dicho—. Con más claridad, cuidándote de no cantar. . . así —puso una cara y emitió un sonido, el otro se rió a carcajadas.

—¿Qué hablo como pelado?

—Sí. Honradamente.

—Y usted quiere que hable como locutor.

—Preferible.

—Echando la voz para afuera como María Félix.

Samuel se rió.

—Ya me entendiste. Ya me voy.

—Bueno. . . No salió mal lo del anillo, ¿no?

—No. Nada mal.

—¿No me va a decir su nombre?

—Samuel Macías, para servirte.

—Ah, Federico Rodríguez, a sus órdenes. Pero usted ya sabía. . .

—Sí, hasta luego.

—Que le vaya bien.

Aguda, dolorosamente, regresó a la infancia. Al momento preciso en que su madre, después de haberlo bañado, peinado y cepillado, lo paraba en la puerta de la calle como un muñeco de cartón a esperar el autobús escolar.

Entonces, en la heladez de la mañana, a veces bajo la lluvia, él tenía una vivencia curiosa, siempre la misma: el autobús era una forma terrible de la autoridad (policía, soldados) que vendría a buscarlo para conducirlo a una muerte que según le enseñaban más historia en la escuela iba de la guillotina a la horca. No había forma de eludirlo, no podía salir corriendo, ni resistirse, ni nada. Subía al camión aterrorizado, con un círculo azul alrededor de los labios y casi sin respiración. La señora encargada de recibir a los niños le advirtió a su madre.

—Nunca, nunca he visto un niño tan nervioso. Vamos a la mitad del año y no pierde el miedo a la escuela.

La madre le daba un calmante en un vaso de agua y él se sumía en una somnolencia todavía más fructífera para la imaginación. Bajo los efectos del calmante oía los tambores, veía los soldados, se apropiaba más hondamente del terror. A los doce años, después de varios de calmante a diario, tenía todas las manías de un drogadicto.

Ahora, en la calle, con el cuerpo cansado pero ya libre del peso, volvía a ser aquel del pelo endurecido con gomina, sólo que ahora, por un cambio de situación bastante inexplicable, se encontraba en la calle y tenía la ventaja de poder huir. Sí era una fuga. Caminaba de prisa, con el rostro contraído, pero no iba al azar sino en "esa" dirección. Ya para nada necesitaba un coche, estaba cerca.

Adelina se puso un trapo alrededor de la cintura y se decidió a preparar la comida. Carlota no llegaba y eso era indignante. ¿Por qué Carlota tenía estas capacidades de irresponsabilidad? Probablemente se presentaría con la sonrisa, dando cualquier excusa. Daba lo mismo, al fin y al cabo, pues ante ella no había excusa posible. ¿Dejar a sus tres hijos menores, así, sin dinero y sin comida? No podía haber previsto que llegaría ella a solucionar las cosas. Como siempre, por supuesto.

—¿Benjamín chico no viene a comer?

Concha miró a Gloria como para que a ella se le ocurriera una buena razón, siquiera una respuesta. No hubo resultados.

—Yo no sé, madrina. De veras. A ver si viene más tarde.

—No va a alcanzar comida.

Concha calló. No iba a decirle que comprarían más por que se trataba del dinero de su tía. En seguida pensó que su padre se había pasado la noche diciendo aquellas cosas y en Carlota. ¡Cuánto quería a su madre!

—Hijita, ¿qué sucede?

—Nada, madrina —pero dejó de hacer pucheros para llorar abiertamente, como si en vez de tener catorce años tuviera ocho—. No me hagas caso. No me hagas caso.

Gloria salió de la cocina con aire discreto y Mario la siguió un momento después. Fueron al cuarto de los varones para hacer las camas.

—¿Por qué llora?

—Porque es chillona y no está mi mamá.

—¿Mamá también se fue de viaje?

—No, hombre, las mujeres no hacemos eso. Siempre estamos en las casas limpiando, cocinando y cuidando a los niños.

—Ah —se tranquilizó efectivamente, como Gloria se había propuesto, pues ella sí estaba alarmada.

Así como para Concha su madre era del mismo material de su cuerpo y de su alma, para Gloria era una extraña terriblemente bien conocida. Presentía sus reacciones, adivinaba sus respuestas y ejercía sobre ella un cierto dominio pasivo por medio de silencios y rechazos. Sabía con toda certeza que su madre no les pertenecía a ellos sino a su padre y que en consecuencia, de ser cierto lo de la fuga, no era nada difícil que ella hubiera ido a perseguirlo. Estiró la sobrecama mientras Mario arrancaba las cobijas del otro colchón y las echaba sobre una silla. Si se había ido, no se trataba más que de la constatación de las mismas cosas mil veces comprobadas: sumisión, falta de seriedad y de dignidad. Merecer el desprecio.

—Bueno, Concha. Basta de eso —si le hablaba con cierta energía, aunque fuera ficticia, Concha dejaría de lagrimear y hasta era posible que tratara de sonreír, como ocurrió en seguida—. No puede una sentarse a llorar de buenas a primeras, como la sirena de una ambulancia.

Concha se rió. Adelina tenía fija su atención en la sartén donde se cocinaba una omelette inmensa, o que así lo parecía.

—Qué bueno que tu tío Ramón no come en la casa, así no tengo que irme. —Ramón se hacía llevar la comida a la tienda, por fortuna quedaba cerca un restaurant alemán que satisfacía sus exigencias.

—Sí, ¿verdad? —Concha habló con su voz diplomática. Ellos casi no conocían a Ramón, que formaba la otra mitad de la vida de su tía. Por él, por estar con él, ella no los visitaba los domingos y él "porque estaba muy ocupado", no venía nunca a la casa de ellos. O sí, una vez al año para traer una canasta de Navidad y por insistencia de su mujer; se notaba perfectamente que él hubiera preferido que la enviaran de la tienda.

Adelina empezó a pensar qué sucedería si Carlota se tardaba todavía más y también qué habría sucedido realmente. Cuando Concha se lo dijo por primera vez, antes de ir a comprar los zapatos, lo descartó por sistema, como una parte de las ocurrencias normales en aquella casa: el tipo de cosas que no vale la pena comentar ni concederles ninguna importancia porque a pesar de su apariencia no tienen ninguna seriedad real. Sin embargo, era la primera vez que Carlota desaparecía sin avisar; Benjamín hacía simulacros de separación o amenazaba con hacerlos, gritaba, pegaba y se desesperaba, pero Carlota, por impotencia o por filosofía natural, era la que daba el tono de normalidad comportándose como si nada sucediera: comían y dormían a sus horas.

—Niños, vengan a comer. Lávense las manos primero.

Concha puso la mesa y Adelina observó que colocaba las servilletas de papel de una cierta manera para que ella no notara que los platos de plástico estaban irreparablemente rotos, no había ni uno entero. Pobre niña.

Se sentaron. Mario, de nuevo con su cortesía habitual, le preguntó:

—Tía, ¿no vas a comer con nosotros?

—No, porque estoy a dieta. Nada más una manzana, más tarde.

—Lástima —comía con apetito y Adelina pensó que la omelette, por más grande que fuera, no sería suficiente. Pero Gloria no comía nada.

—Come, niña.

Gloria asintió con un movimiento de cabeza. Adelina se acordó de Xavier. Así como Mario, Xavier poseía una gentileza innata que nada tenía que ver con el amor puesto que se volcaba sobre todas las personas sin discriminación. Bien sabía ella que no era el amor. Pero era hermoso que le hiciera a una preguntas: ¿cómo te sientes?, ¿tienes hambre?, ¿estás contenta? Era muy hermoso.

Ramón era un excelente marido, sin vicios, sin otras mujeres, trabajador hasta el delirio, generoso en forma exagerada y la amaba profundamente, pero no hacía preguntas, ni tenía esa delicadeza, ni los ojos negros. Ah, esa forma de tocar intensa y sin presiones ya estaba olvidándosele y le venía a la memoria más como una abstracción que como una experiencia.

Otra vez deseos de llorar. Gloria y Concha lo notaron y clavaron los ojos en el plato. Concha pensó que tal vez algo malo había sucedido y su tía no se atrevía a informarlos, pero no lo dijo por consideración a sus hermanos.

—Entonces, ¿no viene a comer Benjamín chico?

La voz de Gloria resonó, ronca y sin entonación.

—Benjamín no hace nada con nosotros. Ni come, ni duerme, ni hace nada con nosotros. . .

—Porque es el mayor —dijo Concha con inseguridad.

—Porque no se lleva con nadie y no quiere llevarse.

Adelina miró a Gloria con antipatía. Era el caso típico de niña que sabe la verdad y la dice por odio, para que los demás se escandalicen.

—No nos metamos en esas cosas. Si no viene a comer, ya vendrá a cenar.

Siguieron comiendo en silencio, Gloria con una semisonrisa agresiva, Concha llena de premoniciones truncas e incomprobables.

Benjamín Benito, el hombre doble, fue a pararse bajo un árbol a la orilla de un lago estancado y pestilente, cubierto de pequeñísimas hojas verdes y con el agua espesa, muerta.

La náusea interior que lo perseguía puesta frente a cosas objetivamente muy repugnantes actuaba en una forma curiosa: impedía que nada le diera asco. Benjamín hubiera podido nadar en aquella agua de pájaros muertos, nido de insectos y de batracios sin estremecerse siquiera porque de hecho, y muy profundamente, se estremecía con cada latido, con cada contracción de su cuerpo.

El asco no era el asco, sino el antídoto del asco. Se quedaba días y días con la misma ropa, se lavaba lo menos posible, trataba de no rasurarse porque le parecía casi un pecado desperdiciar jabón, cuidado y esfuerzo en aquella lacra viva que era él. El problema era que no podía "unificar" su comportamiento; era capaz de actuar así durante días hasta que de pronto lo asaltaba un atavismo de costumbres, una especie de pretensión inconfesada y se vestía, se peinaba, se ponía el pantalón planchado y la camisa limpia. Como cuando salía con Patricia.

Dos meses seguidos, todos los días, hasta que fueron al cine. Cuando la invitó supo que para ella una invitación al cine tenía el mismo matiz que para otras ir a un hotel. Se lo leyó en la cara; el miedo, la agitación interior con que aceptó lo decían muy claro. Él la tomaba del brazo, nunca de la mano, ¿qué hubiera hecho Patricia si hubiera sabido que no era por respeto sino por el horror de la carne? Lo supo en el cine, sin duda alguna. Porque fue colocando con lentitud la cabeza sobre el hombro de él y él sintió sus cabellos cerca de la mejilla y llegó a la conclusión de que era el momento de reaccionar y darle un beso. Bien, se lo dio. Pero como si ese beso hubiera tenido un poder nefasto, se le contrajo el estómago, la lengua, qué sabía él, y la rechazó con violencia. El gesto fue tan exagerado que Patricia no lo interpretó por lo que era.

—¿Qué tienes? ¿Qué te pasa?

—Nada.

Apenas podía hablar y apretaba los brazos contra sus costillas como para reducir su cuerpo al espacio mínimo y que no tocara el de Patricia. Pero ella puso una de sus manos sobre la de él y la dejó allí abandonada para que él la apretara y tal vez... ¿la besara? Una mano pequeña, muy suave, ligeramente húmeda y nada firme. Benjamín empezó a sudar bajo el contacto de esa mano. ¿Cuánto duraría esto? ¿Podría soportarlo?

—Vuelvo en seguida.

Corrió hacia el pasillo y allí se detuvo; hubiera deseado reflexionar. Primero se frotó la mano en el sitio donde había estado la de Patricia, luego se la acercó a la nariz para olerla y entonces se sintió invadido de una vergüenza infinita acompañada de una gran necesidad de ser leal. ¿Él, que no se bañaba, tenía asco de la mano de Patricia que olía a agua de colonia? Regresó a buscarla.

—Oye, vámonos.

—¿No te sientes bien?

—No me siento bien.

Ella se levantó con apresuramiento y lo tomó del brazo.

—Oye, Benjamín, ¿te duele la cabeza?

—No es eso.

—¿Quieres ir a una botica a comprar algo?

—Voy a acompañarte a tu casa.

Ella calló, no se supo si por resentimiento o de miedo a molestarlo. Caminaron seis cuadras y Benjamín no se resolvía a romper aquel silencio. Por fin se decidió.

—Oye, quiero decirte una cosa... —de nuevo aquella agitación en el rostro de ella, aquella luminosidad incontrolable—. Es una cosa fea...

—¿Qué? —la voz apenas le llegaba a los labios, casi no se atrevía a oír.

—Ya no vamos a salir juntos... nunca más —ahora se sentía cruel y contento de serlo. No lo decía por lealtad sino para ejercitar su fuerza—. Nunca más.

—¿No...? ¿No te llevas bien conmigo? —la humildad de Patricia era horrible.

—Me das asco. No puedo besarte, ni tocarte, ni acariciarte como hacen todos cuando van al cine —estaba asombrado de decirlo y de que fuera con despotismo, no como una confesión. La miró de perfil, tenía una linda nariz. No sabía cómo iba a reaccionar a estas cosas: siempre hablaban de libros, de clases, de maestros. Oyó su voz, muy lejana.

—¿Sabes? Tampoco es necesario. Mi madre, por ejemplo, tampoco estaría de acuerdo con que. . . me tocaras.

¡Que falta de orgullo! Ver a Patricia así, balbuciente, ruborosa y disculpándose era algo más repugnante todavía. ¿Qué soluciones eran esas? Benito estaba escandalizado a un extremo difícil de explicar.

—¿Por qué dices esas cosas?

—Porque estoy enamorada de ti y no quiero perderte —lo dijo de golpe, con un tono vagamente melodramático.

Benjamín se rió a carcajadas. Llegaron a la casa de Patricia y él seguía riéndose.

—Entra.

Patricia obedeció y cerró con violencia. No volvieron a hablarse porque él huía de ella, no porque ella no hubiera estado dispuesta a una reconciliación.

—Ninguna mujer tiene escrúpulos —decía ahora, junto al arroyo verdoso—. Ninguna. Todas tienen una familiaridad extraña con las cosas: agarran la comida con la mano, acarician, lavan la ropa. . . No tienen consideración para con sus hijos, siempre pretextan ser de la misma carne y la misma sangre. . .

Carlota se levantó de la banca y regresó sobre sus pasos al sitio adonde había empezado a caminar, atravesó el camellón y tocó una reja pequeña desde donde se veía un pasillo largo de cemento, algunas macetas y varios tanques de gas. No vino nadie y ella cayó en la cuenta de que esa puerta estaba cerrada por inercia, pero que podía empujarla y entrar. Iba al número tres. Pasó por los primeros tanques de gas, por los segundos y tocó el timbre del tres. Antes de eso tuvo una vacilación que la hizo reflexionar rápidamente en la naturaleza de su carácter: vio un llamador y antes de levantarlo se cercioró de que había timbre, pues en muchas casas actuales los llamadores sólo están de adorno. ¿Qué mujer era ella que en este preciso momento podía preocuparse de tales cosas? ¿Era esta la delicadeza o la absoluta falta de dignidad? Abrió una sirvienta.

—¿Qué deseaba?

—Hablar con la señora Irene.

—¿De parte de quién?

—De Carlota Enríquez.

—Un momento.

Pasó un minuto, dos. ¿Debía haber dicho de la señora Enríquez o tal vez de la esposa de Benjamín Enríquez? ¿Relacionaría ella una cosa con otra? Regresó la sirvienta.

—Que pase a la sala.

Carlota entró y la sirvienta la condujo a una habitación de techo muy alto con plafón de rosas y querubines y con una ventana francesa que daba al mismo patio de los tanques de gas. A Carlota le saltó el corazón; la sala no estaba muy limpia, ni escrupulosamente arreglada, ni tenía pretensiones de lujo, ¡pero qué diferente de su casa! Había vasijas, sillones de paja, un sofá bajo casi cubierto de almohadones de colores vivos y formas extravagantes, una alfombra color naranja donde se destacaba la cabeza de un gato negro y a un lado una mesa octagonal, seguramente muy barata, pero de un gusto espléndido. En las paredes había de todo, hasta un tocado típico de las indias de Oaxaca y collares; pero más que nada cuadros. Carlota no supo ni se preguntó si aquellos cuadros reproducían figuras humanas, de animales o de otra clase, pero tuvo sensibilidad para adivinar en aquellos parches azules, rojos, blancos a veces, una terrible veta sensorial que se complacía en la textura, en el color, en la muerte del color.

Unos minutos después se presentó Irene. Carlota no la había visto nunca; su reacción fue quedarse de pie junto a ella, examinarla y al mismo tiempo prepararse para algún tipo de violencia. Sin embargo, recobró una cierta tranquilidad al notar a la primera ojeada, que

Irene era de más edad que ella y menos bien conservada: en sus cabellos negros había unas canas amarillentas, alrededor de sus ojos arrugas y ojeras, a los lados de su boca dos rayas acentuadas por su delgadez. Irene era delgada como un látigo y tenía unos ojos verdes extraordinarios...

—No tenía el gusto... siéntese por favor —el acento extranjero era suave en boca de Irene: esa mujer no gritaba nunca pero lloraba de vez en cuando, eso sí.

—Soy la esposa de Benjamín Enríquez.

—Eso me imagino... me imaginé desde un principio. La mirada era bondadosa, pero demasiado inteligente. Sonreía y destilaba un encanto ingenuo que Carlota desconocía en otras mujeres.

—Vengo a hablar de Benjamín.

—¿De Benjamín? —no se puso seria, ni prendió un cigarro, sino que se echó entre los almohadones y dijo con su acento inexperto—. Acabo de despertar. ¿No gusta un café?

Carlota sí prendió un cigarro y no contestó en seguida porque necesitaba darse seguridad con una pausa.

—Sí. Muchas gracias.

Irene se puso en pie de golpe.

—Voy a decir que lo hagan —tenía un cuerpo raro, flaco y redondeado como el de una serpiente.

¿De dónde decían que era? ¿Húngara? Ahora no tenía miedo sino una especie de necesidad de comer, de beber y de fumar. Un hambre inesperada y exigente; hubiera querido pan, galletas, una rebanada de pastel con una gruesa capa de merengue. Aspiró el humo con ganas, hasta sentirlo en el estómago, en los pulmones, en alguna entraña de esas hondas y ardorosas. Regresó Irene y cayó de nuevo sobre el sofá de los almohadones.

—En seguida lo traen. Su marido estuvo aquí... ¿cuándo? Anteayer por la noche... di una fiesta —lo decía para volver diplomáticamente a Benjamín y facilitarle las cosas a Carlota.

—Eso me dijo él —quiso ser irónica y no le salió; no era su estilo y más le valía ser directa, sincera y sonriente, como ella era—. Mire, dice Benjamín que nos deja para vivir con usted.

—¡Cómo! ¿A quién le dijo? No puede ser verdad.

—A mí.

—¡Ah no, debe de estar loco! Yo no sabía nada de esto.

Su voz, sus ojos, su expresión, eran auténticos. No fingía ni negaba por miedo o por hipocresía. Carlota dejó de tener hambre para sentir una especie de seguridad creciente que le daba facilidad de palabra. Si se hubiera atrevido, resultaría una excelente vendedora, pero bueno, no podía pensar en eso ahora.

—Me lo dijo anoche muy claramente. Me explicó que necesitaba una personalidad creadora, como la de usted, para entregarse a un trabajo que resulta ser muy importante para él. Se trata de un libro de ensayos sobre la sociedad contemporánea —hablaba como Benjamín, copiaba sus palabras y hasta el ritmo de las frases—. Dice que en casa lo esterilizamos, le impedimos pensar, y que su trabajo en la oficina le produce un desgaste psicológico muy fuerte. En fin, que nunca va a escribir el libro si no elimina los obstáculos —Carlota hizo un ademán amplio que abarcaba las paredes, los muebles, a Irene misma—. Claro, ahora me doy cuenta. Usted es pintora.

La cara de Irene reflejaba una atención cortés matizada por una expresión amablemente divertida: se abría la posibilidad de reír sin ofender.

—¿No será que toma usted a su marido demasiado en serio?

—No, al contrario. Llevo dieciocho años casada con él y es la primera vez que lo tomo en serio.

—Entonces, es que ya se acostumbró a decir cosas y a que no ocurra absolutamente nada.

—Ah. . . eso sí puede ser —el tono era duro y aunque Carlota se sabía suave por dentro, en ese momento era diferente.

Entró la sirvienta con café, un jugo de naranja y galletas.

—Vamos a tomar algo primero. . . primero que. . . ¿qué? —acercó su silla a la mesa—. Tengo hambre —sonrió, de pronto muy lejos de Irene, pensando en otras cosas.

. . .ya me cuento y tengo por reina y señora de todo mi reino. DON QUIJOTE

segunda parte

Benjamín estaba de pie en una esquina, ya dispuesto a atravesar la avenida Álvaro Obregón, cuando oyó una voz que lo llamaba. Venía de la ventanilla de un autobús.

—Benjamín. . . ¿qué andas haciendo?

—Nada, hermano. Bájate, ¿no?

El otro no contestó en seguida y el autobús arrancó; Benjamín siguió caminando por la misma acera y sí, un poco más adelante, en la otra esquina, se bajó Ernesto Mota.

Se abrazaron fuertemente.

—Hombre, ¿dónde te has metido?

—En la oficina. Hay mucho trabajo.

Ernesto era burócrata, pero no simple y sencillamente burócrata: no estaba dispuesto a que ninguna de sus actividades llevara el sello de la simplicidad sino el de la importancia. Si él trabajaba en una oficina, esa oficina debía ser "algo", o no estaría él allí.

Benjamín se rió.

—Bueno, y ¿qué estás haciendo en la calle? Más bien, ¿qué estamos haciendo en la calle?

—Son más de las dos.

—¿Cómo?

—Claro, ¿no tienes hambre?

—Hambre —hizo una pausa como para meditar en un concepto que le fuera muy extraño—. ¿Tú ya comiste?

—No. Vamos a mi casa.

—No, me da pena molestar a tu mujer.

—Bien, lo siento —ahora Ernesto hablaba con pedantería, una pedantería curiosa porque nunca podía saberse si era broma—. No me convencerás de que vaya a algún repugnante lugar a comer inmundicias. Mi lema es ahora: ¡ni una amiba más!

Benjamín se rió con más ganas. Ahora, lentamente,

iba entrando en una tónica suya, más agradable para él y para los otros.

—Vamos a declararle la guerra a las amibas... mañana. ¿No? ¿Cuánto traes?

Ernesto se registró las bolsas con cautela. Los pocos billetes que llevaba estaban distribuidos en diferentes bolsillos, pero sin arbitrariedad. El de cien que llevaba desde hacía tres meses para una ocasión urgente como una multa inesperada, pleito con la policía o cohecho de importancia, estaba en la bolsa del pecho, cerca del corazón, muy bien enrollado; el de cincuenta en una bolsa oculta cerca del cinturón, puesto que debía hacer el papel de "lo que tengo de reserva"; uno de diez en la bolsa lateral del pantalón y uno de cinco en el saco. El cambio lo llevaba en un portamonedas de cuero negro en otra bolsa del pantalón. Esta vez sacó el de diez y el de cinco.

—¡Quince! Yo tengo treinta. Con eso nos alcanza para un Sanborns.

—Me chocan esos lugares. Si acaso, para tomar el café.

—Bueno, hermano, ¿dónde quieres comer?

—Por aquí había un cafecito... —Benjamín sonrió porque lo conocía muy bien.

Irían a un café de chinos y Ernesto comería mucho para desquitar sus quince pesos y parte de los treinta suyos. ¿Y qué? Se habían conocido en la Facultad de Derecho, cuando Ernesto derramaba sobre esa carrera parte de su importancia. Ahora, al paso de veinte años, hasta Ernesto sabía que las carreras esenciales de aquella época: abogacía, ingeniería y medicina, no tenían hoy ningún relieve de no ir acompañadas de una especialización. Por ello, Ernesto instintivamente y Benjamín en forma más meditada, hablaban de "asuntos" de "mucho trabajo" y de "problemas" dentro de sus respectivas oficinas, pero la verdad es que ambos desempeñaban empleos que nada tenían que ver con su profesión y que no requerían preparación universitaria. Trabajaban en oficinas de gobierno y en tanto que Benjamín se dedicaba pacientemente a oír toda clase de solicitudes y a decidir adonde debían turnarse, Ernesto se pasaba la mañana fungiendo como director de un archivo, aunque en realidad con una especie de concentración en ser él mismo, iracunda y agresivamente, que le impedía trabajar.

—No es un vago —dijo un día Benjamín para defenderlo de las críticas de otros amigos suyos—. Es que se le va la vitalidad en esas cosas que se le ocurren.

—Pendejadas —dijo otro de los presentes—. Pero eso sí, no es maricón.

Benjamín se apresuró a decir:

—¡Claro que no! ¡Nada más eso faltaba!

Con esto quedaron tranquilos y con la sensación de haberse portado noblemente con Ernesto.

Cuando él, como siempre ocurría, se enteró por la indiscreción de uno de los amigos, comentó con aire de mártir:

—Por lo menos respetaron mi virilidad.

Ser viril era una gran cualidad puesto que hasta ahora nadie hubiera podido probarle lo contrario.

Benjamín anhelaba llegar al café, al más barato, al peor, para que ya sentados, pudiera comunicarle sus noticias. Ernesto, como si intuyera su prisa, conservaba un aire de displicencia.

—¡Qué extraña es la vida!

—La vida es una maraña y nadie tiene la punta.

Benjamín recordó que una de las peculiaridades de su amistad es que nunca hablaban de niños. Decir que Concha, Gloria o los varones estaban enfermos, o habían hecho una gracia o sacado una calificación en la escuela, le parecía absolutamente castrador. Con estas presencias invisibles ya nadie hubiera podido hablar con libertad de sus sentimientos menos legítimos o de cualquier sentimiento, para decirlo así.

Ernesto tampoco hablaba de sus hijos y Benjamín no recordaba si eran cinco o seis y no se lo preguntaba por pudor. A veces, Benjamín se preguntaba cómo sería Ernesto con sus hijos porque tanto podía sospecharse que fuera cariñoso como indiferente o cruel; en Ernesto había zonas inexploradas. De las esposas, en cambio, sí hablaban. Ernesto con la misma pedantería que podía resolverse en una carcajada, Benjamín con un tinte de fastidio que se hacía notable en que torcía la boca. A propósito de Ernesto había dicho un día Roberto, amigo de ambos:

—¿Quién le habrá enseñado a este mentecato que todo es tan gracioso? Las insignificancias, las tonterías, los detalles más nimios, en boca de éste, se vuelven primero terribles y luego cómicos.

—Hace ya un año que tuve la crisis aquella —observó Ernesto.

—¿Ya? Qué pronto pasa el tiempo, hermano.

Crisis era el nombre que Ernesto le daba a una temporada en que no pudo sostener por más tiempo el supuesto de que era gran lector de literatura y decidió darle a sus amigos, uno por uno, una versión diferente de las cosas.

—Soy ruin, vil, un asco. ¿Te acuerdas qué lata di con *La guerra y la paz*? Nunca he tenido ese libro en mis manos, no lo conozco ni por el forro.

Se quedaba con los ojos muy abiertos esperando, sin duda, que lo abofetearan por no haber leído *La guerra y la paz*, cuando en realidad lo que indignaba es que lo confesara en ese tono.

—Soy un ignorante, un mentiroso, hace quince años que no me acerco a un libro. . . —y esperaba.

Hasta que Roberto le puso los puntos sobre las íes en una forma tan terminante que dio al traste con la crisis.

—Mira, Ernesto, tú no eres ruin ni vil, sino imbécil. Que no lees es cosa que se nota a distancia, que no sabes nada. . . ¡como si fuera fácil ocultarlo! Que cuentas mentiras, ¡por supuesto!, a mares, no dices una palabra de verdad desde que aprendiste a hablar. Pero no es necesario, ¿entiendes?, que lo recalques como si quisieras que te recrimináramos tu falta de perfección: hace años que te conocemos y nunca has sido de otra manera.

Ernesto se levantó de la mesa con violencia y salió del café con la frente bien alta y el paso firme, como quien ha sido lastimado en forma definitiva. Pero se le pasó la crisis; dos meses después ya estaba hablando de ella como de un suceso peculiar, desagradable pero no deshonroso ni estúpido. Una efeméride.

Pasaron por un café lamentable, sin manteles y con sillas de palo. Allí se metió Ernesto automáticamente.

—Sopa del día, una milanesa con papas, café con leche y pan. ¿Y tú?

—Yo. . . una cerveza.

—No servimos, señor —la mesera lo miró como si el no saber eso fuera el colmo de la inexperiencia.

—Ah. Bueno, entonces también café con leche y pan.

—¿Nada más? —le parecía poco, evidentemente.

—Nada más —dijo él en forma cortante, ¿qué se creía ésta?

Ella se fue. Hacía la misma pregunta como diez veces al día y las reacciones de los clientes no le interesaban.

—No vas a comer nada.

—No tengo hambre —se llevó la mano al corazón.

—¿Te sientes mal? —los ojos de Ernesto se alarmaban rápido.

—No. Es que. . . No —se quitó la mano del pecho—. Hoy no fui a trabajar.

—¿Estás suspendido?

Benjamín trabajaba en una oficina regida por una disciplina militar nacida de que los jefes eran en efecto militares. Si se reunían tres retardos en una sola quincena, el empleado recibía una orden de suspensión que lo invitaba a faltar tal o cual día fijado por los jefes (nunca un sábado por la mañana para que aquello no se prestara hacer paseos de fin de semana) y así se descontaba un día de pago. Benjamín en una ocasión fue suspendido cinco días seguidos y porque se indignó, salió para Acapulco con Roberto que era profesor de preparatoria y siempre podía dejar plantados a los alumnos. Los militares lo vieron quemado por el sol y desde entonces le hicieron las suspensiones en forma discontinua.

—No. Pasado mañana. Hoy no.

—¡Qué bruto eres! Con eso ya pierdes como doscientos pesos. ¿Por qué no fuiste?

Benjamín dudó un momento. Era necesario dramatizar, pero antes había que elegir el material a su disposición.

—Hermano, dejé mi casa. Me separo de Carlota —iba a decir "y de los niños" pero reflexionó rápidamente que con ellos no estaba casado.

—¡Cómo! —el asombro era genuino—. Y ¿dónde vas a vivir?

Benjamín sacudió la cabeza y una sonrisa que él sabía cínica pero no desprovista de encanto, se le extendió por toda la cara.

—Hermano, con la mujer más maravillosa del mundo. Una especie de Cleopatra húngara...

—Coño... —el comentario no iba dirigido a ningún hecho especial sino al aire, nada más porque sí—. ¿Ya sacaste tu ropa?

—Sí. Por el momento la tengo en un depósito.

—Coño. ¿Ya lo sabe Carlota?

—Hombre, si no lo supiera, si mi ropa no estuviera fuera de la casa y yo también, no me atrevería a afirmar que me separo de ella.

—¡Coño!

Benjamín dominó apenas la impaciencia que le producía el hecho de que Ernesto estuviera allí, jugando con aquella palabra como si fuera una nota musical.

—Pues sí. Pero hay cosas que deben hacerse. Todos me han dicho, hasta Roberto y tú, el daño que me hace vivir con esa mujer. No puedo tomar la pluma y el papel para expresar lo que pienso. Esa mujer me ha convertido en otra mujer. De hombre no tengo más que las apariencias.

—Hay casos en que bastan.

—No embromes. Ya sabes lo que quiero decir. En fin, que no soy nada. Yo hubiera querido escribir sobre la psicología de los abogados mexicanos, de los burócratas, de los que van al toreo... hacer un retrato vivo de la ciudad de México, ¡y lo voy a hacer!

—Vale la pena, vale la pena —Ernesto estaba engolando la voz y Benjamín temió que aquello acabara en risa.

—Debí haberlo hecho hace veinte años. ¡He desperdiciado los veinte años más fructíferos de mi vida metido con la misma vieja!

—No exageres.

—No exagero, es cierto. Esa mujer me ha convertido en un harapo. ¿Tú crees que me voy a la cama con otra?

—Hum. No sé.

—No me atrevo, hermano —se inclinó sobre la mesa como un hombre que confiesa la mayor de sus derrotas y al mismo tiempo sintió aprensión de haber dicho demasiado. A Ernesto no había que confiarle las intimidades, era muy imbécil.

—¿Cuantos años cumpliste, Benjamín?

—Cuarentaidós.

—Pues llegaste a la edad terrible. Yo la tuve a los cuarenta, el año pasado.

—No me salgas con que esto es algo que todos tenemos que pasar, que estoy menopáusico y cosas por el estilo. Se trata de un problema auténtico.

—La menopausia varonil es una cosa auténtica. ¿Qué creías? ¿Que era una forma de decir? Las glándulas masculinas también se modifican.

—No me hables de glándulas, Ernesto —lo dijo con sequedad; una orden para que el otro dejara por la paz aquella teoría que tanto lo molestaba. Ernesto comprendió y guardó silencio sin dejar de mirarlo, en espera de que dijera sus propias ideas, ya que no aceptaba otras.

—Es que un hombre, en un momento determinado, cuando ya no puede más, reúne las pocas fuerzas que le quedan y se yergue. Exige que su vida le dé lo que él quiere, no lo que le dejan los demás. Yo he vivido hasta ahora de las migajas que me deja el mundo de Carlota —tampoco mencionó a los niños—. Por ella me mato en esa oficina, a las seis de la tarde me parece que tengo un disco en vez de lengua: vaya usted a ver al licenciado tal, vaya a la mesa de la señorita cual, haga un oficio que diga lo siguiente. . . Luego llego a aquel mugrero. Nunca hay comida decente, hay que planchar la ropa cinco minutos antes de que me la ponga y encima me ven como si fuera un villano. Ahora bien —tenía el rostro duro y Ernesto no recordaba esta expresión—, ¿es ésta una vida digna? ¿Puede un hombre llegar a la muerte en estas mismas condiciones?

Ernesto tuvo una reacción inesperada, tal vez en represalia de que Benjamín no lo había dejado hablar de las glándulas.

—En México tu nivel de vida no sólo es normal sino que está por encima de cuatro o cinco capas sociales que francamente. . .

Benjamín pegó un puñetazo en la mesa.

—¡Justamente! Los que están por debajo de mí son los que no saben leer español. Pero desde el tipo que habla una lengua indígena nada más hasta mí, hay una distancia tan sideral que debe ser reconocida. ¿No te parece? —Ernesto lo miró sin decir nada—. Yo tengo un título universitario, soy inteligente, manejo mi idioma bien y hasta sé inglés. Y sobre todo, ¡quiero escribir un libro!

Este libro no escrito era el sueño de toda una generación. Ernesto había oído hablar de aquel volumen mil veces y lo que era peor, también se había propuesto como uno de los posibles autores. Nada más que él quería escribir una novela.

—Bueno, ¿qué vas a hacer?

—Nada. Ya está todo hecho. Lo primero era decírselo a Carlota, lo demás llevarlo al cabo y como te dije, ya estoy en la calle con mis cosas.

—¿Cómo lo tomó Carlota?

—¿Carlota? —la pregunta no era retórica; no había pensado en eso y ahora caía en la cuenta de que existía una especie de zona en blanco alrededor de Carlota.

—Digo, ¿no intentó convencerte de que te quedaras?

—No —le salió así, sinceramente. Benjamín mentía sólo con premeditación, nunca de improviso—. No, al contrario, hizo mi maleta y me despertó para que no se me hiciera tarde.

—En otras palabras, te puso en la calle.

—No, hermano —otra vez aquel tono duro, exigente—. No me puso en la calle. Yo decidí salirme anoche. Lo decidí en realidad hace más de dos días.

Ernesto ocultó su resentimiento y prendió un cigarro.

—Pero no opuso resistencia.

—No —hizo una pausa. En ese no oponer resistencia había algo implícito que le resultaba inquietante. ¿Pues qué las mujeres abandonadas aceptaban la situación con tanta facilidad? Empezó a odiar a Carlota con tanta intensidad como cuando le pegaba y dijo algo que daba la impresión contraria—. Carlota es inteligente, capaz de comprender mis necesidades.

—Pero, ¿qué va a hacer Carlota con sus cuatro hijos?

La pregunta de Ernesto se dejó oír en una forma tan repentina que Benjamín se ruborizó. ¿Cómo podía éste hablar de hijos sin siquiera decir una frase de advertencia? Qué falta de pudor.

—Ella no tiene que hacer nada, porque yo le voy a pasar una pensión.

—Y, ¿qué te queda para vivir? Tendrás gastos de casa, de ropa, de comida.

Benjamín lo miró con atención.

—Bueno, ¿qué te propones?, ¿que yo vuelva a mi casa tomando en cuenta tus objeciones. . . míseras?

—Dios me libre. Pero me parece que debe planearse con cuidado puesto que se trata de una decisión de tanto peso.

—Sí, por supuesto —ahora se mostraba dócil. Ernesto tenía razón, era bueno pensarlo.

—Oye, ¿es verdad lo de la húngara?, ¿no es broma? —iba a decir "fantasía" pero Benjamín se hubiera puesto furioso.

—¡La húngara! Pues allí tienes la solución. Si vivo en su casa, no tengo que pagar alquiler ni dar para la comida. Me reservaré unos centavos para cafés, camiones. . .

Ernesto notó de pronto la incoherencia de que Benjamín se quejara de su trabajo tanto como de su mujer y pensara renunciar a ella y seguir en el trabajo. Sacudió la cabeza.

—¿Por qué no cambias de empleo?

—No te entiendo. Habla claro. ¿Que cambie de empleo y regresar a mi casa?, ¿que cambie de empleo y me vaya? ¿O que deje el empleo y ya?

—¡No! Eso último no. ¿De dónde vas a sacar dinero para tu familia?

—Mi familia —eso podía decirse sin entonación, como si fuera una palabra vacía.

—Oye, ¿la húngara es rica?

—No sé, pero siempre tiene dinero, da fiestas de cuarenta personas en las que se bebe whisky, se viste bien. . .

Lo del whisky impresionó a Ernesto. A él, todavía le parecía el súmum de la abundancia tomar esa bebida en una fiesta y el de la elegancia pedirla cuando tenía opción. Pero no le gustaba el sabor.

—Bueno, es tu amante, ¿no?

Benjamín revisó mentalmente lo que ya le había dicho a Ernesto y decidió que todavía no era necesario apartarse de la verdad.

—No. Pero estoy enamorado de ella —en boca de Benjamín estas palabras tenían un sentido melódico especial. Las había dicho muchas veces y siempre vibraba de pasión auténtica—. Mira, es una de esas flacas huesudas llenas de vida, con una voz divina y unos ojos verdes. . . es como una figura legendaria de hetaira o de reina.

Ernesto entrecerró los ojos. Estas mujeres que Benjamín encontraba siempre tenían su arquetipo en la historia, en la literatura, como si para él estas disciplinas fueran álbumes de pornografía. ¿Por qué no las veía sencillamente como mujeres de carne y hueso? El colmo de Benjamín fue cuando se enamoró de una mujer casada que no le hizo caso, bajo pretexto de que era la viva imagen de madame Bovary. Nadie podía discutir porque no habían leído ese libro y tal vez él se aprovechaba de eso. ¡Una Cleopatra húngara!

—Tiene unas manos como látigos. . . Imagínate lo que se siente cuando esas manos te acarician y se te meten en los cabellos. . . —Benjamín parecía agobiado de sensualidad y a Ernesto se le ocurrieron varios chistes que no se atrevió a formular.

—Supongo que estás de acuerdo con ella.

—¿Por qué me preguntas niñerías? —los ojos de Benjamín brillaban de violencia—. ¿Supones que soy un iluso? —bajó el tono para hacerlo explicativo y condescendiente—. Antier por la noche hubo una fiesta en casa de ella. Yo estaba en un sofá a su lado y ella me llevaba a sus labios como si fuera una copa.

—No eres tan pequeño —murmuró Ernesto por lo bajo y el otro no se dignó escucharlo.

—Entonces se lo dije y ella con su rostro embriagado de pasión por la vida, fíjate bien: de pasión por la vida, escuchó mis planes, mis deseos, todas las cosas que yo más quiero y que no puedo decirle... a Carlota, por ejemplo.

—¿Carlota no sabe que quieres escribir un libro? —la pregunta era de mala fe.

—Sí, hermano, lo sabe. Pero no las emociones que me llevan a él, lo que busco por medio de su realización... ni puede imaginar junto conmigo porque ésas son cosas que no están a su altura. En cambio, Irene...

—No me digas que se trata de Irene Vlady.

—Sí... ¿la conoces? —el rostro de Benjamín expresaba todo lo contrario de la satisfacción.

—De vista. Sí. Es guapa. Andrés ha estado en su casa varias veces.

—¿Y qué? ¿Qué quiere decir Andrés con eso?

—Oye, cálmate. Ni siquiera es tu amante y ya te ofendes por los hombres que la visitan. ¿Cuántos años tiene ella?

—No sé. Treinta o treintadós.

—Entonces no es la misma. La Irene que yo conozco tiene como cuarenta años muy bien llevados.

—No seas estúpido, ¿para qué quieres saber su edad?

—Para hacer una cuenta de los hombres que habrá recibido en su vida y tú sepas la cantidad de indignación que vas a necesitar.

—Ella no es una puta —lo dijo como una declaración

solemne frente a un tribunal y en seguida tomó otra actitud que correspondía a la afirmación de lo que había negado—. ¿Andrés se acostó con ella?

Asunto delicado, porque Andrés jamás mencionaba a una mujer si no era para afirmar que se había acostado con ella, por invitación de ella y con el mejor de los resultados. Además, era perfectamente comprobable que en muchos casos no era cierto.

—No lo sé.

—¡No lo sabes! —Benjamín le agarró el brazo—. Dímelo, no va a pasar nada porque me lo digas, pero si no es cierto, ¡yo mato a Andrés!

Benjamín hablaba con tal intensidad que este proyecto de matar a Andrés sonaba muy verosímil. Ernesto se movió en la silla.

—Oye, ¿qué tienes?

—No tengo nada. Pero si no es cierto, voy a buscar a Andrés y lo saco a tirones de su casa y le rompo. . .

—Pareces borracho, —aventuró Ernesto, suavemente.

—Estoy indignado, hermano. Nosotros conocemos unos tipos que todo lo vuelven una mierda. Se han acostado con todas las mujeres, han visitado todas las casas, se han vomitado en todas las alfombras. . . No te dejan tener nada íntimo, ni tuyo, nada que puedas gozar a solas, sin sus antecedentes y sus profecías. . .

Ernesto soltó una carcajada.

—¿Y nuestras esposas?

—Ésa es harina de otro costal. Se trata de gozar y de vivir. No de ir al mismo abrevadero porque ya sabes que allí te reciben. Pero si para gozar es necesario casarse con una mujer y tener hijos, ¡lucidos estamos! Se casa uno por otras razones.

Ernesto no preguntó cuáles porque ya las había oído en variadas ocasiones y además tenía teorías propias: se casa uno con la que no se deja porque a uno ya le anda. Aunque pensaba que ése era en forma textual el caso de Benjamín, no era el suyo. Él se casó con Elena después de un corto noviazgo porque tuvo la fuerte intuición de que ella, sin lugar a duda, era la mujer que le correspondía. Elena era agradable pero no muy guapa ni muy inteligente; regular ama de casa y notablemente distraída. Tampoco era gritona. Y nunca había organizado un chisme a pesar de las brillantes ocasiones que se presentaban en una larga familia como era la de ambos. No era el momento de pensar en ella.

—Carlota es una de las mujeres menos inteligentes que he conocido —lo decía con rostro sombrío, como si estuviera planeando no abandonarla, sino un mal mayor—. No es tonta, propiamente. Es terca; es una piedra, hermano. A veces se te queda viendo y tú sabes que en el fondo de sus ojos hay una especie de puerta cerrada, definitiva; algo fijo que no retrocede ni avanza —recordó rápidamente los ojos de su hija Gloria pero no se parecía a Carlota sino a él y además nadie hablaba de niños.

—Las mujeres son tercas en general. Ésa es su fuerza.

—Hermano, has dado en el clavo. Las personas débiles se sostienen a fuerza de obstinación ya que no cuentan con su voluntad, porque claro, las dos cosas se parecen en cuanto son obsesivas. El terco tiene una meta entre ceja y ceja y de allí no lo mueves. El fuerte también.

—¿Quiere decir entonces que los débiles no tienen meta? —lo dijo en forma retórica y con la voz timbrada como para discutir en un ateneo. Benjamín contuvo la sonrisa.

—O que no tienen fuerza para cumplirla.

—¿Quiere decir entonces que un débil nunca ha cumplido una meta? —lo decía con más brío y con una falta de sentido de la realidad en cuanto al sitio y la hora que Benjamín intuyó inmediatamente.

—Estamos en un café de chinos, nada más son las cuatro de la tarde y no hemos tomado.

—¿Qué importa? Los cafés de chinos pueden ser y ya han sido los sitios que han recogido lo mejor de nuestros pensamientos, nuestras discusiones más vivas, nuestras ideas más brillantes. . . —Benjamín se acodó en la mesa y se tomó la cabeza con las manos como para que no fuera a estallarle, pero no dijo nada; estos ataques le duraban poco a Ernesto, tal vez por falta de lenguaje—. Si piensas en la cantidad de veces que nos hemos reunido tú y yo, a hablar de las cosas importantes que ocurren en el mundo, descubrirás que de todo hemos hablado, que para todo hemos encontrado una solución inteligente.

—Y que por lo tanto podríamos morirnos con la conciencia limpia.

—No, no digo eso. Queda mucho por hacer. . .

—En el mundo. —Una de las cosas que desesperaban a Benjamín era que Ernesto se refería al mundo y nunca concretamente a México. Esto también porque Benjamín, ni antes ni después del famoso viaje a Nueva York había salido de su país y en una forma recóndita, imposible de aclarar, no "entendía" la existencia de otros países.

—En el mundo, puesto que ya lo has dicho. Ni yo ni mis amigos somos provincianos o microbios. . . —no lo decía con verdadero resentimiento; era más que nada una especie de arranque, de muestra de carácter—. Yo soy ciudadano de mundo. Ernesto Mota no se conforma con ser un gachupín con varias generaciones de aclimatación. . .

Benjamín entrecerró los ojos. Era necesario esperar cinco o diez minutos para reiniciar una conversación cuerda o, por lo menos, una que a él le gustara. Ernesto haría sin duda alguna otra alusión a sus abuelos y al hecho de que ni él, ni su mujer, ni sus hijos tenían una gota de sangre india. Paciencia.

—Mis abuelos llegaron de Madrid en el siglo pasado y poseyeron las tierras de México.

"Igual que Hernán Cortés", pensó el otro.

—Mi abuelo me decía: "Sé quien eres donde quiera que vayas. Yo soy Toribio Mota en la Puerta del Sol y en los llanos de San Luis Potosí." —Ernesto hizo un gesto diferente, fuera de contexto—. Primero nos fregó Lázaro Cárdenas y luego el mentecato de mi padre tiró hasta el último centavo.

Había salido del círculo: siempre que insultaba a su padre tomaba actitudes más íntimas. Benjamín aprovechó la oportunidad.

—¿Tú quieres a tu padre?

—Lo desprecio y lo odio. Gracias a él mi hermana se casó con un tal por cual y mi hermano trabaja en una fábrica de juguetes.

—¿Te das cuenta de que nuestros padres pertenecen a una generación completamente destructiva?

—Por supuesto. Nacieron y crecieron cuando no se había descubierto el psicoanálisis.

—Bueno... sí. Ésa es una razón. Actualmente, aun aquellos que no creen en el psicoanálisis tienen conciencia del mal que se le hace a un niño con tales o cuales tratos y se comportan con ciertos escrúpulos...

Callaron por una razón obvia. Benjamín acababa de expresar una de las inmensas contradicciones que ambos vivían: después de los cuarenta años seguían viéndose como hijos y no como padres. Decir esa frase equivalía a admitir una responsabilidad que afrontaban aun los remisos al psicoanálisis. Ernesto salvó la situación.

—Naturalmente. Y no admiten que si no fuera porque el psicoanálisis existe a ellos jamás se les hubiera ocurrido cómo hay que educar a los hijos.

—Si no fuera por Freud, todavía estuviéramos viviendo bajo el mito de los buenos y los malos ejemplos, esa pretensión inaudita de los padres que los llevaba a sentirse arquetipos: "Sigue el camino que te marcó tu padre", y resulta que tu padre es un soberano asno que no podría marcar un camino ni sobre un mapa del Distrito Federal.

—Mi padre quería que fuéramos peones de rancho. Siquiera el tuyo tenía aspiraciones.

Benjamín se rió con una carcajada corta, burlona.

—¡Aspiraciones! Las aspiraciones de la clase media mexicana son nefastas. En ese sentido demuestran gran sabiduría los administradores de Sears Roebuck. ¿No te has fijado que hay un mensaje a las madres de familia para que convenzan a sus hijos de que lo mejor es trabajar allí? Tienen razón y el anuncio demuestra sagacidad. Sólo una madre mexicana de clase media puede sentirse orgullosa de que su hijo trabaje en Sears. ¿Por qué? Porque es una clase social que no procede de acuerdo con ningún valor. ¿Escribir un libro? No, ¿para qué? Los escritores son "gente rara". ¿Pintar un cuadro? ¿Escribir una sinfonía? Son mariguanadas.

—Tú me has dicho que tu madre siempre insistió en que escribieras un libro.

—Pero no por respeto a mí, ni por albergar verdaderas aspiraciones, sino por... romanticismo.

Ernesto puso un rostro solemne..

—Has dado en el clavo. Por romanticismo. No se me habría ocurrido jamás.

—Pues sí, hombre —actuaba como si eso lo hubiera pensado años atrás—. Todas las cosas que se hacen en México o por lo menos muchas, nacen del romanticismo: entiendo por eso una gran falta de contacto con la realidad.

—Falta de contacto con la realidad. Es perfecto, Benjamín. Tienes que escribirlo porque cuando se dejan pasar las frases así, luego no pueden recordarse.

—Eso lo recuerda cualquiera —había tomado actitud desdeñosa; la del hombre que puede permitirse el lujo de desperdiciar una o dos frases célebres—. Además, estoy en contra de las notas. —Ernesto hizo un rápido gesto de incomprensión—. Sí, de las notas. El tipo de persona que escribe sus pensamientos en innumerables tarjetas que guarda en un archivo. Por supuesto, es un sistema que puede sustituir a la memoria pero no a la inspiración o a la vitalidad que tú le imprimes a una idea cuando en un momento de lucidez se te viene a la cabeza y la desarrollas lenta y cuidadosamente, con minucia para no dejar cabos sueltos.

Éste parecía ser un campo no explorado por Ernesto y miraba a Benjamín con un estupor que no dejaba de ser halagüeño.

—Oye, ¿y eso funciona para la literatura o no? Es imposible porque la literatura necesita tal vez ese hálito de... inspiración —le costó trabajo decir la palabra porque tanto Benjamín como Roberto le habían hecho sentir que cuando él lo decía, aquel era el vocablo más cursi de la lengua española.

—¿Por qué no? Un escritor puede anotar historias, imágenes, sensaciones olfativas o táctiles: al fin y al cabo nadie escribe más que a partir de sus experiencias. . .

—¡Benjamín! —casi daba de gritos—. Acabo de descubrir que hace ocho años tomo notas en una libreta cuadriculada —le brillaban los ojos y no se atrevía a sonreír—. Hago apuntes.

Benjamín tuvo un sentimiento egoísta: ahora hablarían de los ocho años de interminables notas y él no podría extenderse sobre los temas que le interesaban. Trataría de no darle por su lado. Pero fingió sorpresa.

—¡Hombre! Y, ¿cómo son tus notas?

—En un principio quise hacer una especie de diario, pero en primer lugar no sabía qué poner. . .

—Un diario es la historia de la evolución emotiva e intelectual de una persona —lo interrumpió Benjamín con un dejo sardónico.

—No, señor —Ernesto lo decía en voz baja, con seguridad.

—¿Qué?

—Que no, señor.

—Bueno, ¿qué quieres decir con eso?

—Los diarios más notables que se conocen no son así, por ejemplo. . . el Diario de Sucesos Notables es uno de los más importantes y ni siquiera tiene alusiones a quien lo escribió. El diario de Pavese, que ya salió en español, no es una evolución sino una descripción del estado de ánimo de ese autor a lo largo de quince años y. . . hay otros —no se acordaba de otros.

—Yo te he dado la definición ideal de lo que es un diario y tú me citas la excepción y otro que no lo es —se relamía; no resultaba tan aburrido hablar de eso, después de todo—. En primer lugar, el Diario de Sucesos Notables, es, como su nombre lo indica, una relación de los sucesos de la Nueva España, o sea, un libro escrito con intención histórica. El otro, aunque aparente ser una descripción, se refiere a una evolución porque es lo que pensaba y sentía un hombre a lo largo de quince años que lo llevaron al suicidio. El hombre cambió entre el año uno y el año quince. Además, si mal no recuerdo, desde las primeras páginas menciona el suicidio, o sea, que se trata de una evolución del momento en que pensaba en el suicidio hasta el momento en que lo realizó.

Ernesto estaba verdaderamente apabullado. Desde que se conocieron, Benjamín podía demostrarle cualquier cosa, ganarle cualquier discusión. Era simplemente inaguantable; le daban ganas de dejarlo allí sentado y largarse para reaparecer tres meses después, o nunca. Bueno, esta vez él no lo fue a buscar y contra los encuentros casuales no hay nada que hacer. Esta idea lo consoló un poco y habló con calma.

—Bueno, ¿me dejas hablar de mis notas o no?

—Cómo no —Benjamín sonrió, pero sin burla. En el fondo de los ojos de Ernesto había una seriedad que estaba allí pocas veces. Cuando eso aparece en el rostro de los hombres ha llegado el momento de ser cordial.

—Pues bien. Como mi vida no me da sucesos espectaculares puesto que es mediocre y vulgar —parecía ironía y era resentimiento—, no me decidí a escribir que me levanto, como, voy a trabajar, etc.; como tampoco soy consciente de una evolución que indudablemente sufro pero que no me resulta clara, decidí escribir cosas de la vida, de la realidad. Lo que siento cuando voy sentado en un autobús de esos grandes que apenas caben en la calle, lo que pienso cuando no puedo dormir, etc. y también anécdotas, historias. Lo que cuenta una criada puede tener un contenido emotivo fenomenal, o los limpiabotas, etc. O mis amigos. He escrito varios retratos de ustedes. . .

A Benjamín se le heló la risa. Las cosas que diría de ellos este imbécil amparado en la intimidad de su cuaderno cuadriculado.

—A ver qué día nos lo lees —comentó secamente.

—Cuando quieras. . . ¿no te parece extraño que yo haya coleccionado mis notas en una forma intuitiva?

—Son notas en tanto que exijan un desarrollo literario. Si las dejas tal como están o ya están como deben. . .

—¿Qué dices? ¿Cómo pueden estar?

—Digo, si las has escrito con cuidado, redactándolas bien y con un criterio formal.

—¿Qué quieres decir con eso de criterio formal?

Este "¿qué quieres decir?", indignaba a Benjamín muy especialmente porque era un recurso usado por Ernesto cuando ignoraba algo, pero que producía una impresión diferente: la de saberlo pero no estar de acuerdo.

—Dime qué entiendes por criterio formal.

Lo tomó por sorpresa y Ernesto pensó de prisa.

—Forma: principio, medio y fin.

—Es una manera simplista de expresarlo.

—Te equivocas, es la manera aristotélica de expresarlo.

—¡No hablemos de Aristóteles! —había tocado uno de los puntos de honor de Benjamín y allí él no se recataba—. No hablemos de Aristóteles porque yo conozco Aristóteles y tú has leído dos páginas de la Poética en una antología que además te encontraste en un camión y la hojeaste entre tu casa y la oficina. De manera que no hay discusión posible.

Ernesto se sintió enrojecer y se clavó las uñas en las palmas de las manos, debajo de la mesa. Pasó la mesera.

—Señorita, un flan.

—¿Cómo?

—Un flan —le hizo gestos y ella se rió, también Benjamín y luego Ernesto mismo.

—¿Por qué eres tan agresivo, desgraciado?

—No. Sí. Soy muy agresivo porque aunque sea en un campo limitado, pequeño y sin interés para muchos, es necesario hacerse respetar. Yo tengo conmigo mismo la obligación de defender mis conocimientos sobre Aristóteles porque ocurre que ni yo tengo una cultura universal, ni he leído todos los libros con tanto cuidado como ese. Es cosa de. . . dignidad.

Benjamín sabía que Ernesto no era cínico y que en estas situaciones siempre actuaba con un fondo de credulidad mayor que sus otros amigos.

—A ese todavía se le puede embaucar —dijo Roberto un día. Pudiera ser que fuera sólo eso. Ernesto se quedó quieto y parecía que le sudaban las pupilas. Dijo luego, con la voz temblorosa.

—Benjamín, ¿sabes lo que más detesto de ti? Esta asquerosa posibilidad de conmover cuando te da la gana. Siempre me tocas una de esas fibras secretas que. . . —volvió a ser dueño de sí mismo. La mesera trajo el flan—. ¿Crees que esas notas me sirvan o no me sirvan?

—Pues no sé.

—Pero sí son notas en el sentido que decíamos, ¿no? Y hasta puede ser que deban quedarse así porque están bien hechas.

Benjamín vio la oportunidad de cambiar de tema aunque tuviera que capitular.

—Pues sí, también eso es cierto.

Ernesto suspiró y miró el reloj de pared.

—¿Sabes qué horas son? Las cinco de la tarde.

—¿Quieres irte?

—No.

Las cinco de la tarde. Llevaba nueve horas fuera de su casa. . . y lo grave, lo extraño, es que no había llegado aún a ninguna parte. Esta idea le resultó tan angustiosa, que se llevó de nuevo la mano al corazón que parecía una piedra capaz de repartir vibraciones por todo el cuerpo y lo que era peor, una piedra sumamente frágil. No era posible haberse lanzado a la calle como un proyectil y estar ahora perdido en una ciudad calurosa, sucia, en esta avenida que era sobre todo una línea de polvo amarillo y grueso. Lo mejor hubiera sido un bosque con humedad, recodos sombreados, gotas, aire translúcido. Se estremeció de imaginarse caminando en mangas de camisa por el divino bosque verde atravesado por rayas amarillas matizadas e intangibles. Pero no, estaba perdido, avanzando quién sabe hacia dónde, para llegar no sabía a qué sitio. Le pareció estúpido haber abandonado su maleta y se sintió peor por estar sin ella. Al mismo tiempo agarró con fuerza el brazo de Ernesto.

—¿Qué te pasa?

—Una sensación de vértigo verdaderamente espantosa. Me siento mal en serio.

Ernesto estuvo a punto de decirle que lo acompañaría a su casa en un taxi, pero recordó a tiempo que Benjamín había dejado su casa. Se alarmó, se imaginó a sí mismo llamando a la Cruz Roja para que se llevara a Benjamín agonizante y él mientras tanto avisara a sus padres, puesto que Carlota. . .

—Trata de dominarte. ¿Es del estómago?

—No. No sé de qué es.

—¿No tendrás la presión baja?

—Pues sí, hermano. Tengo la presión baja. Estoy helado y cubierto de sudor.

—Necesitas un coñac.

—Un ron. No nos alcanza para coñac. Pero aquí no hay. Vámonos.

Ernesto pidió la cuenta, todavía con la suficiente calma para no pagarla, pues le tendió la mano a Benjamín con un gesto que los dos conocían. Fueron veintidós pesos. A Benjamín nada más le quedaban cinco porque dio tres de propina.

Salieron y caminaron cuadra y media. Ahora estaban muy cerca de la casa de Irene.

—¿Te sientes mejor?

—El aire me ha hecho bien, pero voy a tomarme el ron de todos modos.

—Si hubieras comido te sentirías mejor. Sólo a ti se te ocurre pasarte el día con un café con leche.

A Benjamín le costaba trabajo hablar porque sus capacidades auditivas habían aumentado a tal grado que le resultaba doloroso escuchar su propia voz. Y los trenes y los autobuses y esa voz de orador que tenía Ernesto.

—Allí hay una cantina.

—Hermano, esa cantina huele a orines desde aquí.

—Es que no hay otra.

Benjamín se dejó conducir y entraron. Por dentro no estaba tan mal. Por lo menos las sillas no eran de alambrón y se trataba de un sitio para empleados mal vestidos, lóbregos y decentes. Benjamín temía que fuera de las otras, para obreros, porque ésas son las de las puñaladas.

Se sentaron y en cuanto Benjamín tuvo el ron enfrente se lo bebió de un trago y dio una especie de rugido. "Gracias, Dios mío, gracias por el calor que corre por nuestras venas y tranquiliza nuestro pecho agitado."

—Me hacía falta —dijo—. Me hacía muchísima falta.

Ernesto lo observó y llegó a una conclusión basada en la experiencia: cuando Benjamín tenía los ojos negros como cuentas y los labios brillantes como los de un animal era señal segura de que iba a emborracharse y en ese caso. . . todo menos pagar la cuenta. A la tercera o cuarta copa, Benjamín perdía el sentido de la responsabilidad y el de la proporción: quería que pagaran los otros, que dejaran sus relojes y sus plumas fuentes. Bendita la hora en que inventaron las plumas atómicas; él siempre llevaba encima tres o cuatro de a peso y le duraban meses. Todo menos gastar sus atesorados billetes, o dejar el reloj, o abandonar a Benjamín borracho y en camino a la cárcel como ya había ocurrido otras veces. "Todo" era llamar a Roberto Castelar por teléfono. Para Ernesto no había recurso más extremo porque entonces él se convertía en el blanco de las frases aceradas, injustas, de una crueldad difícil de reproducir. De vuelta a su casa, Roberto le dejaba la sensación de haber tenido un contacto con la infamia y no se le quitaba pronto, ni cuando estaba en la cama con Elena, dormida y olorosa, amoldándose a la espalda de ella, tratando de encontrar el calor y la comodidad que brindan ciertos cuerpos.

—He ido a lugares sucios donde se hacen cosas inmencionables, pero sólo me siento así cuando veo a Roberto.

—Claro —decía Benjamín—. Porque Roberto es demoniaco. A su manera, actúa con pureza, simplemente no reconoce valores negativos y no se le ocurren ciertos matices y divisiones. Si yo viera en Roberto la maldad del que sabe que hace daño y elige hacerlo, me daría miedo, o asco, pero no. Roberto es enteramente inocente.

—Y por ende, lamentable —completó Ernesto en aquella ocasión.

—No, no del todo, es demasiado inteligente.

Así estaban las cosas. La inteligencia revelaba muchas carencias y opacaba muchas cualidades. Ernesto estaba acostumbrado a que lo llamaran tonto, pero no resignado y le indignaba que, a pesar de todo, Roberto fuera más amigo de Benjamín y se entendieran mal, pero hondamente. "Bien, que pague."

—Oye, ¿qué te parece si le hablamos a Roberto?

—No estoy de humor para soportarlo.

Era mentira, la idea de llamar a Roberto lo llenaba de un entusiasmo secreto, imposible de compartir con Ernesto; como si le hubieran prometido un dulce, se le llenó de agua la boca.

—Vamos a llamarlo. Hace semanas que no lo veo.

—No, hermano. Se emborracha y es un fastidio.

Eso era cierto, Roberto se emborrachaba peor que Benjamín en cuanto a intensidad, pero no en cuanto a calidad. A Roberto era necesario llevarlo a su casa en peso, en tanto que Benjamín llegaba por su propio pie, pero en un estado de ánimo bastante peligroso.

—Probablemente nos emborracharemos los tres. ¿Qué importa que se ponga pesado? —ése era un buen argumento y Benjamín hizo un gesto con la boca para indicar que estaba convencido a medias—. ¿Estará en su casa?

Benjamín rió de mala gana.

—¿Cuál de sus casas?

—Alguna. O le hablamos a todas.

—Son dos, en realidad. El departamento donde duerme y el otro, donde vive su mujer —al decirlo Benjamín cayó en la cuenta de que eso era lo que él buscaba o por lo menos, el ideal que subconcientemente trataba de imitar. Le dio rabia.

—¿Tiene o no tiene otra mujer?

—Sí... hay una mujer. Es una especie de estupidez. Éste conoció a una tal Nuria en una fiesta.

—¿Nuria? No la conozco.

—Esta Nuria se entusiasmó con Roberto y se fueron al hotel —Benjamín soltó una carcajada muy auténtica—. Hermano, y ya no se la pudo quitar de encima. Esa misma mañana tomaron este departamento y allí viven.

—Y ella ¿quién es?

—Es una loca. De esas que agarran la onda, amanecen en una casa extraña y se quedan allí uno o dos meses.

—Mmmm. Peligrosa —le fastidiaba no haberse encontrado jamás con una de esas mujeres y no era extraño, porque su sexto sentido lo hacía apartarse de ellas; pero no tenía conciencia de ello y por lo tanto le despertaba una gran curiosidad a distancia y un resentimiento falso.

—Esas mujeres no son peligrosas en ningún sentido —Benjamín lo decía con cansancio—. ¿Sabes lo que es una lata? Una mujer de la que no te puedes despegar. Eso es lo peor porque las mujeres sirven para cosas muy concretas: como no saben conversar ni pensar tienen que dejarte libre la mayor parte del tiempo para que vivas. Con mujeres, basta una media hora diaria o cada tercer día.

—¡Pero qué medias horas!

Benjamín sonrió a su pesar. También pensó en Carlota y rechazó la imagen en seguida porque se hablaba de mujeres y no de esposas, del "placer" y no del placer.

—Si no fuera por el sexo, las tres cuartas partes de la humanidad se suicidarían —Benjamín subió los codos a la mesa, en actitud de pensar—. El hombre es una máquina de necesidades placenteras, no hay más que mirar a nuestro alrededor para comprobarlo.

En la mesa de junto estaban tres hombres ya muy borrachos, hablando en voz baja y completamente atontados. Ernesto los miró con cautela, no le gustaba provocar incidentes en cantinas.

—Sí, ya los vi.

—Puedes jurar que esos no son felices en su trabajo, ni en su vida familiar, ni en su vida sexual, ni en su vida digestiva, ni en su vida de seres fumantes. O sea que la comida, el sexo, el cigarro, el instinto creador y el instinto gregario les han fallado en forma absoluta y su necesidad se ha concentrado en esas copas que están tomándose para regresar a su casa hechos unos idiotas. . .

Ernesto lo miró con estupor. ¿Cómo hacía Benjamín para teorizar elegantemente cuando y sobre lo que le daba la gana? Al mismo tiempo se indignó, hablar, hablar sobre cualquier cosa, siempre muy bien, pero, ¿para qué?

Benjamín se puso a pensar en lo que acababa de decir. A veces era así —las ideas se le venían a la cabeza y él sabía que no estaban equivocadas y que por lo contrario eran rápidas, importantes por ciertas; pero su misma verdad le hacía daño. Le daban ganas de que lo que dijera o pensara fuera aplicable para todos menos para él. Imaginó su vida de "ser fumante" sin sexo y no le pareció apreciable la diferencia. Ernesto lo miraba esperando una palabra o una idea que cerrara el tema. ¿Estaba entonces comprometido a seguir?

—Otro ron. Pero de esto te das cuenta cuando te falta. Porque: ¿tú crees que un obrero, por ejemplo, con una vida sexual normal, es consciente de que si no la tuviera sería un borracho o un morfinómano?

—¿Qué dices? —era el momento de intervenir, de decir lo suyo—. Los borrachos y los morfinómanos no tienen vida sexual porque son borrachos y morfinómanos y en consecuencia no les interesa.

"¡Qué fastidio! ¡Qué inmenso fastidio conversar con Ernesto Mota!"

—De eso se trata. De eso precisamente. El cuerpo humano necesita una cantidad de satisfacción, cuando no la tiene, la busca de cualquier manera, cuando la tiene, rechaza la sobrante —hablaba entre dientes y Ernesto estuvo a punto de decirle una grosería—. Bueno, sí. Lo mejor es hablarle a Roberto.

La idea de hablarle a Roberto, de argucia suya que era, se convirtió para Ernesto en una cosa humillante: era necesario llamar a Roberto porque él aburría a Benjamín y éste exigía un antagonismo más interesante. Pero se acordó del dinero que llevaba sobre el pecho, para proteger su corazón y fue al teléfono sin hacer comentarios. Primero marcó el número de Laura.

—Bueno —era una voz infantil.

—Oye, ¿no está tu papá?

—No. ¿De parte de quien?

—De un amigo suyo. ¿No sabes si tu papá va a llegar a verlos a una hora determinada?

Una pausa larga mientras Ernesto meditaba si sería el niño o la niña. Luego, la vocecita.

—Voy a preguntar.

A lo lejos se oyó la voz de Laura y Ernesto reflexionó

en la antipatía que puede despertar una voz. La de Laura no era una voz simpática ni ella era una mujer agradable; lo desagradable podía venir de que Laura tenía una personalidad notablemente adulta. ¿Por qué lo molestaba? ¿No le gustaba que las mujeres fueran adultas?

—No sabemos cuándo viene.

—Ah. Disculpa. Hasta luego.

Colgó y vio a Benjamín, ya por el tercer ron. Tenía que encontrar a Roberto, no importaba dónde. En último caso, tendría que hablarle a Andrés, ¿o le hablaría de una vez? Buscó en su agenda y encontró el número. Contestó Ernestina, su esposa.

—Buenas tardes. Habla Ernesto Mota.

—Ah, ¿cómo está usted?

Otra mujer que le daba miedo, pero no por adulta. Ernestina era jefe de sección en una oficina y tenía una especie de sentido del humor o ingenio equívoco que lo horrorizaba. Había que hablarle rápido, antes de que hiciera chistes.

—Tengo mucha prisa, ¿no está por allí su marido?

La voz de ella expresó un intenso desencanto colmado de intención.

—¿Cómo? ¿Cuál de ellos?

Coño. Ya le había hecho el chiste. Qué estúpida era.

—El que usted prefiera —y ya él había contestado. ¿Como podía Andrés soportar una mujer que siempre dialogaba con este sistema? Había que hacerle justicia a Andrés: él no podía soportarla y tenía razón. Seguramente estaba pensando en otro chiste—. ¿Ya decidió usted de quien se trata?

—No, en este momento voy a ver. Puede ser que viéndolos, me decida con más facilidad.

Se rió y después de un momento se oyó la voz de Andrés.

—Bueno.

—¿Con que tú fuiste el elegido?

—¿Qué?

—No, nada. Oye, ¿no vienes a tomarte unas copas con Benjamín y conmigo?

—¿Tienes dinero?

—Mmmm. Algo, no mucho. Nos alcanza. ¿Tú no tienes?

Andrés se hizo el sordo. Le parecía de mal gusto que los demás hablaran de dinero.

—Estoy aburridísimo. Estaba a punto de largarme a la calle con la sana intención de regresar lo más tarde posible y echarme a dormir como un tronco.

—Estamos en Álvaro Obregón, como a dos cuadras de Insurgentes.

—¿Dónde?

—Es una cantina, casi esquina con Tonalá, creo.

—Ah sí. Y ¿qué hacen en ese lugar asqueroso? Fue idea tuya, ¿no?

—Pues. . . no. Fue idea de Benjamín.

Así era Andrés, siempre decía aquellas cosas que los demás se guardaban por pudor. Ernesto se sorprendía invariablemente contándole mentiras a Andrés a los dos minutos de hablar con él.

—Entonces no tienen un quinto.

—¿Vienes o no vienes?

—Pues. . .

Andrés también era indeciso. Asistía a las fiestas, reuniones y cocteles hasta sin que lo invitaran y al mismo tiempo se daba el lujo de dudar, decir que tenía otro compromiso o simplemente decir que lo sentía mucho, aunque a última hora, tal vez haría un esfuerzo. Ernesto empezó a golpear la pared con los nudillos.

—Oye, ¿no has visto a Roberto?

—¿Roberto? —parecía que iba a decir que no—. Tengo una cita con él, pero más tarde.

—Dónde, si no es indiscreción?

—En su casa. Digo, en el departamento.

—¿Para salir?

—No. Para. . . hablar.

—Entonces tráelo.

—Pero Roberto está insufrible. Mejor paso a su casa y le dejo dicho que no voy.

—¿Qué le pasa?

—Lo de esa mujer que tiene allí. ¿Como se llama? ¿Martha, mink, castora?

—Nuria. Pero, ¿no ibas a hablar con él?

—No me había resuelto. Roberto puede ser tan... monótono. Ahora le ha dado por afirmar que vive en el caos. A propósito, ¿en qué plan está Benjamín?

—Pues... —lo vio desde el teléfono. Benjamín miraba un punto indeterminado y estaba sumido en una distracción profunda. Ernesto bajó la voz como si el otro pudiera oírlo—. Mira, Benjamín ya se volvió loco.

—¿Cómo dices? —Andrés lo preguntaba como si se tratara de una broma de su mujer y no tuviera nada que ver con la realidad.

—Digo que pretende largarse de su casa, no tiene maleta y además no se siente bien —hasta ese momento encaraba el asunto desde este ángulo y mientras lo decía, pensaba que podía estar en lo cierto. Exageró—. Me lo encontré hace como tres horas, aquí en Álvaro Obregón... inmediatamente me bajé del camión, ¡no sabes que aspecto tenía! Como si se hubiera escapado de la Floresta. Medio cojo...

—¿Por qué está cojo? Lo patearon.

—Yo creo que tiene callos y caminó por medio México —Andrés se rió—. ¡Qué bruto eres! Esto ha sido un verdadero viacrucis.

—¿Ya está borracho?

—Está sentado muy tranquilo con una mirada paranoica —Andrés se echó a reír y Ernesto también, encantado por su broma. ¿Broma? De broma podía no tener nada. Además, ahora recordaba que siempre le había tenido miedo a los locos—. Oye, vente, ¿no? Pasa a buscar a Roberto y aquí nos vemos.

—¿Tú crees que podamos con los dos juntos? Ya te dije cómo está Roberto, se pasa el día buscándome para "hablar" y luego me dice las incoherencias más encabronadas que puedas imaginarte.

—Sí podemos. Tráelo. Pero fíjate que tenga dinero porque es el que gasta más.

—Está bueno. Avenida Álvaro Obregón y Tonalá, en el tugurio asqueroso.

—Sí, hombre.

Ernesto colgó con la sensación de que había ido demasiado lejos. Ahora sería una parranda de toda la noche y él no iría a dormir a su casa. Mejor era hablarle por teléfono a Elena de una vez. Marcó su número.

—Hola, soy yo.

—¿Pasa algo?

—Pasa lo más horrible que puedas imaginarte. Iba para la casa en un camión cuando veo a Benjamín Enríquez, parado en una esquina, ¡loco!

—No empieces a contarme mentiras.

—Te lo juro por la vida de mis hijos. Está con la canica botada. Fuimos a un restaurant y allí estamos mientras lo convenzo de que vuelva a su casa. El punto es que no quiere volver a su casa.

—¿Están en una cantina?

—Mi vida, estamos en un restaurant.

—Ya vas a gastar —Elena creía que ella era muy ahorrativa y que en cambio su marido era un botarate.

—No, mi vida. Te lo juro que no.

—Yo lo que quiero saber es si esa historia de Benjamín es cierta o si se trata de una parranda.

—Es cierta. Benjamín dice que hoy en la mañana se largó de su casa y que no tiene la menor intención de regresar.

—¿Ya lo sabe Carlota?

—No. Yo creo que no —mintió Ernesto, porque al fin y al cabo era muy complicado dar el matiz de la fuga de Benjamín por teléfono.

—¿Puedo ir a ver a Carlota para decirle que está contigo?

—Ve hijita, y dile que no se preocupe, que al fin y al cabo está conmigo y con Andrés. Lo más probable es que entre los dos lo llevemos a su casa, pero no podemos hacer uso de la fuerza.

—Oye, ¿él decidió salirse de su casa o no regresa porque no recuerda dónde queda o algo así?

—No hija, no regresa porque piensa que puede vivir fuera de su casa.

—Pues no está loco. Eso se le ocurre a cualquiera.

—No en el caso de él. Benjamín no puede ni debe vivir fuera de su casa, ni abandonar a sus hijos y a Carlota y mucho menos para hacer no sé qué pendejada de libro.

—Mi amor, tú también quieres escribir un libro.

—Sí, pero otro, no el mismo.

—Entonces, ¿voy a ver a Carlota?

—Sí, pero sé discreta. Dile solamente que Benjamín está con nosotros.

—No vayan a emborracharse porque mañana no vas a poder ir a trabajar y pierdes un día de sueldo.

—¿Cuántos días de sueldo he perdido desde que me conoces?

—Dos.

—Bueno. Que Dios te bendiga —colgó y dijo entre dientes—. ¡Qué bruta!

Pero se sentía tranquilo y pensaba que todo marchaba sobre ruedas. Benjamín un epiléptico. ¿Estaría loco realmente? Este estilo de borrachera no se lo conocía: sentado, con las manos sin fuerza, pensando o más bien sumido en una especie de sopor que nada tenía que ver con el sueño.

—Benjamín, ¿cómo te sientes?

—Hermano, ¡cómo se pierden y se ensucian todas las cosas bellas! No sabes lo que era para mí que mi madre me llevara los domingos a Chapultepec o a algún parque grande. Me compraba un globo y me lo amarraba en la muñeca, siempre decía lo mismo: "Para que no se vaya." Y sentía que mi vida tenía una misión y mi persona una especie de investidura. Yo, a los cinco años, era una especie de caballero de la Orden del Globo —sonrió—. A estas alturas me da vergüenza, pero creo que las sensaciones físicas más perfectas las tuve al lado de mi madre. Ese sentarme en sus piernas, quedarme dormido; nunca he vuelto a sentir esa plenitud. Nunca. Lo digo ahora por contraste, este momento es uno de aquellos en que la miseria física es excesiva. No estoy cómodo, no me gusta este sitio, no estoy bien vestido, ni satisfecho de ninguna manera, ni soy ya joven.

Ernesto se aterrorizó. El cuadro era de una desolación tan absoluta que ni siquiera hizo el intento de negarlo. Era cierto, pero Benjamín no estaba en sus cabales porque su característica más invariable era decir cosas no ciertas. Además, él prefería que Benjamín dijera mentiras porque la verdad de algunas personas es como la nuestra: no podemos soportarla.

—Ya va a venir Roberto.

—¿Dónde lo encontraste?

—Va a traerlo Andrés.

—¿Quieres decir que viene Andrés?

—Sí, no encontraba a Roberto porque estaba con el otro —la pequeña divergencia con la realidad lo consolaba porque la pregunta de Benjamín estaba tan cargada de emotividad que preludiaba peores reacciones—. Así conversaremos los cuatro.

—Eres un vil avaro.

—¿Qué dices?

—Digo que por no pagar las copas le dijiste a Andrés que también viniera. Así hay dos que se repartan la cuenta en vez de uno.

—Oye, Benjamín...

—Benjamín, ¡nada! Por eso lo hiciste y jamás te pasó por la cabeza que si yo me encuentro a Andrés en este momento, en este momento le rompo la boca por decir que se acostó con Irene.

—¡Pero si no lo dice!

—¿Me quieres explicar en qué tono y con qué intención te contó que había estado en su casa?

—Con cualquier tono.

—¡Mientes! Él sólo dice que ha ido a la casa de una mujer que vive sola para indicar que ha pasado la noche con ella.

—Carajo, pareces loco.

—¿Qué?

—Que pareces loco —ahora lo dijo con miedo y más despacio, porque si Benjamín efectivamente estaba chiflado era una crueldad hacérselo notar. Por eso añadió débilmente—. Él contó que fue a una fiesta. No a visitarla. No vas a afirmar que cada vez que Andrés va a una fiesta le dice a los demás que se acostó con la dueña de la casa. ¿O sí?

—¿Con quién fue?

—Quién sabe.

—Si fue solo, ten la seguridad de que se dedicó a perseguir a Irene y a hacerle insinuaciones. Andrés es una mierda. Actúa como si todas las mujeres del mundo estuvieran en una vitrina esperando que él venga a pellizcarlas. Hasta es capaz de enamorar a las esposas.

Ernesto recordó que precisamente en su casa, Andrés había seguido a Elena hasta la cocina y allí se había arrodillado a besarle las manos. Pero Elena dijo:

—Oiga Andrés, déjese de ridiculeces. ¿Nunca va a llegar a la edad adulta? —Como estas palabras estuvieron acompañadas de un movimiento bastante violento para sacar las manos y luego se las lavó y secó con mucha energía, Ernesto no vio la necesidad de intervenir y se alegraba mucho de ello, Andrés tenía una forma de discutir sin enojarse que resultaba terrible para su antagonista: daban ganas de matarlo y al mismo tiempo vergüenza por no saber dominar la ira.

—¡Qué esposas ni qué nada! Andrés nunca va a nuestras casas.

—Sí va. A la mía ha ido muchas veces y siempre está viéndole las piernas a Carlota. Es un estúpido.

—Aunque sea un estúpido vendrá porque ya debe de haber salido de su casa y no puedo darle contraorden y además, si no viene él no viene Roberto.

—Por lealtad, ¿no? —se rió—. Si a Roberto le dices que tiene que deshacerse de Andrés en la primera esquina para venir a tomar unas copas con nosotros, se pone feliz y lo echa en una alcantarilla. ¿No ves tú que Roberto es un traidor por definición? Lo mejor para él hubiera sido botar a Andrés y presentarse sin él.

—Bueno, no se lo dije porque no soy tan profundo como tú.

—No se lo dijiste porque no hablaste con él, sino con Andrés. Probablemente hasta mandaste a Andrés a buscar al otro a su casa. ¿O no?

—Coño. . . —iba a negarlo, pero le causaba asombro esta capacidad de adivinación tan bien basada sobre observaciones de carácter—. Bueno, si los dos son unas basuras tales, ¿por qué somos amigos suyos? Roberto es un traidor por definición y Andrés una mierda. ¿Por qué los llamamos? ¿Por qué los vemos? ¿Qué nos importa lo que hagan y lo que les pase?

—No hagas preguntas imbéciles. Les hablamos porque ya todos tenemos más de cuarenta años. Eso quiere decir que ya no hay otros amigos ni nada nuevo. Que en ese sentido la vida terminó para nosotros porque debemos conservar lo poco que hemos adquirido. Ya es tarde para inventar otras cosas: nos tienen y tenemos desconfianza. . .

Benjamín hablaba sin escucharse, sin asumir la verdad o la falsedad de lo que decía, como si otra persona, no sólo distante sino desconocida, estuviera allí, ocupada en formular una serie de ideas que nada tenían que ver con su situación actual. Ernesto le dijo con suavidad:

—Benjamín, ¿de veras te das cuenta de lo que estás diciendo?

—No, hermano, afortunadamente no me doy cuenta —estas palabras no eran irónicas ni querían decir nada, además allá en el fondo él las olvidaba antes de decirlas. Sólo hacían eco en la cabeza de Ernesto y lo asustaban.

—¿Tú crees que si yo me divorcio y me acerco a otra mujer no me hace caso?

—¿Piensas divorciarte de Elena?

—¡No y mil veces no! Es un ejemplo.

Benjamín se puso a reflexionar.

—Pues no, hermano, no te hace caso. Imagínate una mujer soltera y sin problemas, joven y guapa. ¿Por qué va a enredarse con un divorciado lleno de hijos y acostumbrado a vivir con su mujer desde hace más de quince años? No, ¿verdad? Claro que siempre hay mujeres con problema, o casadas o divorciadas, o con hijos, o feas o tristes. . .

—Basta, coño.

Benjamín rió.

—Ya ves a dónde llevan tus preguntas.

Ernesto calló. ¿Sabría Benjamín que aquella situación era todavía más suave que la suya? Era evidente que estaba en contradicción con sus ideas, pero a tan alto grado, que daba lástima rebatírselas. Imposible compaginar todo esto con sus planes de vivir con la húngara. . . a menos de que se considerara entre los elegidos que pueden hacer cualquier cosa porque son diferentes y a Ernesto entre aquellos que no deben hacer nada porque entran en la regla general. Esta suposición le dio rabia.

—Y, ¿cómo entonces quieres empezar una vida nueva en otra casa, con otra mujer?

—¿Que qué? —Benjamín contrajo el rostro como si hubiera escuchado una incoherencia en la boca de un niño de diez años.

—Me pareció entender que pensabas dejar a Carlota y. . .

—No pienso dejar a Carlota, ya lo he hecho —parecía a punto de abofetearlo—. Pero además, no quiero una vida nueva. Escribir un libro es la síntesis de mi vida pasada, el resultado lógico y normal. ¿De dónde sacaste lo de la vida nueva?

—Es término tuyo.

—¿Sabes cómo se sabe si un hombre es tonto? Porque todo lo que oye quiere ponerlo en práctica inmediatamente; no piensa con el cerebro sino con los músculos. Si Benjamín formula una idea hay que aplicársela rápidamente al mismo Benjamín. Esa es psicología de familia liberal: gente que le pide al cura que sea santo porque predica la santidad.

—Imposible. Mi familia es tan católica como la tuya y no le pide al cura absolutamente nada.

—Bueno, pero yo no quiero, no pretendo y no me interesa tener una vida nueva. Lo que quiero es dar un paso más y llevar mi vida a su corolario final; valorar y darle un sentido a mis primeros cuarenta años. Si para ello debo alejarme de algunas personas y reunirme con otras, lo siento, pero no puedo remediarlo. ¿A quién hay que querer más en el mundo?

—Yo no sé —Ernesto estaba enojado y deseoso de que los otros llegaran de una vez. ¿Por qué se había bajado del camión? ¿Por qué no se iba y dejaba allí a este imbécil?

—Pues a uno mismo. Si no tienes un cuerpo, ¿dónde vas a alojar tu alma? Si no alojas adecuadamente tu alma, ¿cómo alentar sus manifestaciones?

—Eso es comunismo.

—No seas bruto. Es sentido común.

—Entonces es psicoanálisis.

—No me hables de esa estupidez.

—¿Estás en contra del psicoanálisis? ¿Desde cuándo?

—Desde hoy. Me parece una lacra de la civilización moderna.

—Esto sí no me lo esperaba.

—Pues ya lo sabes.

Benjamín se había puesto en un estado curioso en que simplemente no podía escuchar una palabra sin sentir la necesidad de contradecirla. Ernesto miraba la puerta.

—Se tardan mucho. Voy a hablar por teléfono otra vez.

—¿Tienes prisa?

—Ninguna. ¿Qué dice tu cuñado el general?

—Cada vez más puto —Benjamín hacía años que no veía a Arnulfo, pero siempre hablaba de él como si hubieran conversado el día anterior. Además, tanto Ernesto como él le debían sus empleos.

—Por allí se dice que va a ser ministro el próximo sexenio.

—Depende. Lo más probable es que tenga un puesto alto, pero no tan público. Es un tipo muy inteligente, pero se lo tienen fichado.

—Lástima.

Querían hablar más de Arnulfo pero no bien y tampoco se atrevían a hablar demasiado mal.

—Hermano, si Arnulfo fuera ministro, tú y yo. . .

Ernesto rió con amargura.

—Si fuera ministro tú y yo ganaríamos mil pesos más, trabajando en unas oficinas lo más alejadas de su persona que fuera posible. Nos trata como si estuviéramos sarnosos.

—Porque no somos maricones. Le da tal horror ser como es, que proyecta esa actitud hacia los otros.

—No me cuentes que el desprecio que Arnulfo Ayala siente por su prójimo es reflejo del que se inspira a sí mismo. . . —su acento era seguro y burlón—. Él sabe muy bien que tiene inteligencia, dinero, habilidad y una condenada capacidad de trabajo que me resulta incomprensible. Nos desprecia por todo lo que no tenemos, no por lo que a él le falta. Además, los maricones viven felices y los maricones ricos, más.

Benjamín se dejó convencer. Era difícil, después de todo, imaginar a Arnulfo Ayala con complejo de inferioridad.

—Yo tengo la teoría de que mientras más perverso sea el instinto, más honda es la satisfacción. Un homosexual satisfecho es lo contrario de un neurótico. . . porque, ¡maldita sea!, en el fondo de todo está la teoría de la necesidad y la satisfacción. A ti, por ejemplo, ¿qué te hace falta?

—¿A mí? —Ernesto abrió mucho los ojos, no sabía qué decir—. Pues. . . me gustaría ganar más dinero y escribir una novela.

—Pero eres feliz.

—Sí, creo que sí.

—Eres feliz en tu trabajo y en tu casa.

—Sí.

—Quieres a tu mujer y a tus hijos.

—Sí.

—¿No te chocan?

—Cuando me chocan salgo con mis amigos y regreso arrepentido.

—¿Y en el trabajo?

—La gente que trabaja conmigo es agradable. Me gustan las horas que paso con ellos.

—Eres un cerdo y yo te desprecio inmensamente. Eres como una hiena que se conforma con los deshechos. Un hombre cabal no es así. Veamos, ¿cómo satisfaces tus deseos creadores?

—No están satisfechos, ya te dije que quiero escribir un libro.

—¿Cuándo lo empiezas?

—Ya lo empecé.

—¿Cuántas páginas llevas?

—Treinta y cuatro.

—¡Cerdo! Nunca pasarás de allí. ¿Cuánto tiempo has empleado en hacerlas?

—No sé. Dos meses.

—¡Dos meses! Lo que pasa es que tienes una necesidad creadora nula y por lo tanto escribes sólo cuando tienes tiempo o no encuentras qué hacer...

Benjamín nunca había escrito más de tres páginas seguidas y en una ocasión creyó que se trataba del principio de un libro, días después vio la posibilidad de que se convirtieran en un ensayo y más tarde las publicó en una revista bajo el título de Meditación Corta. Ahora tenía envidia de Ernesto que se lamía los labios sin saber qué contestar.

—Tú no sabes a qué horas escribo ni tienes derecho a hablar de mis necesidades como si fueran tuyas —pero lo decía sin indignación, sin la furia que Benjamín hubiera ameritado.

—¿Cuáles necesidades? Tienes una especie de inquietud como la de los gorilas, se calma con comer y dormir y con otras cosas que no menciono por respeto a tu mujer. Cambiemos de tema. Tus necesidades son como las lecturas de Aristóteles: hay quien las tiene más grandes y más exigentes. Cambiemos de tema, por favor —se mostraba febril y parecía que temblaba por dentro, más allá de sus huesos y su piel.

—¿Cómo te sientes?

—Horrible. Nerviosísimo.

—¿No quieres que te lleve a alguna parte?

—No, imbécil.

Ernesto hizo el propósito de que si Benjamín lo insultaba una vez más lo dejaría allí solo aunque estuviera moribundo. Vanidad aparte, ¿se moriría realmente? ¿Era posible odiar así a un amigo? Odiarlo profundamente, por su nariz, por su boca sensual, por su sonrisa atractiva y su mirada fija con algo sospechosamente negro y brillante.

—¿A qué horas llegarán esos?

—A mí no me importa: Roberto es un asco, un monstruo, una porquería. Andrés es algo peor. ¿Puedes imaginar un hombre más deleznable que ése? Siempre borracho en las casas ajenas y tratando de cogerse a cualquiera, desde la dueña de la casa hasta la criada, a él le da lo mismo.

Ernesto tenía una imagen de Andrés que coincidía con ésta, pero era más rica. Andrés poseía cualidades que Benjamín fingía no ver, como por ejemplo su buen carácter, su tendencia a la risa y a la broma, una cierta flexibilidad para acomodarse a las situaciones que creaban los otros seres humanos con los que se veía forzado a convivir. ¿Cómo, si no, vivir con su mujer y su suegra? Esta fase del carácter de Andrés siempre lo conmovía porque había en ella una tónica inocente y juvenil, animosa y risueña. A pesar de esto, no estaba en su ánimo contradecir a su amigo.

—Todo el mundo tiene defectos.

—El derecho a tener defectos se compra con cualidades. Hasta Aristóteles lo dice... con otras palabras. Para que un hombre tenga estatura necesita la mezcla divina del defecto con la cualidad. Y Andrés... ¿cuáles dirías tú que son las cualidades de Andrés? ¡Ninguna! —se apresuró a agregar sin dejar que contestara.

Ernesto no apartaba los ojos de la puerta y sin querer repetía una costumbre infantil que se había quedado con él: se concentraba para que su deseo los trajera pronto.

—En cambio Roberto —siguió Benjamín—, se salva por su gran inteligencia.

—Roberto es un iluso y basta saber su vida para entenderlo —no podía evitarlo, tenía que decirlo—. Si la inteligencia es la facultad de enjuiciar la realidad tal como es, ¡Roberto está lejísimos de ser inteligente! ¿No te das cuenta de que es un tipo que no puede ni llegar a la esquina basándose en su propio juicio? Tiene una lucidez de loco que es una mierda.

Benjamín empezó a reírse como si le hicieran cosquillas y Ernesto se ruborizó.

—Mi querido hermano, le tienes a Roberto una envidia pavorosa y se la tienes desde hace años. En realidad, desde hace como veinte años. Si es tan estúpido, ¿por qué hablas así de él? Dale permiso de existir graciosamente y asunto terminado.

—No puede dársele permiso de existir porque no lo hace graciosa sino torpemente y además no está en mi mano hacerlo —¿por qué seguía hablando en ese tono? ¿Era tan necio como para no tomar en cuenta que Benjamín se emborrachaba con tres copas y que de cualquier modo no era el momento? Benjamín seguía riéndose y él sudaba de ira.

—Mira, hermano vamos a cambiar de tema otra vez. Antes de que me pegues —y seguía riéndose.

Ernesto se puso en pie lentamente. Iba a dejar solo a este loco, no le importaba si podía o no pagar la cuenta o si se lo llevaba la Cruz Roja. Estaba harto. Pero Benjamín palideció intensamente y él quedó allí, sin buscar sus ojos porque eso no le interesaba, pero contemplando el cuadro completo: este hombre delgado, de estatura mediana, de manos varoniles y temblorosas, con la piel amarillenta y los ojos aterrados. ¿Podía dejarlo? Maldita sea, ¡no! ¡No podía dejarlo! Se sentó de golpe y los dos callaron como si tuvieran vergüenza o como si algo les hubiera sido revelado.

Diez minutos después, cuando el silencio hubiera terminado en lágrimas y gritos, llegaron los otros. Roberto se sentó al lado de Benjamín y Andrés junto a Ernesto. Benjamín los saludó en un tono cordial pero reservado que era más bien una actitud para con Ernesto. Roberto dijo en seguida:

—Benjamín, estás jodido. ¿Puedes explicar en menos de cincuenta palabras qué te pasa?

—Si tú puedes explicar en el mismo número de palabras lo que a ti te pasa.

—No, yo no, porque efectivamente me pasa algo. No estoy sentado en una cantina meditando y emborrachándome. . .

—¿Ah no? Pues ya estarás dentro de una hora.

—Me refiero a que soy un hombre que ha tomado acciones definitivas.

—Yo también.

—¿Cuáles? ¿A cuántos hijos tuyos has asesinado? ¿A qué mujeres has puesto a trabajar para que te mantengan?

No se sabía si las palabras de Roberto eran broma porque sonaban duras, viles, imposible reír. Ernesto le dio un codazo a Andrés.

—¿Para qué le dijiste a Roberto lo que quiere hacer éste?

—Para que supiera a qué atenerse.

—Mira el resultado.

—Oye, no tiene tan mal aspecto.

—Parece muerto.

—Eso sí. Y tiene las manos frías, pero no parece loco.

—Espera que lo oigas un rato más.

—¿Cuándo se largó?

—Dice que hoy en la mañana. Mandé a mi mujer a decirle a Carlota que está con nosotros.

Callaron para oír la conversación.

—Por supuesto, yo no podía más —Roberto pensaba en Laura y ya ellos sabían que nunca decía nada preciso en contra de ella—. Entonces encontré a Nuria. Mira, agarramos un capricho espantoso de andar juntos, de vivir juntos, vaya. Y aquí estamos.

—¿Cuál es el problema? —quiso saber Benjamín.

—No hay problema.

—¿No? A mí me pareció entender. . .

—Mira, para empezar, no hay dinero. Nuria no es

de las que trabajan... pero Laura sí, así es que no tengo que preocuparme por las dos. Lo malo de Nuria es que es borracha...

—Y ¿soportas una mujer con esa costumbre?

—Entre un borracho y una borracha no hay ninguna diferencia.

—Pues no, pero no se acuesta uno con ellos.

—Ni con ellas, no dan ganas.

—Perdonen ustedes —intervino Andrés—. ¿Puede saberse de qué están hablando?

—No —contestó Roberto—. No estamos hablando de nada. Estamos fuera de nosotros mismos y eso es todo.

—Bueno —siguió Benjamín—. Te fuiste de tu casa, pusiste otro departamento, buscaste otra mujer y eres enteramente feliz, ¿no?

—Sí.

Benjamín lo observó atentamente. En todo aquello había algo que no era sincero, algo que no encajaba. Ernesto veía a Roberto con las cejas fruncidas pero no deseaba intervenir sino gozar del alivio de que aquellos compartieran la situación.

—¿Ves a tus hijos?

—De vez en cuando.

Andrés cuchicheó al oído de Ernesto.

—Mentiras. Desde que salió de su casa los ha visto una sola vez y eso porque se los encontró en la calle con Laura. Los invitó al cine.

—¿Laura sabe dónde vive?

—Claro. Y con quien.

—Coño. Y ¿qué dice?

—Qué hace, dirás. A los dos días de haberse ido Roberto de la casa, Ernestina la vio con un tipo.

—No me digas que se buscó un amante en dos días.

—Ella dice que...

—Eso es lo que siempre me ha chocado de ella: es de esas que pueden justificar todo y quedarse tan tranquilas. ¿Ya lo sabe éste?

—Yo creo que no.

Se volvieron simultáneamente a mirar a Roberto, como

puestos de acuerdo e iniciados en un gran secreto. Ellos seguían hablando de la misma cosa.

—Es delicioso. Abres los ojos y estás en un sitio nuevo, te volteas y ves una cara nueva. Como si nacieras otra vez.

—Sí, ¿verdad? —la expresión de Benjamín era tremendamente angustiada, como si Roberto estuviera describiéndole una experiencia interplanetaria.

—No hay edad, no hay tiempo. Ahora, me siento más joven que cuando me casé con Laura.

—Y esa Nuria, ¿por qué toma?

—Quién sabe. Es locota.

—¿Cuántos años tiene?

—Como treinta.

—Buena edad.

—Sí porque las muchachas son muy brutas y con la cabeza llena de basura. Las mujeres muy jóvenes están hechas a la medida de los hombres muy jóvenes, que ellos las aguanten. A mí me gustaría, por ejemplo, seducir una chiquilla, pero vivir con ella...

Ernesto hizo un irrefrenable gesto de asco. Andrés comentó en voz baja:

—Son pendejadas suyas.

—¡Qué van a ser pendejadas! Si lo dice es porque ya se le ocurrió al muy cabrón.

Ernesto reflexionó en que él no había tomado ni una sola copa y estaba tan intoxicado como si hubiera seguido el paso de Benjamín. Era una especie de entusiasmo mal llevado y compulsivo. Los odiaba y estaba muy lejos de su alma la decisión de dejarlos. No se le ocurría ni siquiera para salvar sus billetes.

—¿Tú crees en la maldad de Roberto?

—Creo a pie juntillas. Ya he tenido la experiencia de querer tomarlo a broma y de ver que él dice las cosas absolutamente en serio.

—Las dice en serio, pero, ¿las haría?

—Las haría sin parpadear.

Andrés se quedó pensando un momento. Luego recordó algo.

—Puede que sí. ¿Tú crees que Laura es buena persona?
—Es mejor que él. Cualquiera es mejor que él.
—Puede ser.

Andrés acababa de adoptar cierto tono de investigación que, como la pedantería de Ernesto, era irritante para muchos porque ambas actitudes tenían en común la característica de ser ociosas: con ellas no se iba a ninguna parte ni se lograba nada, eran excrecencias de la personalidad y ornamentos de la conversación.

—¿Por qué lo preguntas? —ya lo sabía, pero no deseaba escuchar a Roberto ni contemplar con detenimiento la cara de Benjamín atenta a lo que le decía el otro.

—Por saber. Tú, qué prefieres, ¿una mujer que cuando le haces algo te pone los cuernos, o una víctima de esas que se te cuelgan?

—Pues... si quiero quedarme con ella, prefiero que se me cuelgue.

—No seas tonto, Ernesto. Yo estoy bajo el supuesto normal de que nadie quiere vivir con su mujer, pero tiene que hacerlo.

—Yo sí quiero —ahora quería oír la conversación de los otros aunque le resultara repelente.

—Muy bien. Entonces nunca le haces nada a tu mujer.

—Casi nada.

—Carajo, ¿por qué estás tan distraído? —no contestó, pero le clavó los ojos como si quisiera tragárselo para demostrarle que lo escuchaba—. Dime una cosa, ¿es mejor que Laura se acueste con otras gentes en vez de echarse a llorar porque Roberto se larga de la casa con otra?

—Sí, es mucho mejor. Porque si se echara a llorar no pararía nunca y así se queda muy tranquila con su trabajo, sus hijos y su amante.

—¿Eres feminista?

—No, coño. Y además detesto a Laura, pero tratándose de éste...

—Ésa no me la sabía. ¿Detestas a Laura?

—Me parece una mujer poco femenina, llena de recursos, sin escrúpulos y qué se yo. Pobres hijos.

—Los hijos de Roberto van a un buen colegio y todos hablan inglés.

—Sí, bueno, serán dos máquinas espléndidas, pero... —se detuvo porque cayó en la cuenta de que hablaba igual que su mujer cuando discutían exactamente ese mismo tema y él defendía a Laura—. Oye, hablemos de otra cosa.

—No, me interesa este tema.

—Muy bien, opina entonces. Según tú, ¿qué debería hacer Laura?

—Lo que hace, lo que hace —sonrió como un ilusionista que muestra al público el sitio donde tenía guardado el conejo antes de sacárselo por una manga—. Laura es un ser humano muy completo. Conoce sus necesidades y las satisface. En primer lugar, necesita dinero para sostener a sus hijos: trabaja más que tú y yo juntos. Según parece, necesita un hombre: lo consigue. ¿Has visto mujer más lógica?

—El día en que Roberto vuelva a su casa, como seguramente será un estorbo, lo envenenará con esa misma lógica.

Andrés se rió a carcajadas, Ernesto menos. Roberto los miró y le dijo a Benjamín para que ellos oyeran:

—¿No parecen dos monos jóvenes?

Benjamín los miró con el gesto agresivo. Tal vez este comentario había interrumpido el desarrollo de alguna idea espléndida.

—Son dos gorilas. No hace mucho rato se lo decía a Ernesto. Pero como hombres ya no resultan tan jóvenes.

—¿Cuál será el más gorila de los dos?

—Los dos son unos hijos de...

Interrumpió Andrés, sonriendo.

—Seremos hijos de la gorila madre. ¿Qué te pasa, Benjamín? ¿Qué te hemos hecho?

Ernesto lo pateó para que no siguiera por ese camino, pero Andrés no se dio por aludido.

—Hijo de puta.

Si aquello hubiera estado dirigido a cualquiera de los

otros, seguiría un momento de espectación, como se trataba de Andrés...

—¿Cómo? ¿Por qué?

—Porque sí. Porque has buscado los caminos más indirectos para mostrarle al mundo tus incapacidades.

—A ver. ¿Cuáles son mis incapacidades?

—Estudiaste derecho y no te dedicaste a la carrera porque querías hacer ensayos sobre asuntos económicos, pero nunca estudiaste economía... ahora tienes un empleo que nada tiene que ver con esas cosas.

Roberto sonreía como si escuchara música o viera un hermoso espectáculo.

—Muy bien. Ésa es tu sittuación y también la de Ernesto. Ahora dime cuáles son los caminos directos.

Benjamín se enfureció.

—Tú no manejas esta conversación sino yo, ¿me entiendes?

Los otros tres se rieron. Lo que Benjamín pretendía, era demasiado desproporcionado. Quería que se apabullara por orden suya; se enfureció y los miró con odio.

—Ustedes son viles. Durante años de mi vida me he visto en la necesidad de convivir con tanta vileza por falta de carácter, porque mi casa me esterilizaba y mi género de vida fomentaba la pasividad. Tomen esto como una despedida, después de esta noche no volveremos a vernos, entre otras razones, porque no me da la puta gana.

Roberto aplaudió el discurso y le guiñó el ojo a los otros.

—Muy bien. Vamos a pedir otro ron para despedirte.

—No me des por mi lado, cerdo.

—Explícanos cuál es la actitud que te gustaría que tuviéramos —lo decía por divertirse, como se le pide a alguien que baile o que cante, con verdadero afán de contemplar un espectáculo.

Pero la cara de Benjamín cambió y la agresividad se deshizo para dejar una expresión de melancolía profunda.

—Me hubiera gustado poder comunicarle a la gente el entusiasmo por el pensamiento y el amor a la verdad. Hubiera sido satisfactorio que por mí, muchos se interesaran en temas y observaciones de importancia colectiva; entonces, hubiera podido decirse que entregué mi vida a una causa noble.

Ernesto se asqueó. ¿Roberto podía sonreír en forma desganada como si se sintiera defraudado y Andrés mostrar esa especie de interés objetivo que igual funcionaría si viera las reacciones de un conejillo sujeto a un experimento? ¿Podría él también contemplar a Benjamín con esta objetividad casi diabólica? No, definitivamente.

—No hables como si ya no fueras a hacer lo que has planeado. Debes decirlo en tiempo futuro. Harás eso, todos lo sabemos —hablaba sin mirarlo, temeroso de que Roberto echara abajo su mentira o de que Andrés empezara a observarlo a él también con el mismo sistema. Pero Benjamín no hizo caso.

—Debe de ser satisfactorio haber creado una inquietud en el alma de otro ser humano, haber sembrado en su espíritu deseos nuevos. . . —lo interrumpió Andrés.

—Como nuestros gobiernos que siempre hacen campañas de alfabetización para enseñar a leer a quienes no les interesa porque su vida no cambiará si aprenden.

—¿Qué dices? —preguntó seriamente, olvidado ya de su violencia anterior—. ¿De veras crees que si aprender no cambia la vida no vale la pena?

Andrés consideró el asunto puesto de ese modo.

—Sí. Claro que lo creo.

—Es cierto —Benjamín estaba a punto de llorar—. ¡Y que tú, un inferior intelectual, tengas que decírmelo! Es cierto, aprender no cambió mi vida y de allí esta necesidad inaplazable de cambiarla para que vaya conforme a lo que siento y lo que sé —la voz le desafinaba, pero no lloraría, iba a llorar como hacen las personas atormentadas por cosas que requieren reacciones mayores: gritar, tirarse de los cabellos, arrastrarse por las calles.

La sonrisa no se borraba del rostro de Roberto, ahora se animaba. Se dispuso a intervenir.

—Sí, Benjamín. Tienes que cambiar tu vida como yo he hecho. Lo hice para. . . —era evidente que no encontraba explicación—. Para hacer mi tesis y finalmente graduarme.

Guardaron silencio. Hacía exactamente dieciocho años que Roberto daba este pretexto para explicarlo todo, desde su matrimonio con Laura hasta el nacimiento de sus hijos. Ahora los dejó particularmente escandalizados.

—Resulta que han dado una ley para los profesores no graduados. Si no te examinas en el curso de seis meses no tienes derecho a ascender.

Andrés preguntó, casi con inocencia:

—¿Ascender a qué? Tú no has tenido más que dos aumentos de sueldo desde que empezaste a dar clases.

—Quinientas clases —subrayó Roberto.

—Dos diarias. Todos nosotros trabajamos como mínimo seis horas diarias y tú eres el único que trabaja dos.

—De eso no tengo la culpa. Es problema de cada uno.

Ernesto hubiera querido decir que esa comodidad de trabajar dos horas diarias y de tener dos meses de vacaciones la pagaba Roberto de otra manera, pues como no llevaba suficiente dinero a su casa, su mujer ponía de su parte más que de sobra, con lo cual adquiría demasiados derechos. En vez de eso, dijo:

—Estamos viviendo en una época en que el dinero es demasiado importante.

—Eso lo dice para que lo consideremos inferior.

—No. Lo digo porque las personas que ganan poco no funcionan dentro de nuestra sociedad. Si hiciéramos una gráfica para ver quién funciona más de nosotros, seguramente el sitio más alto lo tendría. . . tu mujer.

Se rieron, pero Roberto estaba furioso y Ernesto sintió su mirada lenta, malévola, sobre él. Andrés intervino.

—¿Qué horas son?

—Tarde. Tardísimo —era Benjamín con su voz lejana que parecía mentir o forzarse cuando hablaba de cosas como la hora—. Ya serán las nueve, ¿no?

—¿Quieres saber cuánto tiempo llevas de libertad? —preguntó Roberto.

—Sí —por sus ojos pasó una ola de incomprensión, como si Roberto no debiera darse por enterado del asunto, pero no le importó demasiado—. Ya va siendo tiempo de que vaya a mi otra casa.

¿Estaba tan débil Benjamín que ya ni hablar podía? ¿Estaría muriéndose? Ernesto se alarmó de nuevo.

—Oye, Andrés, vamos a acompañar a Benjamín a esa casa. ¿Por dónde queda la casa donde vas a vivir?

—Aquí, en esta calle, como a cuadra y media.

—¿Sí? Menos mal —contestó Andrés—. ¿Qué es? ¿Un departamento?

—Una casa, un departamento o un cuarto, lo mismo da —Benjamín lo decía con tristeza, con una inmensa debilidad y, sin embargo, Ernesto sospechó que en el fondo estaba el pudor de dar la dirección que Andrés ya conocía.

—¿Pero tú lo alquilaste con anticipación?

—Sí. Desde antier lo arreglé.

—¿Es la casa de alguien o vas a vivir solo?

¡Maldito Andrés! Roberto era el único divertido: siempre decía que si uno quería enterarse de algo sobre una familia o una persona, lo mejor era llevar a Andrés; en seguida hacía las preguntas de rigor y la gente se veía forzada a contestar quién sabe por qué fenómeno.

—No, no voy a vivir solo. Es la casa de una amiga mía.

—¿La conocemos?

—¡Qué sé yo!

—En esta calle vive Irene Vlady, pero tú no la conoces.

Ernesto apretó los puños y no quiso mirar a Benjamín. Tal vez ya no era capaz de enfurecerse. . . o al contrario.

—Otro ron —dijo la voz de Benjamín. Lo sirvieron y Ernesto no tomó, no podía, no era su noche. Benjamín se lo tragó de un golpe y se aclaró la garganta.

—Voy a vivir con Irene Vlady.

—¿Con quién?

—Con Irene Vlady.

—No me digas —el tono objetivo que le era habitual—. ¿Dónde la conociste?

—Hace meses.

—Meses no, porque, déjame ver —hizo cuentas ayudándose con los dedos—. En enero tú no la conocías.

—Sería después de enero. Hace dos meses o más —Benjamín no iba a rebajarse preguntándole a Andrés cómo sabía que en enero él no conocía a Irene, pero no dejaba de sentir una especie de anticlímax en la reacción de Andrés.

—¿Ella te invitó?

—Me hizo una invitación solemne a su casa y a su cama —lo dijo con orgullo y con algo ridículo que Roberto detectó inmediatamente.

—Para que la defiendas con tu escudo y con tu espada, ¿no?

—Para que la traspase con mi espada —ahora hablaba en tono jovial, seguro hasta cierto punto de que Andrés no alegaría tratos con Irene.

—¿Desde cuándo es tu amante? —siguió Roberto.

—Desde cuándo. Desde cuándo. Parecemos niños de escuela. ¿Qué quieres que te conteste? ¿Que hace dos meses, tres días y seis horas que se cruzaron nuestras miradas?

—No precisamente. Quiero que me digas desde cuándo es tu amante.

Benjamín calló en una distracción de calidad espuria que significaba algo todavía no bien definido. Pero Roberto era implacable.

—Lo que sucede es que no es tu amante.

Benjamín lo miró desde muy lejos, sin enojo y sin mirada.

—¿Qué ganas con que no lo sea?

—¿Es o no es?

—Para mí sería fácil contestar cualquier cosa, mentir. ¿No lo sabes?

—Pero si tú eres un caballero andante, no puedes mentir. . . mucho. Cuéntanos cómo fue.

—Me invitó a su casa y le gusté. Me agarró de la mano y no me soltaba.

—Como si tuvieras tres años.

—No, así no. Como si ya fuera su amante. Me hizo subir y bajar las escaleras. . . lo que ella no quería era estar lejos de mí. Luego me sentó junto a ella y me besaba, ba

uerpo
pero no
que no se
incuenta y
, Andrés le
el otro se los

so contento. Cada
y pagaban otros, se
con mejores perspec-
azo y notó que estaba
omo si intencionadamente
al oído:

e a un hotel?

go con qué pagarlo.

a razón clave de todas las accio-
abelladas. No tener con qué pagar
taban en la puerta y Andrés cuchi-
o que se limitaba a escuchar.

a la izquierda o hacia la derecha? —pre-
en voz alta.

eo que es el número 52, en ese caso, sería
quierda.

mano —era Andrés con su voz tranquila—.
está en la acera de enfrente hacia la derecha.

ú qué sabes? —Benjamín se acercó a Andrés como
era a pegarle, pero sin dejar de apoyarse en Ernesto—.
on qué derecho me das la dirección de la casa donde
ive mi amante? ¿No te das cuenta de que eso es un
abuso?

—Para dar una dirección correcta no se necesitan derechos, sino saberla, ¿no te parece?

—¡No! Claro que no me parece. Porque todo es mugre y mala intención. Desde hace años es así. Ustedes no pue-

hermano. Unos besos... —de nuevo la palidez, las grandes ojeras dibujadas sobre las mejillas blanquecinas—. ¿Por qué habrá mujeres que se portan como esencias? Yo no sabía qué hacer con aquella odalisca...

—Eso quiere decir que no se la cogió —este comentario era un paréntesis verbal de Roberto para los otros.

—En el sofá tomamos de la misma copa, sin dejar de besarnos, sin soltarnos.

—Bueno, pero, ¿cómo terminó todo eso? —Roberto se rió de pronto—. Soy un estúpido en preguntártelo. Ya yo sé cómo terminó: te pusiste pesado y te echaron o te fuiste porque ella tenía otras visitas que atender, o te dormiste en el sofá.

—No. No fue nada de eso.

—¿Qué fue?

—No me acuerdo. Llegué a mi casa como a las siete de la mañana y dormí como diez horas. Pero cuando desperté sabía perfectamente mi curso de acción: no dudé ni un segundo en decirle a Carlota qué me proponía. Todo era claro, tan claro como ahora. Ya me voy a casa de Irene. Lo siento mucho, hermano.

La disculpa estaba dirigida a Andrés y subrayada por los actos; se puso en pie de un impulso, pero luego no pudo caminar y se quedó allí, tratando de recobrar el equilibrio y en una especie de indecisión del cuerpo. Luego volvió a sentarse.

—¿Qué pasó? Yo creí que ya estabas tocando la puerta de la tal Irene —Benjamín movió la boca, pero no le vino la voz—. ¿Qué te pasa?

—Un momento. Un momento —era un esfuerzo de concentración, como si quisiera reacomodar todos sus músculos, sus sistemas ocultos, hasta sus emociones, y forzarlas a actuar con naturalidad.

—¿No quieres que te acompañemos hasta allá? —era Andrés.

Benjamín hizo un gran esfuerzo.

—No, tú no.

—¿Por qué?

Las lágrimas vinieron a los ojos de Benjamín y corrie-

ron por sus mejillas; él hizo un esfuerzo para dor
y para que aquel llanto no le paralizara la vo
inundara la garganta.

—No, porque tú. . . —hizo una pausa para
profundamente; hasta imaginó que el aire entra
pulmones en una forma artificiosa, como si
aire. Luego, lograda una voz más entera, dijo
no estoy bien, ¿verdad Ernesto?

—No. Desde hace horas que se siente pési

—¿Por qué no tomamos un taxi y lo de
su casa?

—Él no puede ir a su casa porque sali
siempre hoy en la mañana —declaró Erne
para que Roberto concediera.

—¡Que te crees tú eso! Éste lo que
en su cama pegándole de gritos a Carlo
recobra la voz en menos de cinco minu
en otras palabras, es miedo de ir a c
y que no lo reciba. . . o de que lo rec

Ernesto se enfureció.

—Roberto, tú eres un cerdo y s
más te doy una entrada de trompad
nadie. ¿Oíste?

Roberto se miró en los ojos
callarse. Con ese pretexto pidió o

—No estaría mal que decidiéra
parece? —era Andrés, que tratab
especie de ligereza mientras Benj
por las mejillas.

Nadie contestó y Ernesto se vio a sí mismo ma
más equivocado que nunca, porque, sin creer en ella,
apoyaba a Benjamín en esta actitud extravagante que
podía terminar en cualquier cosa.

—Benjamín, ¿quieres que te dejemos en casa de la
húngara? —Benjamín no contestó—. Te estará esperando.
¿A qué horas le dijiste que llegabas?

—No le dije una hora fija, le dije que me esperara
pronto.

—¿Cuándo fue eso? —intervino de nuevo Andrés.

los demás digan exactamente eso: que no quiero gastar.
Ni más ni menos."

—A treinta cada uno —Roberto sacó su cartera con
recelo como para que nadie pudiera ver cuánto lleva
y pagó con tres billetes de a diez pesos.

Ernesto sintió que la camisa se le pegaba al c
e hizo la reflexión de que sudaba de angustia,
por la situación de Benjamín sino de miedo a
completara el dinero. Andrés sacó uno de
se guardó uno de los de Roberto. Lueg
devolvió a Benjamín sus cinco pesos y
guardó todavía llorando.

—Bueno, vámonos —Ernesto se pu
vez que había oportunidad de gastar
llenaba de optimismo y veía todo
tivas. Agarró a Benjamín del br
tenso, con los músculos duros c
hiciera contracciones; le dijo

—¿No quieres que te lle

—No hermano, no ten

Para Ernesto ésa era
nes incluyendo las des
era definitivo. Ya es
cheaba con Robert

—¿Vamos hac
guntó Ernesto

—Hum. C
hacia la izc

—No,
Esa casa

—¿
si fu
¿C

Erne
pesos.

—Roberto, tú y yo
ni que lo maten —Ernesto en
no hizo ademán de buscarse en los
aclarar el punto.

"Si no quiero gastar —pensaba— debo aguantar q

den hacer nada sencillamente, ni siquiera saludar. Mira, la casa queda de este lado —Benjamín señaló hacia la izquierda con un movimiento corto como si tuviera los tendones endurecidos y no le alcanzaran para abrir los brazos, subirlos o bajarlos.

—Vamos adonde dice éste —decidió Ernesto.

—Está bien. A mí me da lo mismo, pero esa casa no queda por acá sino por allá.

Benjamín echó a andar sostenido por Ernesto; a su lado, Andrés que no se atrevía a tocarlo teniendo en cuenta la actitud que le mostraba y detrás Roberto, cerrando la comitiva como un payaso, o un niño o un enano. Eran ya las diez de la noche y el aire polvoso no se veía sino que se sentía sobre la piel y dentro de la boca. Luces, pero no tanta gente y poco tránsito.

—Benjamín, no pareces borracho sino anciano. Cualquiera diría que no caminas con soltura porque tienes callos —dijo Roberto con los ojos fijos en los pies de Benjamín.

—No estoy borracho y sí tengo callos —contestó el otro sin volverse. Ernesto lo miró de reojo y le vio las mejillas húmedas. ¿Estaría llorando todavía?

Para Benjamín la Avenida Álvaro Obregón había tomado a lo largo de la tarde una connotación obscena que le provocaba repugnancia. Un asco de esos que surgen cuando alguien tiene heridas físicas de mal aspecto, algo superior a la compasión. Pero, ¿quién era allí el herido? ¿Quién se revolcaba entre la sangre y el polvo? El estómago se le contrajo y se llevó la mano allí rápidamente. No, no era náusea, era una de esas cosas que produce la imaginación cuando se mueve en términos alejados de la realidad.

—Hermano, estoy pensando en símbolos. Nunca antes me había pasado esto. Es un horror, es un infierno. ¡Si vieras las imágenes que se me vienen a la cabeza!

¿Sería así la esquizofrenia? Ernesto lo agarró con más fuerza, como para que no fuera a irse corriendo y Andrés se lamió los labios con aire indeciso, ya casi listo para hacer una pregunta.

—Dios mío, ayúdame porque me siento igual que un mendigo. O peor, Señor, o peor.

Roberto se rió a carcajadas.

—¿De qué te ríes? ¿No crees en Dios? —dijo Benjamín entre dientes.

—No creo en ti, que es otra cosa. Ya vamos llegando a Insurgentes y por aquí no está el número 52.

Ninguno de ellos se fijaba en los números. Caminaban por en medio del camellón como ciegos. . . o como borrachos. Andrés decidió no aprovechar el momento para recalcar que él sí sabía la dirección. Ernesto pensaba que todo esto era peor que otras borracheras en un cierto sentido no explorado; no sólo porque Benjamín estaba mal de salud, sino porque esta fuga iba tomando un aspecto de prueba, de veredicto sobre la seriedad de Benjamín, sobre su fuerza, hasta sobre su virilidad. Si fracasaba no se frustraba sencillamente una decisión de borracho sino algo más fuerte: una dignidad del alma. Si fracasaba y volvía a su estado normal, es que era un cerdo. Si no, se volvería loco.

—Benjamín, vamos a regresar. ¿No quieres? Estamos como a cien números del que dijiste.

Benjamín se detuvo y los otros vieron con angustia que cerca había un banco. Pero él no se sentó sino que se quedó allí, quieto, mirando las hojas tiernas, claras, tal vez frescas, de un árbol iluminado por un farol. Se soltó de las manos de Ernesto y se compuso los puños de la camisa como si fuera a decir un discurso.

—Estamos perdidos en pleno límite de la Colonia Condesa. O sea, en la frontera con la Colonia Roma. Estamos perdidos en un camino recto que tiene nombre, números y hasta un camellón. Es ridículo y demuestra una incapacidad notable. Si fuéramos seres humanos completos y efectivos nos hubiéramos perdido en bosques, en desiertos, en lugares agrestes y difíciles, pero no. Nos hemos perdido en el lugar más claro, en el sitio más normal para dar un paseo inocente y agradable. Si fuéramos niños, hubiéramos llegado adonde nos lo proponíamos, también si fuéramos gatos, perros o pájaros. Pero somos hombres y por eso nos hemos perdido.

—Coño —gimió Ernesto, casi sin voz.

—Éste debió haber sido campeón de oratoria —comentó Roberto.

Andrés rió.

—¿No sabes que estuvo a punto de serlo? El que lo ganó es ahora un politicazo. Pero si Benjamín perdió es porque era siglos luz más inteligente que el otro. El otro era cursi, charlatán, usaba palabras viles con acentos viles y además mentía a cada segundo... ¿para qué sigo? Los hacen por docena.

Benjamín, con los ojos húmedos, bebía cada una de las palabras de Andrés.

—Gracias hermano. Gracias por decir esto. La verdad es que me he pasado veinte años pensando que el estúpido era yo y la vida me lo demostraba a cada instante. Pero esto que tú dices aclara las cosas. México prefiere a los estúpidos y a los sinvergüenzas, México los cobija, les da puestos, les da dinero.

Estaban en medio del camellón, reunidos en un grupillo de hombres mayores que al ojo experimentado de un policía podían catalogarse como simples borrachos. Pero no gritaban, la voz de Benjamín era débil y los otros no estaban exaltados.

—Por favor no hagamos recuerdos ni hablemos de México —era Roberto—. Nuestros recuerdos son los de cualquiera que haya vivido en un país pobre, mal gobernado e hipócrita. México será probablemente un gran país cuando nosotros estemos bien podridos en nuestras tumbas.

—Sólo nos queda hablar del futuro —comentó Benjamín. Tenía las mejillas empapadas—. Hermanito, llévame a casa de la húngara porque según parece no sé la dirección.

Empezaron a caminar hacia el lado contrario sin decir nada. Ernesto siempre agarrando del brazo a Benjamín, Andrés callado, con el aspecto de quien pasea en una noche de primavera por los Campos Elíseos y Roberto con la cara de insatisfacción que le era natural.

"Tal vez Roberto odia México, a los mexicanos y a sí mismo", pensaba Ernesto. "La negación pura. Pero, ¿qué ganaríamos con amar a México, a los mexicanos y a nosotros mismos? ¿Tener puestos en el gobierno? Puestos, no empleos, ésa es la diferencia. Ahora no ganaríamos nada porque no pueden borrarse las acciones ni las personas que han integrado los últimos veinte años de nuestra vida." El brazo de Benjamín, flaco, tenso como el de un loco, vibraba en su mano. "Todos hemos perdido nuestra vida, la hemos gastado en complicaciones más o menos idiotas de orden sentimental, hemos sido mentirosos e hipócritas como el que ganó el concurso de oratoria. Todos nosotros. Yo también, porque no he escrito la novela sino la he utilizado como tema de conversación, he pervertido y ensuciado mi novela y si no la he contado en todos sus detalles es porque ni siquiera la conozco a fondo. ¿Cómo es posible echar a perder una cosa que ni siquiera se conoce? ¿Será cierto que hay quien tenga un alma pervertida antes de haber nacido? Pero no he tenido mujeres aparte de la mía, no he descuidado a mis hijos ni los he matado de hambre; mi desajuste ha sido intelectual y personal, algo que por lo menos es sólo mío, no compartido, no extendido como epidemia por mi casa. Tal vez por eso, debo perdonarme."

Se oyó la voz de Andrés. Habían caminado cuatro cuadras.

—¿No es allí? —lo decía con cautela, con miedo de alborotar a Benjamín, quien se sobresaltó, como si caminara dormido.

—¿Dónde, hermano?

—Esa puerta. Te metes y adentro hay un patio con varias casas.

—Es cierto. Debe de ser allí.

—¿De manera que esa húngara existe? Yo creía que estábamos refrescándonos.

—Cabrón —decirle eso a Roberto era como respirar;

no tenía consecuencias. Además a él le gustaba que se lo dijeran.

—¿Quieres que te dejemos aquí en la puerta?

—No —se opuso rotundamente Ernesto—. Si la señora salió o está durmiendo y no oye, Benjamín no tendrá dónde dormir.

—Y tú te lo llevas a tu casa —completó Roberto.

—Pues sí. Sí me lo llevo. Mi familia es un asco, de mis abuelos para abajo, pero todos somos muy hospitalarios.

Roberto no podía concebir que nadie admitiera en su casa a un tipo como Benjamín de no ser Carlota y en su propia casa. Luego se imaginó a sí mismo viviendo en el departamento con Nuria y Benjamín y sonrió, no le horrorizaba, le hacía gracia.

Entraron por el pasillo y Andrés fue derecho a tocar en la última puerta. La ventana de abajo estaba a oscuras, pero en el segundo piso había luz.

—¿Estará despierta? —le preguntó Ernesto a Andrés por lo bajo, para que no lo oyera Benjamín.

—Esa vieja es de las que duermen de día. Para ella, es temprano.

—Vamos a tocar.

Andrés tocó el timbre y no hizo caso del llamador. Benjamín miraba a otra parte. Después de unos minutos abrió la misma Irene. Vestida con los pantalones negros, pero despeinada y con los ojos brillantes. Lo primero que hizo, al abrir la puerta, fue echarse en brazos de Andrés y besarlo con entusiasmo en ambas mejillas.

—¡Lindo! ¡Qué bien hiciste en venir! ¿Son amigos tuyos?

—No sólo míos, también tuyos —Andrés nunca perdía el aplomo.

—Muchas gracias —Irene lo tomó a broma, pero en ese momento descubrió a Benjamín, quien más pálido que nunca, trataba de apoyarse en Ernesto. Irene hizo un gesto indescifrable: se llevó la mano a la frente y abrió la boca para decir algo que no dijo. Después se le suavizó la mirada y bajó uno de los escalones.

—¿Eres tú, Benjamín? Pasa —pero no lo abrazó ni lo besó; estaba terriblemente seria—. Pasen ustedes.

Entraron y ella los llevó a la habitación del sofá, donde encendió la luz. Se sentaron a una señal de ella, menos Roberto, que con una mala educación por todos conocida y experimentada sometió el cuarto a una cuidadosa revisión: destapó las cajitas de cerámica de Guadalajara, se acercó a los cuadros para verlos a una distancia y con una actitud impertinentes... hasta tocó las cortinas para saber el tacto de la tela.

—Voy a servirles una copa.

—No te molestes —dijo Andrés—. Venimos de tomar copas. Si tienes un café, no nos vendría mal. Entre paréntesis, éste es Ernesto de la Serna y aquél es Roberto Castelar.

—Mucho gusto —no les dio la mano y salió en dirección a la cocina.

Benjamín se derrumbó en el sofá y ahora estaba casi completamente acostado entre los almohadones. En cuanto se fue Irene, cerró los ojos. Por primera vez en todo el día se encontraba en un lugar cómodo, suave, acogedor en una forma distinta. No pensaba en Irene: había temido que no lo dejara pasar y ahora se conformaba con haber entrado, con estar tendido en ese sitio, con no estar en la calle, ni en el restaurant aquel, ni en la cantina. No pensaba en nadie sino que disfrutaba, deseaba no estar tenso, aunque por otra parte sabía que ésa era una forma de estar vivo, consciente, capaz de defenderse.

Ernesto se sentó en un sillón y le hizo una seña a Andrés que el otro contestó con un movimiento de ojos. Luego Andrés miró a Benjamín y salió también en dirección a la cocina.

Allí estaba Irene, poniendo agua en su cafetera y todavía con la misma seriedad.

—Oye linda, ¿tú le dijiste a Benjamín que viniera a tu casa?

Irene rió mal de su grado.

—La verdad es que no me acuerdo. Fue una borrachera terrible, espantosa, creo que hasta anduvimos a gatas.

Sé que Benjamín estaba siempre junto a mí, pero no sé qué le dije, ni siquiera si me despedí de él o no. Pero debe de haberse ido, donde regresó hoy...

Andrés se puso contento. Esta mujer era muy simpática y no se parecía a la suya.

—Entonces, ¿qué dispones? Te advierto que ya se instaló en tu sofá y no es difícil que se duerma.

—¿Está borracho?

—Está borracho y... —hizo una pausa porque de pronto tuvo una inmensa compasión por Benjamín. Su situación no podía resumirse diciendo que estaba borracho—. Mira, a Benjamín le pasa algo especial. Él es exagerado, violento, imaginativo, pero...

Irene lo miraba a los ojos.

—¿Está mal de la cabeza?

—No. No es eso.

—Pero, ¿se parece a eso?

—Bueno, sí. Se parece un poco.

Ella meditó un momento.

—A mí no me importaría que se quedara. No me dan miedo los locos y además no estoy sola, pero...

—¡Carajo! —murmuró Andrés—. ¿Tienes visitas arriba?

—Tengo una visita.

—Si Benjamín sabe eso, se muere. Vale más que nos lo llevemos.

—Llévenlo a su casa, su mujer estará esperándolo. Ojalá lo hubieran traído antes. No pude salir en la tarde.

—¿Estabas de acuerdo en que vendría?

—No, pero estaba enterada. Misterios. ¿Sabes?

—No nos des café. Nos vamos en seguida.

—¿De veras?

—Para no estorbar —se inclinó y le besó la mano—. Quédate aquí y yo lo arreglo con ellos.

Volvió a la sala y llamó a Ernesto. Roberto leía un papel que había encontrado sobre una mesita.

—Oye, tenemos que sacarlo de aquí.

—¿No lo recibe?

—No, hombre. Ni siquiera sabe de qué se trata.

—Era una locura de éste.

—Enteramente. Vamos a llevarlo a su casa.

—¿Tú crees que no se ha salido y que no le haya dicho nada a Carlota?

—Tal vez. Pero ésta no estaba en el juego.

—¿No podríamos dejárselo hasta mañana?

—No. ¿Con qué derecho? De ninguna manera.

Benjamín seguía con los ojos cerrados y el rostro quieto aunque no descansado, sino con la expresión de quien sufriera intensamente.

—Hay que llamar un taxi por teléfono —sugirió Andrés con autoridad.

Roberto rió sin soltar el papel que tenía en la mano.

—¡Miren las cosas que le escriben a esta señora! —se reía cada vez más—. Es una puta y aún así no se digna recibir a Benjamín. Claro, porque ya ha de saber que no tiene un quinto.

Andrés hizo un movimiento para quitarle el papel de la mano, pero su curiosidad era más fuerte y al quitárselo, le dieron ganas de leerlo y para no quedar tan mal, lo leyó en voz alta.

—"Encanto, disculpa que no te mande tus tres mil pesos hoy por la mañana, pero sabes bien que a mí me resulta más conveniente enviarte tu mensualidad por la tarde, con el mozo que ya está enterado del asunto. Perdóname. Te adora, Damián." ¿Qué Damián será? ¿Damián Escudero?

—No, porque la carta no tiene faltas de ortografía —dijo Roberto.

—Pues es el único Damián capaz de darle tres mil pesos mensuales a una mujer. Sobre todo, a una mujer así. Como es ranchero, que sea húngara y pintora ha de hacerle mucha ilusión.

—A ti no, ¿verdad?

—A todos. A todos —Andrés fue al teléfono que estaba en el pasillo y notó que no había nadie en la cocina; Irene ya estaba en el segundo piso. Pidió el taxi.

Ernesto no dejaba de mirar a Benjamín con algo que

después calificó de morbosidad. Era terrible verlo tan enfermo y sujeto a esta inmensa traición. ¿De Irene? No, tal vez; de las cosas que lo rodeaban y de las que estaban dentro de él. A Benjamín lo había traicionado Carlota, su carrera, sus amigos, sus cinco sentidos, su juicio, sus ilusiones, todo. No quedaba más que aquel cuerpo martirizado, aquella piel pálida y seguramente la posibilidad de echarse a gritar en cualquier momento, en el momento más desagradable o más inoportuno para los otros.

—Yo me voy a mi casa a escribir mi libro —lo dijo con solemnidad, con fuerza. Hace años que necesitaba un pretexto para salvarse, ahora lo encontraba aquí, en la presencia de Benjamín. Por Benjamín, para no ser como él, había que salvarse.

—Por supuesto, y yo me voy a mi casa a preparar mi examen de grado —siguió Roberto—. En tanto que Andrés, persona sin planes para el futuro inmediato, puede llevar al infeliz éste a su casa.

—No, Roberto, tú no vas a preparar tu examen de grado jamás —la pedantería de Ernesto, tal vez su única forma de expresarse—. Vas a seguir viviendo mal, de casa en casa, de mujer en mujer, con las dos horas de clase y la cabeza llena de porquerías, porque eres un hombre de malos sentimientos y de ninguna voluntad.

Roberto se hubiera deprimido y tal vez hasta aniquilado si alguien más molicioso que Ernesto hubiera hecho una inmensa alabanza suya; si le dijeran hombre generoso, gentil, de buenas intenciones, trabajador. Como no era el caso, se echó en el sofá para reír a gusto, con las piernas encogidas, su cabeza rozando la de Benjamín. Intervino Andrés.

—No seas necio. Vas a despertarlo y todo será peor. Lo mejor que puede pasar es que llegue a su casa como está. Mañana será otro día.

—¿No me podré quedar con la vieja ésta? Todavía aguanta —era esta necesidad de decir lo que pudiera resultar más odioso. Pero Andrés conocía a Roberto.

—Si quieres sustituir al Damián de los tres mil pesos. . .

—No, pero una vez no ha de costar eso.

—Es que ese señor está en el piso de arriba y no sólo tiene tres mil pesos sino mozos a su servicio y el coche que está en la puerta. Tú dirás.

Roberto hizo un gesto que tenía la misma dinámica que un papel puesto sobre una llama: se arrugó y se ennegreció. Ernesto lo miró con odio; no sabía si porque su ataque no había merecido respuesta o porque no podía resistir más esas cosas de Roberto.

—Oye, ¿a ti no te han pegado nunca? Siempre le das lástima a los otros, ¿no?

Roberto bajó los pies y se sentó en el sofá. Luego miró a Andrés. ¿Qué le pasaba a éste? Andrés se encogió de hombros.

—Vamos a sacar a Benjamín, no nos vaya a dejar el taxi. Estamos lejos de la entrada.

Roberto y Andrés lo levantaron. Estaba sin fuerza y arrastraba los pies. Ernesto cerró la puerta de la casa de Irene y vio cómo los zapatos de Benjamín iban dejando un surco sobre el cemento polvoso y escuchó el ruido que hacían al arrastrarse. El surco y el ruido eran cosas perturbadoras, horribles. Como sacar un muerto en la forma menos propia de sacar un muerto.

Apenas habían llegado a la puerta cuando se presentó el taxi. Lo metieron entre los tres. Benjamín, al tiempo que inconsciente, estaba rígido y resultaba muy difícil manejar su cuerpo; tenía endurecidas las articulaciones de las rodillas y apretados los puños. Pero en esos momentos, nadie quería hacerse preguntas, sino llegar adonde pudieran dejarlo y luego empezar a olvidar lo más rápidamente posible.

Llegaron a casa de Carlota y abrieron la puerta maloliente con la llave que Benjamín tenía en el bolsillo. En la de arriba sí tocaron y vino a abrirles Adelina Ayala a quien ellos no conocían: una señora perfectamente bien peinada, maquillada y vestida. Gruesa, pero guapa. Muy segura de sí misma.

—Ah, vaya. Menos mal. Carlota está durmiendo. Pónganlo aquí —les mostró el camino hasta un cuarto donde había dos camas. Una vacía y en la otra dormía un niño.

—¿No podrían desvestirlo? Aunque sea quitarle el traje y desabrocharle la camisa.

—Por supuesto, señora, con mucho gusto —contestó Andrés.

Adelina salió del cuarto y vio su reloj. Eran las doce. Y no podía acostarse porque. . . fue a la sala y prendió un cigarro. Cuando salieron del cuarto, les preguntó:

—¿No llevaba una maleta?

—Cuando yo lo encontré me dijo que la había puesto en un depósito —dijo Ernesto con timidez, Adelina le daba miedo.

—¿Depósito? Quién sabe quién se la habrá robado. No está enfermo sino borracho, ¿no? —Adelina no quería responsabilidad de que Ernesto tuviera pulmonía o un ataque cardiaco.

—Está cansado y tiene sus copas —dijo Andrés y miró a Ernesto, quien sacudió la cabeza en forma negativa. Adelina se dio cuenta.

—¿Qué otra cosa tiene? —la pregunta iba dirigida a Ernesto.

—A mí me parece que está un poco perturbado emocionalmente. Se ha pasado la tarde diciendo extravagancias.

—Ah. Pero no está enfermo de nada concreto.

—No señora, parece que no.

—Muchas gracias, entonces. Buenas noches —los tres desfilaron hacia la puerta con una docilidad casi infantil.

Antes de que sonara el picaporte, cuando Benjamín abrió los ojos y reconoció el dormitorio de sus hijos, cuando se acomodó porque tenía el cuerpo demasiado derecho y se cubrió hasta el cuello porque tenía frío, oyó la voz de Adelina, muy clara.

—No ha llegado Benjamín hijo. Salió como a las siete de la mañana y no vino a comer.

Hubo una pausa larga, como si aquellos tres no supieran qué actitud tomar; por fin dijo Andrés:

—¿Quiere usted que avisemos a la policía?

—No. Si tarda más le hablaré por teléfono a mi hermano. Muchas gracias.

—Buenas noches, señora.

Cerraron la puerta y Benjamín apretó los ojos y se quedó muy quieto para que nadie fuera a descubrir que estaba consciente, sentía y pensaba. Sólo las lágrimas rodaban por su cara y caían sobre el cuello de su camisa.

Mira si tenemos ya reino que gobernar y reina con quien casar. DON QUIJOTE

tercera parte

¿Quién era la más hermosa, ella o Carlota? ¿Quién la más inteligente, la más activa, la que salvaba las situaciones complicadas? Pero ser así, ser así por obligación y por convencimiento, NO VALE. En otras palabras, no es la clave del triunfo verdadero. Vivió algunos años sin caer en la cuenta de esta verdad indiscutible, pero no muchos porque antes de cumplir los veinte pudo observar sin frialdad pero con detalle, cómo su hermana Carlota era la triunfadora.

"Adelina, te encargo a Carlota. Recuerda siempre que tú eres la mayor."

Y ella creció prematuramente para cuidar de Carlota, mientras la otra se empecinaba en la adolescencia porque no tenía ninguna preocupación.

¿Cuál era su última esperanza? Su más oculto anhelo era que esta actitud protectora, paciente y generosa luciera a los ojos de los otros como una inmensa cualidad suya. . . y resultó así. Por eso la prefirió desde siempre su hermano Arnulfo, por eso la eligió Ramón, viuda ya, entre muchas solteras: por esa mirada que lo abarcaba todo, por esa capacidad magnífica de interesarse por el prójimo. Pero Xavier Casillas eligió primero a Carlota.

Adelina imaginaba con deseo y terror a Carlota casada con Xavier Casillas: rica, mimada, feliz. ¿Y ella? Ella sería tal vez la tía solterona que adoraría a los hermosos hijos de ellos y recibiría así una especie de recompensa ilícita.

Pero Carlota sacó a relucir una percepción que nadie sospechaba que tuviera, para asombro de Adelina y de Arnulfo. Carlota, que a los diecisiete años pudo hacer una boda brillante con Xavier Casillas, simple y sencillamente lo rechazó. Lo hizo sin aspavientos, sin dar luego a entender que se trataba de una renuncia; muy por el contrario, con un orgullo intenso que podía interpretarse de muchas maneras y que Arnulfo, por ejemplo, vio siempre como la forma en que Carlota recompensó a Adelina su actitud maternal. Pero Adelina, en cambio, lo tomó a mal. Estaba ya tan habituada a pensar que Xavier sería para Carlota y para ella los hijos de Xavier, que tuvo con su hermana la primera escena de violencia. . . y la última.

—¿Cómo te atreves a rechazar a Xavier Casillas? ¿Te parece poco? ¿Quién te has creído que eres?

Carlota la miró con asombro, con una sorpresa tan sincera, que Adelina no pudo más y le pegó en la cara con la mano abierta. No le había pegado antes y este golpe sumió a Carlota en una especie de desolación hipnótica que se nutría del absurdo de haber sido maltratada.

Adelina lo lamentó a su modo; llorando en silencio y en cualquier parte, porque tan solo de recordar la expresión alarmada de Carlota, se le llenaban los ojos de lágrimas. Hasta que tuvo aquella conversación con Arnulfo.

—Yo quisiera saber qué sucede. Carlota parece un ánima en pena y tú también te ves distinta.

—Fui injusta con ella. Todo ocurrió porque Xavier Casillas le propuso matrimonio. . .

Arnulfo no quería pensar que sus hermanas habían discutido por el amor de un hombre; aquello le hubiera parecido de una vulgaridad inaguantable y enteramente indigno de ellas. Adelina era incapaz de una cosa así.

—Xavier es un hombre bien parecido, buena persona y con dinero. ¿Qué más puede esperar Carlota? Si no quiere casarse todavía, se lo hubiera dicho. Estoy segura de que él podría esperarla un año o dos. . .

—No me digas que lo rechazó.

—Sí. Y yo le di una bofetada —empezó a temblar y soltó el llanto.

Arnulfo vino a abrazarla en aquella forma suya, impalpable como si no tuviera cuerpo sino nervios, y le acarició los cabellos con sus manos morenas y flacas.

—¿Tú querías que ella lo aceptara, Adela?

—Sí. De veras quería —este "de veras" era la aceptación sutil de que si Carlota se hubiera casado, ella se hubiera deshecho de desesperación. Ella, Adelina, que imaginaba con detalle el día de la boda para atormentarse.

Arnulfo decidió aclarar las cosas.

—Voy a decirte lo que pienso porque eres una persona seria, capaz de ver las cosas como son —Adelina dejó de llorar—. En primer lugar, creo que Carlota hizo bien en no casarse con Xavier Casillas, porque no lo quiere. ¿No te das cuenta de que Xavier la cohíbe, inclusive que le hace poca gracia? ¿Por qué razón había de casarse con quien no ama? ¡Y a los diecisiete años! Si tuviera cuarenta. . . —Cuando Arnulfo empezó a hablar no iba a decir eso y ella se dio cuenta.

—No es eso. Es que ella lo rechaza por otra razón.

—¿Crees que está enamorada de él?

—No, no está —si la respuesta tenía algo de incoherente, la cara de Adelina, en cambio, estaba muy lejos de la perplejidad.

—Entonces, ¿qué nos importan sus motivos particulares? Ni tú ni yo podemos querer que se case en esas circunstancias, ¿verdad?

—No.

Arnulfo no quiso decir el resto porque entonces albergó la esperanza de que Xavier se volviera a Adelina y en ese caso, lo mejor era dejar que ella procediera con libertad, o sin ella, pero no bajo la idea de que también debía rechazarlo para quedar bien nada menos que con él, sólo porque desde hacía meses había notado que estaba enamorada hasta la extravagancia y la locura.

Pero Carlota, quien siempre había dependido de Adelina y confiaba en ella con toda su inercia de muchacha juguetona e irresponsable, cambió en forma visible. No es que se volviera seria y formal, sino reservada. De distraída que era, pasó a ser suspicaz y parecía tomar nota de todo cuanto hacía o decía su hermana.

Entre ellas no hubo una escena de reconciliación porque Adelina no tomó el asunto de la bofetada como un pleito; de manera que no pidió disculpas ni Carlota esperó que lo hiciera. Sólo sufrieron sin dejar de hablarse o de tratarse igual que siempre. Arnulfo dijo un día:

—Me parece que Carlota no es feliz con nosotros. La aburrimos y eso significa que se casará de pronto para dejar de vernos.

Adelina estuvo a punto de traer a cuento lo de Xavier, pero no lo hizo. Ya no podía ser sincera a ese respecto porque Xavier seguía visitando la casa estuviera o no presente Carlota y conversaba con Adelina largas horas a solas, pues Arnulfo se declaraba muy ocupado y Carlota se hacía la desentendida.

En esos meses Adelina descubrió los gustos de Xavier. Había estudiado ingeniería, pero le interesaba la arquitectura y más que eso la decoración. Sabía de muebles de estilos, de cuadros. Llevaba libros de arte para mostrárselos a Adelina y ella, con la astucia instintiva del amor, se convirtió en una especie de alumna que aprendía de memoria esto y lo otro y luego lo aplicaba con brillantez.

El aprendizaje duró cerca de un año y al final, como lo más natural del mundo, Xavier le propuso matrimonio y ella, que no podía casi comprender la felicidad, dijo que debía consultarlo con Arnulfo.

Al día siguiente, tras de una noche pletórica de fantasías incompletas de vida en común, que la hacían ponerse seria y sonreír por turno, habló con su hermano.

—Dice Xavier que quiere casarse conmigo.

Arnulfo sonrió con un auténtico entusiasmo.

—Me parece magnífico.

—¿Y ustedes? ¿Qué va a pasar con Carlota si yo me caso antes que ella? Tú nunca estás en la casa.

Era cierto. Si Adelina se iba, Carlota quedaba a su libre arbitrio, y tampoco podía vivir con ellos, ni Xavier con los Ayala, por los antecedentes. No sería sabio.

—Vamos a pensarlo. ¿Por qué no le pides a Xavier un plazo corto? Tampoco puede ser que no te cases por esperar un tiempo indefinido. Eso es imposible.

Adelina, sin aceptar explícitamente porque casi no podía mirarlo a los ojos de tanto que lo amaba, le dijo a Xavier que si podían esperar unos meses.

Xavier estuvo de acuerdo e inmediatamente relacionó la idea del matrimonio con una futura casa hermosísima en la cual reuniría los objetos que más le gustaban. Se pasaba las horas hablando con Adelina del adorno de una ventana, de una cortina, de las telas que debían emplear y Adelina empezó a ponerse triste: sentía que aquella casa, que al fin y al cabo sería para ella, valía más a los ojos de Xavier que ella misma; que el entusiasmo era por la casa, que el dinero gastado en los muebles era porque los muebles eran bellos y que ella era tal vez el pretexto para que aquellos gastos no resultaran enteramente extravagantes. Así fue como perdió, sin mostrarlo, el interés por la decoración. Por eso aceptó un comedor que no le gustaba y que el cuarto de costura estuviera tapizado de azul, color que consideraba muy deprimente.

No habían fijado fecha para el matrimonio cuando Carlota, con una oportunidad casi notable, trajo a Benjamín a la casa. Un muchacho de veinte años, inteligente, buen estudiante a lo que parecía, pero. . . ni Arnulfo ni Adelina quisieron formular la objeción porque era bueno que Carlota se casara y porque Carlota se mostraba enamorada, absorta, desentendida del mundo. . . ¡qué sabían ellos, que después de todo eran tan cuerdos!

A las cinco o seis visitas de Benjamín comprendieron Arnulfo y Adelina que pertenecía al grupo de personas que nada tenía que ver con ellos; no podían ni cruzar palabra. Por otra parte, Benjamín era lo opuesto a Xavier en todos sentidos, también en sus cualidades: hablaba mucho donde Xavier hubiera callado, venía de un área de la clase media donde no se enseña a los varones a ser corteses, no tenía formas, no conocía, ni siquiera sospechaba, el legítimo placer que hay en cambiarse un saludo con otra persona, por el puro de hecho de ser un saludo y de estar dirigido a otro. Xavier era gentil, enseñado a conversar, a la paciencia de las frases que se dicen por mera amabilidad, a la sonrisa comprensiva por principio y no como resultado. Xavier visitaba aquella casa desde hacía tres años, cuando Arnulfo lo encontró en una oficina y lo reconoció como hijo de un amigo de su padre y todavía no había visto el cuarto de baño de la casa de los Ayala. Benjamín se encerraba en ese sitio alrededor de media hora y salía sin dar explicaciones y con cierta sonrisa arrogante que era como decir:

—¡Atrévanse a preguntar qué estaba haciendo!

Por supuesto, nadie preguntaba nada ni se hacían comentarios, pero Carlota se ponía nerviosa, sin poder mirar a Arnulfo por miedo a que le dijera algo.

Benjamín también era lo contrario de Arnulfo, pero en otro sentido, porque Arnulfo, aunque observaba las fórmulas de la buena educación, tenía una resequedad de carácter que no lo mostraba jamás dentro del marco de una personalidad suave, como la de Xavier. En Arnulfo había una especie de porte que en nada se relacionaba con el uniforme, de empaque duro y cortante. Benjamín parecía flexible, hacía ademanes, tocaba el cuerpo de sus interlocutores al conversar con ellos; era el tipo de hombre que jamás hubiera aceptado como empleado suyo porque lo juzgaba vulgar, también porque estaba secretamente convencido de que no servía para nada. Ser vulgar y no estar dotado para el trabajo, eran los defectos mayores que podía tener cualquiera a los ojos de Arnulfo.

A poco, Adelina empezó a vivir la presencia de Benjamín como problema moral en el sentido de que le parecía monstruoso que Carlota pudiera tener cierta prisa en casarse con él porque ella la tenía en casarse con Xavier. Pero nada se había hablado de matrimonio.

—Carlota, ¿te casarías con este muchacho?

La cara de Carlota se iluminó y le mostró la sonrisa perfecta.

—¿Tú crees que me lo proponga?

Adelina tuvo que dominarse. Le daba una rabia inmensa que su hermana estuviera o se mostrara tan entusiasmada en casarse con "ese muchacho".

—Ojalá que no. Mira, Carlota, aquí nadie tiene prisa en que te cases, ¿me entiendes? Acabas de cumplir dieciocho años y lo mejor sería que no te hicieras demasiadas ilusiones con. . . con este por lo menos.

—¿Por qué? —la pregunta no era altanera pero sí firme, de esas que piden una respuesta honrada.

—No me parece que ese muchacho esté en condiciones

de casarse... viene a la casa y nunca se le ha ocurrido hacerte un regalo... ¿con qué iba a sostenerte?

—Eso es fácil. Que Arnulfo lo lleve con algún amigo. Por ejemplo, con el padre de Xavier.

—Estás loca. Arnulfo no puede recomendar personas de las que no está seguro.

—¿Por qué no está seguro de Benjamín? ¿Qué motivos tiene?

—No sé. Arnulfo es muy reservado —por supuesto que sabía, pero así como no se los dijo entonces, no se los dijo después, porque esos motivos tenían algo de incomprobable que se parecía a la mala voluntad—. Pero no te ha pedido que te cases con él...

—No —sin embargo, Carlota sabía que era más, mucho más que si lo hubiera hecho, porque ellos también se veían fuera de la casa de los Ayala, en la calle. Bastaba que Carlota fuera al mercado, a la iglesia o a cualquier parte para que apareciera Benjamín como por encanto; entonces iban al parque y Benjamín la besaba frenéticamente mientras ella correspondía en una forma nunca imaginada por sus sentidos. Esto, para ella, era señal de matrimonio porque se hacía urgente estar a solas, sin miedo a los amigos de la familia, a los policías o a sí misma...

Adelina la miraba sin sospechar las entrevistas, sin sospechar tampoco esta urgencia, porque ella, aunque mayor que Carlota y más adulta en muchos sentidos era inocente por carácter y casta sin poder evitarlo. Xavier la había besado dos veces y ella se había encerrado en su cuarto a soñar cosas imprecisas e imágenes sin cuerpo, todas nacidas de aquellos besos de Xavier que en realidad no daban ni pedían nada.

—La gente, cuando se casa, debe tener una posición hecha. Si no, no resiste los problemas matrimoniales. Cuando la situación económica está resuelta, todo es más fácil. Si la gente tiene hijos, con más razón —hablaba como su madre, repetía estas palabras porque no tenía otras y también porque las creía. Lo peor debía de ser no tener para comer, andar mal vestida y vivir en un lugar desagradable. Los sufrimientos del alma serían más llevaderos si el cuerpo tenía satisfacciones.

—Sí, ¿verdad? —Carlota no escuchaba ni entendía siquiera la intención de su hermana—. Bueno, no todos son Xavier Casillas —lo decía riéndose y Adelina se ruborizaba. Su noviazgo era público, era oficial, pero no estaba sujeto a comentario y menos con Carlota.

Tal vez a causa de que Adelina tenía este cuidado de presentarse bien, vestirse como debía, ser hermosa aunque le faltara la sonrisa de Carlota, era propensa a los sufrimientos del alma como por otra parte son todas las personas observadoras y susceptibles.

Así notó un gesto en el rostro de Xavier cuando se disponían a entrar a la sala y él descubrió que allí estaba ya Benjamín, esperando a Carlota. Era un gesto de reprobación como si hubiera visto algo no desagradable, sino indebido. Era claro que él tampoco aprobaba el noviazgo porque no simpatizaba con Benjamín, pero también, quizá, porque sus sentimientos hacia Carlota no eran enteramente fraternales. Eso era un riesgo que ella corría y ella lo sabía bien. Pero, ¿cómo evitarlo?, ¿cómo no amar a Xavier? ¿Para casarse con otro que no se hubiera enamorado antes de Carlota?

Xavier saludaba a Benjamín con la misma destreza nacida de la experiencia con que hubiera podido saludar a cualquiera y Benjamín respondía sin hallar las palabras justas e inclusive de mal modo; a tal grado que una vez Xavier sonrió de tan ridícula que resultaba esta relación. No era que Benjamín tuviera celos de él, Carlota jamás le diría lo ocurrido anteriormente, era que lo detestaba con un antagonismo natural nacido de la diferencia entre los dos y como Xavier no era el dueño de la casa, sino otra visita igual que él, no se recataba en mostrarle sus sentimientos.

A Adelina le parecía notar que Xavier no resentía este trato sino que lo disfrutaba, tal vez porque así le quitaba obligaciones y le daba derecho a no ser abiertamente amistoso. Ella hubiera podido hacérselo notar a Arnulfo.

—Este joven que visita a Carlota es espantosamente mal educado. Hace esto y lo otro.

Podía decírselo y con eso bastaría para que Arnulfo lo pusiera en la calle, pero en primer lugar, Carlota lo vería en otra parte (¡quién sabe en qué parte!) y en segundo, ella quería casarse con Xavier y vivir en esa casa que él planeaba, decoraba, recordaba... ¿Era verdad que Carlota estaba enamorada de Benjamín hasta el punto de no alarmarse por su mala educación? Carlota sólo había visto hombres educados. Lo consultó con Arnulfo.

—¿Piensas tú que este joven sea realmente amable con Carlota? ¿No te parece un poco... torpe?

Arnulfo la miró de una manera nueva. Con lástima y un algo de picardía casi imperceptible, pero el tono de su respuesta era respetuoso.

—Yo pienso que Carlota está encantada con él, amabilidades o no.

Eso era todo, porque ellos eran cuerdos, parcos, refinados, considerados. Arnulfo sabía lo que era el atractivo sexual, el sufrimiento por la añoranza de la relación sexual y todo lo que era sexual elevado a la tercera dimensión, a la cuarta y a la quinta, pero no podía decírselo a Adelina, ni enseñarle a detectar miradas, actitudes y proyecciones de las personas porque él vivía eso como la corrupción y no podía a su vez corromper a una hermana que amaba tanto y a veces compadecía porque su alma era directa y descuidada y su cuerpo destilaba pureza y algo así como inconsciencia de sí mismo.

—¿Cómo habremos desarrollado en Carlota un gusto que se satisfaga con ese muchacho?

—Los gustos están allí como un tatuaje, y de pronto las personas descubren qué era lo que buscaban —cuando Arnulfo decía cosas como ésta, le vibraba la voz y Adelina sentía miedo.

¿Cómo era Arnulfo? ¿Cuándo se casaría? ¿Dónde estaban sus historias amorosas? Arnulfo era menos bien parecido que ellas, sin embargo, para Adelina no había otro que igualara sus cualidades. ¿Pensaban lo mismo otras mujeres? Tenía que ser así, pero él era discreto... ¿Por qué entonces ese aire de melancolía cuando escuchaba música en la sala, después de que los novios se habían ido? Ella hubiera querido decirle:

—Sal tú ahora, duerme hoy en los brazos de una mujer hermosa que sin duda se sentirá favorecida sólo con tenerte a su lado. Descánsate, no estés nervioso, no aprietes la boca y los puños.

No se atrevía y, aunque estuviera cansada, se conformaba con sentarse en la misma habitación, un poco lejos para no estorbar, lo suficientemente cerca para que él no se sintiera solo. Arnulfo se acercaba y hacía comentarios sobre la costura de Adelina en un tono diferente del diario; como si los dos estuvieran en otro mundo más suave, más armónico que el de las mañanas y las tardes.

—¿Eso es el respaldo o el asiento de la silla?

Adelina extendía su finísima costura francesa, regalo de Xavier para tapizar una silla Luis XV y contestaba riendo:

—Todavía es el respaldo. Jamás me imaginé que llevara tanto tiempo. Pero es bonito, ¿no te parece?

—Muy bonito —se quedaba allí, en silencio, mirando las manos de su hermana y la tristeza les caía a los dos de golpe porque presentían que pasaba algo y no estaban seguros de si era en el alma de Arnulfo o fuera de la casa, lejos de ellos.

Un día, Adelina fue a abrir la puerta y se encontró con Samuel Macías.

—Quisiera ver al teniente coronel.

Adelina lo hizo pasar con el estómago contraído de asco. ¿Qué tenía ese hombre de repulsivo, de terriblemente fuera de lugar en su casa y en su mundo?

—Arnulfo, te habla un hombre —Arnulfo sabía por experiencia que un hombre para Adelina, dicho en ese contexto, significaba que no era un señor, pero se sobresaltó porque ella se quedó en la puerta de su cuarto, con la boca fruncida.

—¿Quién?

—Qué tonta, no le pregunté su nombre —pero no se iba.

Arnulfo palideció como si la reticencia de su hermana indicara el descubrimiento de una raza que ella no conocía y de la que él debía avergonzarse. No dijo más y corrió a la sala. Allí estaba Samuel, en el sitio donde se sentaba Benjamín, con su traje verde claro y su aire de saberlo todo. No todo, nada más la parte mala de las cosas.

—¿Qué quieres? —le dijo al cerrar la puerta. Arnulfo no podía, no había podido nunca usar para con Samuel las fórmulas que con otras personas eran una segunda naturaleza.

—Decirte que encontré el departamento que buscabas. Pero como el contrato está a mi nombre y no tengo fiador, hay que dar fianza. Esto tiene que ser hoy en la tarde, de otro modo no nos esperan.

Arnulfo tenía veinticinco años. Pocos son tenientes a esa edad y él además era ingeniero, y poseía esta personalidad fuerte que destilaba habilidad e inteligencia. Samuel, en cambio, no tenía profesión, había dejado el ejército y proyectaba esto que había molestado a Adelina. ¿Por qué, él, Arnulfo, tenía que recurrir a los servicios de una persona así, como si fueran una sola esencia que en Arnulfo se manifestaba en forma positiva y en el otro en la contraria? Porque Arnulfo era tan perfecto que no se atrevía... Era un cobarde, entonces.

—¿Qué tienes?

—No tengo nada.

—¿Ya no quieres el departamento? Es buen momento de arrepentirse aunque te cueste.

—Arrepentirse. Usas cada palabra.

—Sabes a qué me refiero. Si mañana decides que no quieres el departamento, ya perdiste la fianza.

Arnulfo pensó en que muchos, a la edad de él, ya no tenían ese tipo de vacilaciones. Disponían de departamentos, cuartos o por lo menos de un sitio adonde ir. Pero él era en cierta manera retrasado, había descubierto las cosas tarde y ahora todavía dudaba entre poner este departamento o no, porque la cautela le aconsejaba ser más cuidadoso mientras más distinciones recibía y más conocido era su nombre.

Samuel no demostraba impaciencia. Para él, sentarse en la sala de la familia Ayala era sencillamente descansar: no ir en el tranvía o en el autobús, no caminar por las calles entre vendedores y chicuelos. Si Arnulfo tardaba en decidir, tanto mejor. Arnulfo le sirvió un jerez sin pedirle opinión y lo puso a su lado, en una mesita.

—Queda en un lugar bastante discreto y los muebles no son feos. Por otra parte es interior y puedes dejar tu coche en un estacionamiento cercano.

"Hacer citas en un departamento discreto, salir corriendo como un bandido, regresar a dormir a su casa, no permitir que nadie sospeche, ni Adelina ni Carlota, ni los novios. . ." Miró a Samuel.

—¿No te sientes bien?

—Sí, hombre. Tan bien como cualquier día.

—No es lo mismo.

—No —seguía mirando a Samuel. Eran casi de la misma edad pero el otro tenía un aire polvoso y cansado, como si su cuerpo fuera la habitación de un espíritu viejo, soitario, tal vez no tan promiscuo—. Oye, ¿tú nunca te has inyectado alguna droga?

—No. ¿Por qué?

No se ofendía. Samuel no se ofendía ni se asombraba; ya había adquirido el hábito de vivir en la suspicacia. Arnulfo no podía explicar su pregunta: había tal desconsuelo inconsciente en la actitud de Samuel, tal falta de juventud, de pretensiones y de esperanzas, que podía sospecharse eso de él. Eso, porque era una forma de la muerte.

—No sé. Yo tampoco.

—Mira. Que no se te ocurra —el tono de Samuel era más firme de lo acostumbrado—. La gente como tú se hace pedazos en seis meses.

—¿Como yo? ¿Cómo?

—La que toma esa costumbre para no sentir.

Arnulfo no contestó. Claro, el ideal hubiera sido convertirse en una máquina de inteligencia, de efectividad y de buena educación y NO SENTIR. No sentir la secreta diferencia, saber que a pesar de todo, su opinión sobre las cosas y las personas podía ser errónea porque no era como todos y sus juicios, por esa razón, quedaban a su vez sujetos a juicio ya que su sensibilidad era otra, así como sus experiencias y su idea del mundo. ¿Llegaría él a olvidar la diferencia como otros que había conocido, a expresar sus opiniones y a confiar en sus sensaciones como si fueran universales? Se vivía como inteligente y deforme, como hábil y torpe al mismo tiempo.

Samuel tomaba el jerez con lentitud y lo saboreaba. Arnulfo tuvo lástima y le sirvió otro, con unas galletas. Vio cómo Samuel devoraba y lo que implica esta humildad de comer frente a otro que observa y de gustar la comida al mismo tiempo. Cuando los hombres hacen esto, se parecen a los animales.

La homosexualidad de Samuel era otro misterio. No porque estuviera sujeta a duda, sino porque no había llegado hasta ahora la ocasión de discutir con él una conquista o una persona amada.

—Samuel, ¿tú con quién andas?

—¿Qué?

—Con quién andas.

—No hagas preguntas tontas —esta respuesta jamás se la hubiera dado de haber preguntado otra cosa.

¿Para qué hablar? Samuel tenía la seguridad de que aquello, lo de la homosexualidad, era un mal negocio. No lo decía en forma explícita, pero las posibilidades del homosexual le despertaban el más profundo escepticismo. Si vive con muchos, malo; si vive con uno, peor; si no vive con nadie, muchísimo peor, parecía decir con sus silencios y sus ademanes. Arnulfo pensaba que peores debían ser todavía algunas conjugaciones como por ejemplo estar enamorado sin esperanza y vivir solo, o lo mismo y vivir con otro. . . En fin, Samuel y él estaban de acuerdo como quienes se asocian en un negocio en quiebra y pasan años ocupados en hacer una cuidadosa liquidación.

—¿A quién quieres llevar al departamento?

—A nadie, todavía. O a cualquiera, en el momento apropiado.

—Vaya. Ten cuidado. Diles que vives allí.

—Sí, eso pensaba.

Samuel se limpió una mano con la servilleta de papel y luego la dejó sobre el platito. No había esparcido ni una sola migaja; miró a Arnulfo en espera de la respuesta.

—¿Cuánto es la fianza?

—Dos mil pesos.

—Está bien —Arnulfo fue a un escritorio pequeño donde nadie escribía y sacó de allí el dinero en efectivo, más trescientos pesos para Samuel.

—Esto se arregla en seguida. Mañana te aviso.

—Búscame en la oficina. Hasta luego.

No le tenía consideraciones especiales y sin embargo no pudo decirle abiertamente que no volviera a su casa porque su presencia denotaba sucesos que se reflejaban sobre él, Arnulfo; sucesos que debían quedar ignorados.

—No vengas a mi casa porque me delatas.

No. Si Samuel no lo comprendía, él no iba a decírselo porque era agravar la cobardía que él llevaba al cabo de todas maneras cuando lo utilizaba para estas cosas. Samuel era el agente, pero debía serlo a ocultas.

¿Por qué cobarde, sin embargo? ¿No había sirvientes en el mundo? ¿No le pagaba? Los oficios viles no se pagan con dinero. Se sonrió a solas: los oficios viles se pagan a veces con muchísimo dinero y de ello tenía una experiencia reciente. Alguien había tratado de chantajearlo y... lo logró porque hubo pruebas de su presencia en un hotel con un jovenzuelo que luego dijo ser menor de edad. Nada, tres mil pesos. Y la idea de alquilar un departamento.

Adelina escuchó la conversación porque no pudo resistir la curiosidad que le despertó la presencia peculiar de Samuel. En primer lugar, la impresionó que se hablaran de tú; en segundo se enteró del asunto del departamento pero no pudo captar qué personas llevaría Arnulfo a él. Pero en la forma de hablar de ellos, en el laconismo forzado hecho para implicar no sabía qué secreto, sí notó algo. ALGO. Porque cuando los hombres hablan de mujeres se jactan. ¿Era así? ¿Arnulfo también? Pero a ella le pareció sentir que esas mujeres hipotéticas que irían a verse con Arnulfo eran despreciables o bien... no se trataba de mujeres sino de otros entes que Adelina no había visto jamás. ¿Jamás? ¿Y este hombre que entró a la sala y trataba de tú a Arnulfo? ¿Y Arnulfo mismo?

Adelina fue a su cuarto y se sentó sobre su cama a pensar. ¿Qué significaba esa mirada irrespetuosa de Benjamín cuando se encontraba con Arnulfo? ¿Simple resentimiento porque él no era nadie y Arnulfo, apenas unos años mayor que él, lo era todo? ¿Había algo más?

Xavier no daba a notar la menor cosa. Y ella sentía en Arnulfo la decisión, la fuerza, la sobriedad, cualidades que no se compaginaban con la idea de... aquello otro. Pero había una debilidad marcada que se prestaba a sospechar: la melancolía. Si Arnulfo hubiera sido un hombre igual que Xavier o Benjamín, estaría menos triste.

Este razonamiento, por débil que parezca fue el que reafirmó sus sospechas. No importaban tantas cualidades viriles, no equivalían a la masculinidad. En cambio la tristeza...

No podía recordar a Samuel sin estremecerse; ese hombre tenía un aspecto ocultamente sucio pues ni lo parecía en cuanto a su ropa ni en cuanto a su forma de hablar. En eso algo se asemejaba a Arnulfo: ambos llevaban un designio.

Adelina se dejó caer sobre la almohada como si estuviera enferma; cinco minutos después, trajo una cobija y se cubrió porque temblaba. Esa tarde y esa noche tuvo fiebre, no recibió a Xavier y cuando Carlota quiso acompañarla, la envió a conversar con Benjamín bajo pretexto de que no era nada serio. A las ocho de la noche, cuando Arnulfo se enteró de que estaba indispuesta, se presentó en su cuarto con el periódico de la tarde bajo el brazo.

—¿Qué pasó?

—Nada. Tengo jaqueca.

—¿Ya tomaste algo?

—Dos pastillas. A ver si se me quita.

—O llamo al médico.

—No, por Dios.

—¿Puedo quedarme aquí un rato o prefieres que te apague la luz?

—No. Quédate.

—Voy a leer. Trata de dormir o, por lo menos, cierra los ojos.

Adelina asintió pero no lo hizo. Con los ojos entreabiertos estuvo atenta al rostro flaco de Arnulfo, examinó su ropa extremadamente limpia, la línea seca de sus labios y el ascetismo que reflejaba toda su persona. Se compuso entre los labios una media sonrisa ficticia para que él viera si levantaba los ojos y empezó a sufrir con un matiz diferente del anterior: sufría con ternura, porque aunque Arnulfo fuera lo que fuera, ella lo quería tanto como a Xavier y nada de lo que hiciera podía borrar ese cuidado, esa dedicación que había tenido para ellas. Recordó entonces las pequeñas bromas que Arnulfo inventaba apenas las veía tristes recién muerta su madre, reflexionó que debieron haberle costado un esfuerzo, pero que lo hacía y recordó también la terrible, la inmensa pasión que tuvo Arnulfo por su madre y cómo jamás pudo expresarla en llanto por la muerte o en verdadera asiduidad por la persona viva.

Arnulfo huía de su madre como si la compañía de ella fuera una especie de tentación a tomar ciertas actitudes. . . pero la observaba, satisfacía todos sus deseos, le evitaba todas las molestias. Hacía años que Arnulfo no hacía un esfuerzo como el que lo llevaba a levantarse a las cuatro de la mañana para limpiar la casa y hasta lavar los trastes para que su madre hallara todo en su sitio al despertarse. . . Arnulfo se convirtió en adulto al morir ella, aunque no llorara ni se lamentara y tal vez por eso.

Por eso también prefería a Adelina, porque ella tenía la voz armoniosa, la conducta discreta de la madre en tanto que Carlota era posiblemente parecida a ese padre que ninguno de los tres recordaba muy bien y que murió justamente dos meses antes de nacer Carlota.

Al día siguiente, Adelina despertó tan cansada que le fue imposible levantarse. La noche anterior Arnulfo se había quedado como dos horas, leyendo el periódico muy lentamente y luego se fue sin ganas. En cuanto cerró la puerta, Adelina entró en uno de esos estados que no son de vigilia pero en que los sueños toman de la realidad las partes peores para llevárselas por sus propios caminos. Así vio a Arnulfo caminar por unas calles lóbregas, con arroyos de lodo a cada paso, tocando en todas las puertas con el deseo de encontrar a alguien. Cada vez, venía a abrir un Samuel con una vela en la mano, vestido de mendigo. Samuel harapiento, otras veces envuelto en una sábana, otras más con su mismo traje verde pero rayado de negro como si fuera la piel de un animal. Lo más notable de Samuel era una sumisión extraña, una falta de juicio, su palabra llena de automatismo y carente de intimidad explícita.

Arnulfo insistió en llamar al médico antes de irse a la oficina.

—Adela, ¿no te peleaste con Xavier? Esto me huele disgusto.

—No. Todo lo contrario. Me sentí tan mal que no pude verlo. . . pero no había otra razón.

—Entonces que venga el médico.

Adelina imaginó que si no accedía, Arnulfo podía comprender la verdadera razón de su malestar y pasar un mal rato. Que viniera el médico aunque la hallara sana. No fue así. Antes de que el médico llegara ya ella había tenido perturbaciones digestivas y luego un severo dolor en la cintura, también del lado de la espalda.

—Señorita, ¿comió usted algo pesado o fuera de lo que acostumbra?

—No.

—¿Tuvo alguna emoción?

—No, doctor.

El médico la catalogó inmediatamente como mentirosa y le recetó un calmante fuerte, dieta y descanso, mientras Carlota escuchaba todo sin saber qué hacer. Cuando se fue el médico, Carlota regresó al cuarto de Adelina.

—¿De veras no te pasó nada?

La pregunta venía suave, bondadosa, sin curiosidad gratuita ni malévola, y Adelina se echó a llorar abrazando su almohada.

—¿Qué pasó? ¿Es algo malo?

Carlota no obtuvo respuesta y no quiso atribuir el llanto de su hermana a un disgusto con Xavier porque la última vez que se habían visto estaba ella presente y todo iba como debía. Un problema con Arnulfo era impensable, de manera que. . .

Adelina lloró hasta que el calmante le hizo efecto y nunca tuvo ánimo para mentir a Carlota o para explicarle la verdad. También se juró que esa verdad jamás saldría de sus labios porque no merecía comentarios ya que nada podía probarse y no iba ella a hacer investigaciones o a poner malos pensamientos en la cabeza de Carlota.

Esta fue la ocasión de que saliera a la luz la infinita malicia del carácter de Benjamín, pues al lamentar ella la enfermedad de Adelina le dijo con una intuición infalible:

—Se habrá dado cuenta de que su adorado hermano es maricón.

Carlota rió.

—¿Por qué dices tantas tonterías? Se lo voy a decir.

—Díselo, verás cómo es cierto.

Pero no. Carlota lo tomó a broma y Benjamín, después de mucho tiempo y de insistir en el asunto con el único propósito de molestarla, cayó en la cuenta de que a Carlota no le interesaba en lo más mínimo lo que Arnulfo fuera o dejara de ser.

Sin embargo, Carlota, en un momento de descuido casi infantil, cuando se peinaba en el espejo de Adelina dijo de pronto:

—Benjamín me dijo que te habías enfermado porque Arnulfo era maricón —Adelina estuvo a punto de desmayarse y cerró los puños—. Está loco, ¿verdad?

—Está completamente loco y esa broma no es de buen gusto.

—Yo no le veo nada de malo —Carlota no apartaba los ojos de sus cabellos negros y suaves, no miraba a Adelina.

Adelina no insistió, desde su enfermedad no quería pensar en eso porque cuando le venía a la mente le daban ganas de no ver a Xavier, de no casarse, de no vivir. Esa fue su verdadera reacción: deprimirse a un extremo indescriptible.

Por su falta de iniciativa para vivir con entusiasmo descubrió también lo lejos que estaba de Xavier quien jamás notó en ella ningún cambio: podría vivir junto a aquel hombre sin que él adivinara si ella sufría o no, si le dolía el alma o el estómago.

En cuanto a Arnulfo... también tenía una actitud especial. La llenaba de mimos y podía notarse un propósito muy especial de estar a su lado; llegaba puntualmente a comer, no salía por las tardes y por las noches oía música sin desolación, pendiente de su hermana. Esto, porque Arnulfo sí sabía dónde estaba el dolor y quién era el culpable y ella, a la vez que deploraba haber reaccionado con tanta transparencia, agradecía que Arnulfo no se mostrara indiferente. La relación entre ellos en esos meses, fue curiosa: se les veía juntos tanto como podían, él preocupado y culpable, ella agradecida.

—Adela, ¿quieres mucho a Xavier? —le preguntó de pronto una de esas noches.

—¿Eh? —Adelina lo miró con sorpresa; ni Xavier mismo le había preguntado eso, luego se ruborizó y después tomó fuerza para responder con verdad—. Yo quiero mucho a Xavier, pero no voy a ser feliz con él, porque...

—¿Por qué?

Adelina dejó la costura francesa y miró la alfombra; una imitación corriente de alfombra persa que se había dignificado con el uso... por la alfombra pensó en su madre, en sus estrecheces que nunca llegaron a pobreza sino a "orden y economía" y en lo buen partido que era Xavier.

—Xavier no siente como yo. Es diferente, muy diferente.

Arnulfo iba a dar una opinión pero se detuvo porque de lo dicho por Adelina se desprendía que los únicos seres en el mundo no diferentes entre sí eran ellos dos, Adelina y Arnulfo. Sabían, sentían, sospechaban al unísono y sin embargo, él era corrupto y ella la inocencia misma. Pero no, no eran las palabras de Adelina, ni ése el sentido oculto que llevaban, era el ambiente de esa sala a esas horas; un aire más denso que cuando la ocupaban Benjamín y Carlota o Adelina y Xavier. Entonces Arnulfo tuvo un miedo claro y definido: el de corromper a su hermana. ¿Cómo? No sabía cómo. Respirando demasiado cerca de ella, viéndola bordar, haciéndole preguntas sin importancia. . .

—Las personas que amamos no son siempre las que más se parecen a nosotros, al contrario. . .

Adelina pensó rápidamente en Samuel. ¿Amaría Arnulfo a Samuel para ejemplificar esta ley del desequilibrio o del equilibrio? No lo sabía ella.

—Pues sí. Por supuesto —agregó en voz alta.

Hubiera querido decir que ser diferente en el caso de ella y Xavier implicaba que él no tenía la menor idea de las cosas que a ella le pasaban por la cabeza porque además el amor se delataba en ella como una especie de cortina de sumisión que le impedía mostrarse, y la llevaba sencillamente a acatar cuanto él decía, como si fuera su alumna o su hija.

Pero Arnulfo ya estaba pensando en otra cosa, en algo que lo hacía fijarse con detalle en los menudos dibujos de la alfombra imitada, perderse en ellos con una larga elevación de cejas.

—Oye. . . —no tenía propósitos, era para distraerlo y sacarlo de aquellas ideas—. La otra cosa es que Carlota. . . —una versión de la realidad vino de golpe y sin anunciarse—. Carlota no debía seguir sus relaciones con ése. . . Aquí todos cometemos un error. Carlota debe casarse con Xavier: tener ropa, una casa bonita, dinero, viajes, hijos hermosos. . . y yo debo quedarme aquí. Y ese Benjamín debe irse a hacer su vida con gente que se le parezca.

Arnulfo se asombró. Que Carlota se casara con el hombre que no amaba por su dinero y las comodidades que podía ofrecerle y que Adelina, que sí quería a Xavier se quedara aquí en casa, ocupada en darle a él conversación todas las noches... Ésa era seguramente la corrupción.

—Ni soñarlo, Adela. Carlota no puede casarse con Xavier porque Xavier no le gusta y tú... ¿por qué has de renunciar a una vida completa?

—Parece que eres parcial conmigo. ¿Lo eres? ¿Quieres que yo me quede con Xavier y su dinero sólo por protegerme?

—No, no es por eso —Arnulfo hizo una pausa larga y agregó como para terminar un pensamiento que no había expresado—. Ya me has dicho tú que no serás feliz —luego se rió, con una malignidad que mostraba pocas veces—. Parece que traje a Xavier a casa con la intención de que hiciera infeliz a cualquiera de mis dos hermanas. Y él tan tranquilo... diseñando cortinas.

—Qué malo eres.

—¿No es cierto?

—Sí. En el caso de que nos haga infelices, lo hará sin intención.

Sonó tan extraño que los dos se rieron. Las relaciones de Arnulfo con Xavier se habían reducido exactamente a traerlo a su casa con la familiaridad poco íntima pero sincera con que se recibe a un pariente desaparecido por un largo tiempo: los años que Xavier pasó en Europa estudiando su carrera. Pero Arnulfo no fue amigo de Xavier antes de irse, cuando las familias se frecuentaban, porque siempre estuvieron internos en diferentes colegios y ahora, era demasiado tarde. Pero Arnulfo había tenido un pensamiento que lo divertía a solas: él era el homosexual y sin embargo, Xavier era un hombre nacido para hablar y convivir con mujeres sin desentonar entre ellas, lo cual no es precisamente una característica de la virilidad. Ésa era otra barrera entre ellos; Arnulfo vivía como una contradicción el hecho de que Xavier fuera tan suave de carácter, tan frágil de cuerpo y tan doméstico.

Era indudable que esta apariencia no podía gustar a Carlota porque ella era vital y sin prejuicios, en tanto que podía fascinarle a Adelina, no por prejuiciosa y apática, sino porque tenía un espíritu profundamente romántico.

El romanticismo de Adelina era este sentarse a bordar en la sala bajo la lámpara, como una vieja dama en un grabado y no sólo, sino esos pensamientos exagerados que no se conformaban con los términos medios. Adelina no podía transar con su vida ni con la de los otros. Pero el romanticismo era también su atractivo porque la hacía fuerte, bella, de una sola pieza.

Mientras Arnulfo, Adelina y aun Carlota hablaban de matrimonio, Benjamín no decía ni una sola palabra al respecto y observaba con ironía los preparativos de Xavier. Una vez aceptada su presencia en la casa, Benjamín estableció un tipo de conducta: si había alguien en la sala además de Carlota, se enfurruñaba y hablaba apenas, cuando estaban a solas hablaba mucho de todos y siempre en forma irrespetuosa.

—Ese Xavier es un imbécil. ¿Cómo es posible que un hombre de su edad y con su dinero se pase el día dibujando el adorno que debe llevar una pared? Para hacer eso no se necesita estudiar nada.

—¿Tú qué harías en su lugar? —Carlota lo preguntaba con un aire risueño; la maledicencia de Benjamín le parecía una característica infantil sin consecuencia alguna.

—¿Yo? Tendría mujeres divinas.

—¿Cuántas?

—No sé, todas las que pudiera.

Carlota no podía contener la risa. Lo que decía Benjamín estaba muy lejos de la realidad y ella lo sabía aunque se le escapaba algo muy importante: Benjamín sí creía que era la realidad.

—¿Mujeres como quién?

—Como Luisa de la Vallière, como Madame Pompadour. . .

—¿Tienen que ser francesas?

—No —contestaba Benjamín con magnanimidad—. También de otras nacionalidades.

—Ah, bueno. La Malinche, Isabel la Católica y la Corregidora.

—Te faltó don José María Morelos.

Se reían como locos. Estas cosas de Carlota eran saludables para Benjamín porque reducían al absurdo sus fantasías y lo alejaban de ellas... aunque invariablemente regresaba.

—Yo en lugar de Xavier, viajaría. Pasaría los inviernos en Nueva York viendo espectáculos. Bueno, no. Dividiría el invierno entre Nueva York, Londres y París.

—La gente elegante va a París.

—Pues no. Ya se puso de moda Nueva York, la gran ciudad del futuro.

—Pero si no te gustan los espectáculos y te da horror viajar.

—Mira, yo te voy a llevar a Nueva York, te lo juro...

Carlota lo creyó a pesar de que por lo general no tomaba en serio lo que él decía. Lo que tomaba en serio eran sus manos, sus ojos, su boca sobre la suya porque eso hablaba del sentimiento real de Benjamín y lo expresaba en relación a ella. Después de una sesión de besos, Benjamín le decía con los ojos cerrados:

—Carlota, me estás volviendo loco.

—No te me acerques.

—Cómo no. Pobre del que me impida que me acerque.

Benjamín era celoso hasta lo ridículo. Carlota cayó en la cuenta de que se lo encontraba tanto en la calle no sólo por besarla en el parque, sino porque la vigilaba. Adelina dio su opinión a este respecto:

—Los celos son ofensivos porque demuestran desconfianza.

Allá Adelina y su criterio para juzgar las ofensas. A Carlota los celos la hacían sentir poderosa, fuerte, capaz de dominar a otra persona en forma indirecta. Desde que notó que Benjamín era celoso se arreglaba mejor y se vestía con más cuidado. Y claro, esta ansia posesiva que son los celos, era señal de matrimonio. Por celos, por deseos sexuales, Benjamín la llevaría a una casa suya para tenerla allí escondida, presa como una cierva que se captura.

Por fin, una tarde llegó Benjamín de visita y Carlota no estaba. Adelina le dijo que hacía una hora había salido al centro a comprar unos hilos y no tardaría en regresar.

Le hizo a Benjamín el mismo efecto que si Adelina hubiera dicho que Carlota había salido hace ocho horas. Esperó treinta minutos sentado al lado de Adelina y de Xavier y luego salió corriendo.

—¿No la espera usted?

—Voy a buscarla —les dijo violentamente como si ellos fueran unos ineptos que perdían el tiempo mientras sucedía una desgracia tremenda.

—Muy bien. Fue a la Gran Sedería —contestó Adelina con calma y con más gusto porque Benjamín se iba que asombro por su decisión.

Cuando se fue comentó Xavier:

—Este hombre es un loco, ¿te has fijado?

Adelina vaciló y se sintió culpable, ¿podía ella admitir que Benjamín era un loco y admitir al mismo tiempo el noviazgo con su hermana?

—¿Lo dices en serio?

Xavier era veraz hasta la desesperación y una pregunta así lo atormentaba.

—No sé hasta qué punto sea cierto. Pero... no es un hombre tranquilo. —Xavier calló porque no podía, no debía intervenir en el noviazgo de Carlota para que no sonara a despecho.

—No. No es —asintió Adelina, débilmente, sin querer llegar a conclusiones.

Entonces Xavier hizo algo desacostumbrado: le besó la mano y le miró los ojos como si quisiera vérselos hasta el fondo.

—Adelina, eres una magnífica persona.

Esto era herirla. ¿Por qué le dolía tanto que Xavier le dijera eso que al fin y al cabo era una alabanza? Porque ella no quería alabanzas, sino muestras de amor, tal vez que Xavier saliera a buscarla como acababa de hacer Benjamín. ¡Qué bien había hecho Carlota en no corresponderle a Xavier y cómo la hubiera aburrido! ¿Qué estaba pensando? Tonterías, porque ella, Adelina, amaba a Xavier. Se puso en pie de pronto, le tomó la cabeza entre las manos y lo besó largamente en los labios. Xavier la atrajo hasta sentarla en sus piernas con más fuerza de la que ella creía y con mayor pasión de la que se había atrevido a suponer. ¡Qué bien había hecho Carlota en rechazarlo porque ahora, estos besos eran para ella!

Se separaron algo turbados y Xavier se fue pronto, antes de que llegara Carlota sin Benjamín y empezaron a hablar de hilos sin que Adelina le hiciera el menor caso.

—¿Qué te pasa? ¿Te duele algo?

—No. Voy a mi cuarto. Por cierto que vino Benjamín y no quiso esperarte, sino que salió corriendo... a buscarte, dijo.

—¿Sí? Se va a poner furioso —pero no lo decía con desagrado, sino con orgullo.

Cuando Adelina se vio sola, se llenó de imágenes y sensaciones mucho más acercadas a la realidad que en otras ocasiones sobre la naturaleza de Xavier. Ahora sabía que no era un hombre frío y que su apasionamiento poseía una fuerza egoísta e irresistible. Así llegó a una conclusión opuesta a la que había sacado Carlota de sus experiencias con Benjamín. Benjamín hacía que Carlota se sintiera como una reina, Xavier llevó a Adelina a la idea de que dada su naturaleza, cualquier mujer sería lo mismo para él y en consecuencia se sintió poco individualizada y no amada.

Ella había provocado el incidente, ella lo había besado en esa forma especial y por lo tanto... ¿qué?, ¿estableció ella esa relación? No, la reacción de Xavier estaba ya en su cuerpo, en espera de un estímulo...

Un rato después tocaron la puerta con fuerza y se escuchó la voz de Benjamín que hablaba en tono muy indignado.

—¡Voy a casarme contigo mañana! ¿Me entiendes? ¡Ni un día más de esta estupidez! ¡Comprar hilos! ¿Qué necesidad hay de comprar hilos? ¿Para qué sirven?

Era exactamente el tipo de enojo que Adelina juzgaba imbécil. ¿No sabía Benjamín para qué son los hilos? ¿Pretendía que Carlota estuviera siempre donde él la imaginaba? Cerró con llave la puerta de su cuarto como si así oyera menos, pero siguió oyendo frases truncas del mismo estilo y por cierto, sin ninguna respuesta de Carlota, hasta que decidió bajar: no era lógico que Benjamín gritara así en su casa y ella se escondiera. Cuando abrió la puerta vino el silencio y una ola de egoísmo la metió de nuevo en su cuarto: debía pensar sus cosas, sentir sus sentimientos, lo otro era problema de Carlota.

Sin embargo ya no estaba como antes, no podía recobrar el estado de ánimo y tenía miedo de otro diferente que vino de todos modos. Ella podría "apreciar" y "gozar" en la contemplación de las capacidades amatorias de Xavier pero no podría compartirlas porque no siendo algo nacido de Xavier especialmente para ella, se rebajaba si lo compartía; se limitaría a aceptarlo.

El pensamiento era tan complejo que le costaba trabajo repetírselo y tal vez no lo hubiera podido explicar a la perfección con palabras, pero coincidía con una especie de subimpulso que tuvo desde un principio y con el temor vago de estar inventando algo que por el momento era un sofisma, pero de los que dan nacimiento a un monstruo.

Luego entró Arnulfo y lo oyó subir la escalera. Tocó en su puerta.

—Adela, ¿estás aquí?

Fue a abrirle rápidamente.

—¿Qué sucede? ¿Es tarde? Creo que me dormí. Pasa.

Arnulfo fue a sentarse en el sillón bajo donde había leído la otra noche. Luego habló en voz baja:

—¿Por qué Carlota y Benjamín tienen cerrada la puerta de la sala? Los oí y me oyeron, pero decidí no entrar.

—¿Cerrada? Nunca hacen eso.

Quedaron en silencio. Arnulfo con las cejas fruncidas, ella pensando con intensa vergüenza que él podía haberla encontrado sobre las piernas de Xavier.

—Esto debe tener una solución —era una retórica especial de las ideas de Arnulfo—. Porque Carlota es tan joven y Benjamín muestra esa falta de respeto que tal vez posee. ¿Tú lo crees capaz de...?

—No sé —a Adelina le sudaban las manos. Si Xavier era capaz de acariciarla a ella como lo había hecho, ¿de qué no sería capaz Benjamín?

—¿Tú le has hablado a Carlota de. . . —ahora se turbaba—, de cómo son las relaciones humanas?

"Humanas". ¿Por qué no había dicho "entre hombre y mujer"? ¿Era imbécil o qué? A él nadie le había dicho cómo eran esas relaciones, no las conocía y probablemente no las conocería jamás porque no le despertaban curiosidad sino repugnancia, pero sus hermanas. . . Adelina entendió perfectamente.

—Pues no le he dicho mucho. Trato de ser natural con ella para que se vaya enterando de esto y de lo otro, pero. . . yo tampoco soy un tratado de fisiología.

Pobre Adelina. Siempre adulta, siempre con esta capacidad de ser sincera con gente que por definición no podía serlo. Allí de pie junto a su cama, con las manos juntas, estaba muy parecida a su madre y con la mirada de Carlota, aunque sin sonrisa. Arnulfo dijo con una suavidad infantil:

—¿Qué crees tú que estén haciendo?

—Besándose o algo.

—Algo. Eso es lo malo.

Ahora se rieron. Los hermanos Ayala, los mayores, los cuerdos, los seguros de sí mismos comprendían en ese momento que podían enfrentarse a la peor de las situaciones. Se sentían fuertes y si Carlota se acostaba con Benjamín en la sala de su casa, ellos podrían discutir y solucionar el problema adecuadamente.

—¿Oyes? —preguntó Adelina.

Se cerraba la puerta de entrada, sin duda detrás de Benjamín. Luego oyeron subir a Carlota y se pusieron serios, como si hablaran de algún tema interesante pero ajeno a sus vidas.

Carlota entró a la habitación y se sobresaltó de ver allí a Arnulfo.

—Creí que. . . no habías llegado —recobró el aplomo—. Pero mejor que estés aquí —hubo una pausa en que los dos la miraron. Carlota estaba emocionada pero no insegura, nerviosa pero sin miedo—. Benjamín quiere que nos casemos tan pronto como sea posible. Un tío suyo va a conseguirle trabajo en una oficina.

Arnulfo cayó en la trampa, la hubiera visto o no.

—Bueno, eso no es difícil. Empleos es lo que sobra. . .

Carlota sonrió como si Benjamín estuviera ya instalado en la oficina, con un cargo de importancia.

—Pues muchas gracias. Yo creo que tú puedes mejor que su tío. . .

Adelina se puso nerviosa.

—Pero Carlota, ¿estás segura de que será un buen marido?

Carlota reaccionó con asombro.

—¿Segura? No, claro que no. ¿Quién puede estarlo?

Esta respuesta tuvo la virtud de hacer sentir a Adelina como una tonta. Tenía razón Carlota. . . pero era obvio que ese muchacho sería un pésimo marido. Decidió cumplir hasta el fin con lo que ella imaginaba que era su deber.

—Por supuesto. Pero yo debo decirte que para mí es muy claro que no tiene las cualidades necesarias. Según parece no tiene empleo ni nunca ha trabajado, no importa que luego se lo encontremos; no tiene dinero personal, no es una persona bien educada y ni siquiera creo que sea muy normal. Ya viste lo que pasó hoy en la tarde.

La experiencia que tenía Carlota de lo sucedido por la tarde era otra de la que Adelina pensaba: cuando llegó Benjamín después de haberla buscado por todos los comercios que están alrededor del Zócalo, lo primero que hizo fue abofetearla y cuando ella todavía no se recobraba le dijo una verdadera letanía de impertinencias y despropósitos. Luego, sin que a ella le hubiera dado tiempo de decir una palabra, la metió en la sala para besarla, pero no como en las otras ocasiones, sino para besarle los pies, la tela del vestido, para adorarla como si fuera diosa. En resumen lo ocurrido esa tarde, era la gran prueba de amor. . . aunque Adelina ya la hubiera catalogado como un suceso desagradable. No reaccionó con violencia.

—A mí me gusta como es —en sus palabras había una seriedad profunda, una modestia que conmovió más a Arnulfo que a Adelina.

—Tal vez lo que interesa es que te quiera y tú lo quieras.

—Él me adora.

No quedaba mucho más que decir, aunque Arnulfo no comprendiera qué gusto podía sacarse de la adoración de un tipo como Benjamín y Adelina tuviera tantos escrúpulos de conciencia porque estaba segura del fracaso.

—Si Arnulfo está de acuerdo, yo no puedo ponerme en contra. Pero quiero aclarar que si fueras mi hija, por ejemplo, no te daría mi consentimiento.

Arnulfo no la comprendía a fondo, pero veía dos ventajas: no habría obstáculos ya para el matrimonio con Xavier y el hecho de que delegaría su responsabilidad de hermano sobre otras personas.

Carlota, mientras tanto, tomaba una actitud contrita, pero no por ella misma, sino por Adelina. Si la escena hubiera sido contemplada por un extraño se hubiera llevado la impresión de que Carlota lamentaba profundamente las ideas equivocadas de su hermana y no contestaba por docilidad aunque se supiera poseedora de la razón.

Adelina adivinó lo que significaban los ojos tranquilos de Carlota, su gesto suave y estuvo a punto, por orgullo, de no seguir hablando. Pero de nuevo la empujó su conciencia:

—Lo digo porque es el momento de decirlo —miraba a Arnulfo y no a Carlota—. Me parece que la tendrá muerta de hambre, mal vestida, mal comida y quién sabe con cuántos hijos. Y no tal vez por malo, sino porque pertenece a una clase de hombres que ven eso con naturalidad: así vivieron sus madres y así viven sus hermanas. Nosotras no somos así; siempre nos han tratado como personas. Arnulfo no ha gastado más en sí mismo que en nosotras, nunca ha impuesto más autoridad que la de sus cualidades, nos ha dado cuanto ha tenido y nunca nos ha hecho falta nada —la cara de Carlota tenía ahora casi un tinte de burla, como si pensara que Adelina estaba haciendo el ridículo y esto ya era insoportable—. Es todo. Si te casas, será a sabiendas.

Salió del cuarto y los dejó solos. Carlota se puso seria; enfrentarse a Arnulfo no era agradable desde siempre. Pero Arnulfo se acomodó en el sillón y la despidió:

—Está bien Carlota. Comprende que Adelina tiene la obligación de decir lo que piensa. . . —miró a otra parte—. Veré lo del empleo inmediatamente.

Lo dijo en forma tan definitiva que Carlota sintió que no podría retractarse aunque quisiera; también que Arnulfo quería salir de ella, dejar de verla. No en este momento, para siempre.

Salió a su vez del cuarto y se fue al suyo. Le daba tristeza la desamorada autorización de Arnulfo. . . no tanta que lamentara irse; desde hacía meses que su vida no tenía otro sentido que ser recipiente del frenesí de Benjamín, satisfacer esa locura suya y otras, todas cuantas tuviera. ¿Y Adelina? Era sincera, en ello demostraba su interés, pero las ideas que expresaba eran cosas que no estaban en el mundo: el mal vestir, el mal comer, ¿qué era eso? Eso, sencillamente, no existía. ¿Desde cuándo? No sabía; para ella, nunca había existido. Además no se concebía a sí misma diciéndole a Benjamín:

—No puedo casarme contigo porque me vas a maltratar.

No era posible, no entraba en las formas de expresión que ellos usaban. Benjamín hablaba de temas para ella difíciles, que tenían que ver con su carrera, y de personas. Ése era el único defecto de Benjamín. Pero era tan marcado y tan continuo que podía tomarse a broma: las cosas que decía de las personas eran tan exageradas tan excesivas, que para ella, por lo menos, quedaban fuera de la órbita del enojo.

Luego, ser adorada. Con esa mirada de Benjamín que parecía pedirle unos bienes valiosísimos que ella, providencialmente, podía entregarle, con esas manos nerviosas, esos arrullos y esos besos. Ya no había cordura porque sus pensamientos no rebasan esta zona; aquí estaba el placer del cuerpo, el del alma y el de las otras entidades y potencias que en el mejor de los casos entraban en la composición de un ser humano.

—No oyó cómo Adelina y Arnulfo se reunían en la sala,

pasaban al comedor, cenaban en silencio sin llamarla como si ella ya no estuviera en casa y luego volvían a la sala. Para ella no existían ni Adelina, ni Arnulfo ni los horarios para sentarse a comer.

Adelina, con la costura en la mano, vacilaba entre empezar o no la conversación. Por algún hábito adquirido durante la infancia, los Ayala cenaban en silencio, comían rápido con una especie de manejo certero de los cubiertos y una masticación precisa, con una intensidad que disminuía cuando traían el café y ellos se recostaban en el respaldo de la silla y se miraban. Era el momento de levantarse y dirigirse al otro cuarto, a veces con la taza de café en la mano.

—Parece que he hecho el ridículo.

Arnulfo se rió. No, no se trataba del ridículo. En cuanto Carlota se fue y él se quedó solo en el dormitorio se le ocurrió que Adelina sufría de una fuerte sensación de culpa porque Xavier era tan rico. Este imaginarse a Carlota en la miseria y llena de hijos no era más que la consecuencia de imaginarse a sí misma en la casa famosa disfrutando de todas las comodidades posibles e imposibles. También había meditado en otra cosa: en su actitud fácil frente a Carlota. ¿Creía él en la bondad de Benjamín y en sus capacidades de convertirse en un buen marido? En absoluto, despreciaba a Benjamín y le parecía incapaz de triunfar aunque fuera en el desempeño del empleo más sencillo: tenía conversación, modales y vestuario de golfo. Debía ser un golfo. ¿Por qué accedía él entonces al matrimonio y a buscarle empleo para propiciar esa misma cosa?

La respuesta se presentó clarísima y conocida. Porque él era homosexual y no un homosexual romántico y blanducho que quisiera sobrinos o protegidos substitutos de los hijos que no tendría, sino un ser reseco que detestaba el matrimonio y, por ello, no veía otra diferencia entre el de sus dos hermanas que la económica. Para Arnulfo, sin que se detuviera a formularlo, toda asociación entre hombre y mujer tenía algo de obsceno, de irrespirable; en consecuencia y bajo ese principio, el matrimonio con

Benjamín no podía ser peor que cualquier otro matrimonio.

—Yo debí haber nacido en aquella época en que si uno quería ser ermitaño podía salirse con la suya.

—¿Te gusta estar solo?

—Detesto estar solo, pero pocas personas me acompañan verdaderamente. Tú, por supuesto y. . . nadie más.

En Adelina estuvo de nuevo aquel impulso que le aconsejaba no irse a la casa de las cortinas bien planeadas y quedarse en ésta con los objetos de su infancia, donde conocía el sitio en que estaban todos los contactos eléctricos y los lugares donde crujía la madera del piso y adonde vivía Arnulfo. No era necesario hablar y decirle que él era a su vez la compañía de ella, porque esas declaraciones, por más ciertas que sean, no suenan todo lo bien que debieran. Empezó a bordar. Si ella se iba, ¿qué haría Arnulfo? No accedería a vivir con ella y con Xavier porque amaba esta casa y además estaba acostumbrado a mandar en ella y a ser autoritario en asuntos menores. Ella tampoco podía traer a Xavier porque no había motivo para renunciar a la casa que tanto habían planeado y además sabía que la presencia de Arnulfo no la dejaría vivir con naturalidad su vida de casada.

—Adela, estás haciendo gestos como si fueras a llorar.

—¿Sí? Estoy muy nerviosa con lo de Carlota. Es tan bonita, podía haber sido tan feliz —ahora hablaba con un tono melancólico y maternal—. Es una lástima.

Arnulfo no contestó. Estaban solos como estarían después del matrimonio de Carlota, antes del de ella; apenas unos meses. Sería terrible quedarse solo y en previsión a esos años (quién sabe cuántos) de no tener con quién comer ni con quién conversar después de la cena, debía ahora disfrutar esta oportunidad de compañía.

Empezó a hacer planes. Cuando se casara Carlota, debía llevar a Adelina al cine, o al teatro. Deberían cenar fuera alguna vez.

—¿De qué te ríes?

—¿Estaba riéndome?

—Yo quiero llorar y tú te ríes. ¿Estás contento?

—No. No realmente —mentía. Estaba contento por esos meses. Serían tres, tal vez hasta cinco—. Tienes que comprarte ropa.

—¿Yo? Tenemos que comprarle ropa a Carlota. Quién sabe cuándo volverá a tener dinero para gastar en eso.

—Cierto. ¿Cuánto necesitan?

—Mañana te digo.

Esta noche hablaron poco, pero quedó marcada como el principio de una sensación que los persiguió hasta el día de la boda de Carlota: que disimulaban continuamente por miedo a mostrar un contento general que, por tratarse de una boda poco provechosa para su hermana, resultaba inexplicable. Entre sus amistades tomaron fama de discretos, por ejemplo, pues a todo el que los vio le pareció que fingían naturalidad por pura elegancia. En realidad fingían preocupación, también por elegancia.

A Carlota se le compraron las mejores ropas que pudo encontrar Adelina. Camisones, batas de casa, vestidos para diferentes usos, delantales bellamente adornados.

Todas las mañanas, casi con un horario, salían de compras y pasaban la tarde discutiendo qué sería lo más necesario, lo más bonito, lo más inteligente.

Sólo Benjamín era un núcleo aparte en esta empresa colectiva: Arnulfo daba el dinero, Adelina el discernimiento y el esfuerzo, Carlota se dejaba hacer y hasta Xavier había arriesgado alguna opinión. Pero Benjamín se mostraba huraño y Carlota, cuando estaban a solas, casi no se animaba a hablarle de la boda porque presentía que si lo tomaba en un momento de mal humor Benjamín podía muy bien decirle que no se casaría con ella ni ahora ni nunca.

Además, Arnulfo había conseguido que a Benjamín le dieran un empleo bastante bueno como empleado de un general y ya lo desempeñaba, pero para asombro de Carlota, el empleo no funcionaba en el ánimo de Benjamín como una solución benéfica sino como algo humillante y deleznable. Humillante porque había tenido que presentarse a ver al general con la tarjeta en la mano "como una criada" y el general había querido informarse de lo que sabía o no hacer y luego de pensarlo un momento que a Benjamín le pareció largo decidió que el recomendado de Arnulfo le convenía y así se lo hizo saber por teléfono todavía en presencia del otro.

—Oiga usted, aquí está el muchacho que me mandó... No, no está mal. Parece inteligente pero de mal carácter... se lo quitaremos —el general rió a carcajadas, luego añadió—. No tiene importancia, amigo. Por supuesto, si no puede, se lo devuelvo...

Benjamín empezó a trabajar al día siguiente. Para Carlota el empleo era bueno: solo por las mañanas, con un sueldo que a ella le parecía suficiente, y dejaba tiempo para que Benjamín siguiera estudiando su carrera de abogacía para terminar la cual faltaban dos años. Entonces podría aspirar a un empleo mejor... Sin embargo, él no se alegró y a ella le parecía que estaba hondamente arrepentido de haber provocado todos estos cambios en un acceso de celos. Tal vez por ello no le decía a Carlota que fuera a ver departamentos, ni la llevaba a conocer a sus padres y en cambio se mostraba de pésimo humor.

—Por fortuna estoy de vacaciones, si no, mi madre ya hubiera notado que voy a trabajar.

—¿No sabe tu mamá que trabajas?

—No, no lo sabe —lo dijo de cierta manera y Carlota no se atrevió a preguntarle si ya le había dicho que iba a casarse, pero era claro que no.

—¿Estás contento en el trabajo?

—¿Contento? ¿Quién está contento haciéndole mandados a un viejo imbécil?

Carlota iba a llorar pero se contuvo. Benjamín ya no la besaba, ni la adoraba.

Hasta que Adelina cayó en la cuenta de que algo sucedía: Carlota estaba desganada y tristona, no tenía ganas de salir de compras ni de discutir modas y por cualquier motivo se le humedecían los ojos.

—Hazme el favor de decir qué te pasa —era su forma severa de prevenir evasivas.

Carlota se soltó a llorar. Estaban en la sala, Benjamín acababa de irse y Arnulfo no había llegado.

—No sé. No sé qué me pasa.

—¿No será que Benjamín ya se arrepintió de haberse comprometido a casarse y tú no sabes qué hacer? —Carlota dejó de llorar para mirar a Adelina con ojos de espanto, tenía miedo de las consecuencias de esta conversación—. No ha de querer trabajar... ¿Qué pasa? ¿Por qué no contestas?

—Pues... ¿tú crees que no le gusta trabajar?

—No sé. ¿Qué te dice él?

Carlota no sabía qué decir. Le parecía que un monosílabo sería suficiente para que todo se viniera abajo y Benjamín desapareciera de su vida como por arte de magia.

—Dice que al general le gusta mucho la disciplina y que por eso siempre hay que llegar a tiempo...

Adelina casi no podía disimular su impaciencia.

—Mira, Carlota. Si ese muchacho se arrepiente, te hace un favor que ni Arnulfo ni yo lamentaríamos. No importa que se haya gastado dinero, ya te casarás con otro.

—No. No es eso —no hallaba nada verosímil que justificara su estado de ánimo—. Lo que pasa es que... no se lo ha dicho a sus padres.

Se decidió por eso porque dentro del cuadro general le pareció lo más inocente. No resultó así para Adelina.

—¿Cómo? ¿Y qué espera? Yo creo que está tomándonos el pelo. No busca casa, no habla de muebles, no se lo dice a su familia y no le gusta el empleo... ¡Vaya!

—Pero no, no lo tomes así. La verdad es que él aceptó el empleo.

—¿Aceptó? Fue a pedirlo y se lo dieron gracias a Arnulfo —pocas veces había visto Carlota tan enojada a su hermana—. Hazme un favor, ¿quieres? Si viene mañana, dile que en vista de su poco interés, Arnulfo y yo hemos pensado que lo mejor es que no se casen. Ya lo sabes. Si tú no quieres se lo digo yo.

Carlota subió a su cuarto aterrorizada y no bajó a cenar porque se le ocurrió que Adelina podía tratar el asunto con Arnulfo y no quería estar presente. Tenía una fuerte angustia y un rencor dirigido hacia Adelina y que al mismo tiempo excluía a Benjamín de toda responsabilidad: estaba indignada con su hermana para escudar a quien verdaderamente merecía su enojo.

Adelina inventó que su hermana tenía jaqueca y no le dijo nada a Arnulfo, aunque la idea de preguntarle a Benjamín qué ocurría era auténtica; sería un sacrificio y una molestia indescriptibles, pero lo haría. Toda la noche pensó en él mientras olas de furia iban y venían por su cerebro. ¿Qué pretendería ese tipo con no avisarle a sus padres? ¿Casarse en secreto o no casarse? ¿Quería burlarse de Arnulfo?

Arnulfo leía una revista americana con atención y su perfil era serio, cansado, con las pestañas lacias que le daban aspecto de tristeza. No, no iba a decirle a Arnulfo lo que ocurría hasta ver si tenía o no remedio. Maldito Benjamín. Y Carlota. . . ¿hasta dónde hubiera llegado esta situación si a ella no se le ocurre preguntarle?

Al día siguiente no se presentó Benjamín a la hora de siempre y Adelina tuvo el pensamiento de que tal vez no volvería pero no pudo comentarlo con Carlota, porque Xavier, quien se había adueñado de la mesa del comedor desde hacía meses, le mostraba unos cuidadosos dibujos de muebles de baño. Los miró con lentitud, con esa atención entregada y esa falta de personalidad que constituían su holocausto de amor a Xavier. Así pasaron dos horas.

Desde aquel día no habían vuelto a besarse, como advertidos de un peligro especial, pero ninguno cambió de actitud; los besos aquellos eran un paréntesis que volvería a abrirse cuando estuvieran casados y no antes. De nuevo ella era la alumna atenta y él, el maestro solícito, paciente y bien dotado.

—Oye, no ha venido Benjamín. Vamos a la sala —no sabía Adelina que Xavier huía de la sala por no ver a Benjamín.

—Vamos.

—¿Cómo va todo?

—¿Qué?

—Lo de la boda. ¿Ya fijaron fecha?

—No han dicho nada.

—Luego nos toca a nosotros.

—Sí. . .

Bien lo sabía ella. En cuanto Carlota se casara ellos pondrían una fecha que cumplirían devotamente y su matrimonio tendría todas las solemnidades que le faltaban a éste. La familia de Xavier estaría informada hasta el cansancio, vendrían a la boda, ella se pondría un traje blanco espléndido, Carlota sería su madrina de lazo y los hijos de la hermana de Xavier sus pajecillos. . .

Se sentaron en la sala y Xavier prendió un cigarro.

—Te gusta la sala por no llevar el cenicero al comedor.

—Por no molestarte —sonrieron y Xavier empezó a hablar de una construcción que estaba planeando un amigo suyo y que se realizaría en la carretera a Toluca.

No. No la aburría. Lo amaba mucho cuando hablaba así, casi sin mover las manos, con el rostro animado y los ojos llenos de inteligencia. Hubiera querido tenerlo entre sus brazos mientras decía esas cosas, pero no era posible ahora. Faltaba mucho tiempo. . . ¿Mucho? No, faltaba muy poco tiempo. . . a menos de que Carlota y Benjamín. . . No, ellos se casarían.

Antes de que Xavier se fuera alguien tocó la puerta y Carlota fue a abrir. Se oyó una voz femenina y Adelina, nerviosa sin saber por qué, le dijo a Xavier:

—Espérame un momento. Voy a ver qué pasa.

En seguida volvió Adelina a la sala con Carlota y una mujer como de cuarenta años, pálida, vestida de oscuro y con el rostro amargado. Las hermanas se veían nerviosas. Adelina se adelantó:

—Xavier, la señora es la madre de Benjamín. Xavier Casillas.

—Encantado, señora.

La mujer no extendió la mano sino que hizo una combinación de sonrisa con gesto de desagrado sin duda por encontrar allí una persona que indudablemente no era de la familia.

—Siéntese usted —invitó Adelina y miró a Xavier para que entendiera que no debía irse.

—No sé si molesto —dijo ella con un tono bastante alejado de la cortesía convencional.

—De ningún modo. Xavier y yo vamos a casarnos pronto, hable usted con confianza.

Ella miró a Xavier. Vio la tela de su traje, la de su camisa, la marca de sus zapatos, el anillo en el dedo de Adelina; una ojeada de esas que tienen una fuerte capacidad de calcular las posibilidades económicas de la otra persona. La madre de Benjamín era una mujer segura de sí misma y en este momento dudaba porque la casa, las muchachas y Xavier mismo le ofrecían una imagen que no esperaba. Luego miró a Carlota de otra manera que a Xavier; esta vez tomaba nota de la piel exquisita, las largas pestañas y las manos cuidadas. Entonces tomó ánimos.

—Tengo noticia de que mi hijo visita a la señorita —nadie hizo señal de asentimiento y ella bajó los ojos para no dirigirse a ninguno en particular—. Yo creo que ustedes se han equivocado redondamente. Tal vez él les haya dado a suponer con su conducta cosas que. . . no podrían ser. Para eso vine, para aclarar de una vez por todas lo que sucede.

—Su hijo quiere casarse con mi hermana —la voz de Adelina sonó dura, reservada. La señora la miró en seguida porque la sintió fuerte, su antagonista.

—Y por eso, su hermano le buscó un empleo, ¿no? —el comentario agresivo, con un algo de burlón y vulgar, pero Adelina estaba por encima de esas cosas.

—Naturalmente. Si quiere casarse, tiene que trabajar.

—No quiere casarse, ni puede hacerlo. Si se comprometió fue en un momento de irreflexión.

Carlota se había sentado cerca de Xavier y parecía a punto de esconderse detrás de él, de desaparecer por pura vergüenza de escuchar estas cosas. Hubo un silencio largo en que la madre de Benjamín se sentía triunfante y así lo proyectaba. A la boca de Adelina venían mil frases irónicas, ofensivas y ella las descartaba porque no quería abaratar la situación, volverla vulgar como sin duda era la intención de la otra.

—En consecuencia, el compromiso entre ellos debe darse por terminado... —era Xavier, ruborizándose. Molesto porque sabía su deber intervenir, un deber incómodo.

—Claro —la madre de Benjamín movió la cabeza como ante una obviedad que todos hubieran pasado por alto—. Claro. Mi hijo no puede ir a perder el tiempo en una oficina. Nosotros queremos que sea un profesional, un abogado. Si se casa y trabaja no acabará la carrera y nunca escribirá un libro, sino que su vida se le irá en... tonterías —dijo la última palabra con tanta intensidad que Carlota la sintió como un golpe: la tontería era ella, su conversación, su compañía, sus caricias.

—El recibirse de abogado no será motivo para que su hijo no trabaje en una oficina. En México hay más abogados que taquígrafos —la voz de Xavier era helada, despreciativa, la voz de un señor que le hace advertencias a una lavandera. Inmediatamente dio en el blanco: la madre de Benjamín se demudó y se llevó una mano a los cabellos como para detener el desfile de ideas apresuradas que pasaban por su cabeza. Se olvidó de Carlota y del matrimonio.

—¿Cree usted... cree usted que hubiera sido mejor inclinarlo a que estudiara otra carrera?

A pesar de la poca simpatía que ella inspiraba, Xavier tuvo lástima de este desconcierto fundamental. Lástima, pero no deseo de mentir.

—Sí. Pienso que sí. Los abogados con futuro son los que tienen amistades y trabajan en un bufete bien conocido o que se dedican al estudio teórico de la carrera, pero eso es poco común.

La madre de Benjamín parecía no recordar dónde se encontraba ni lo que había venido a hacer. Era la primera vez que hablaba de la carrera de su hijo con otra persona que no fuera su marido o sus vecinas y este hombre tan bien vestido, tan guapo y tan tranquilo, le parecía digno de fe. Adelina pensaba sin quitarle los ojos de encima:

"Esta mujer está a punto de pedirle a Xavier que lleve a Benjamín a un bufete famoso o que lo mande a estudiar al extranjero."

—¿De manera que en este momento la carrera de abogacía no garantiza un futuro brillante?

—Pues. . . no, señora.

—¿Porque hay demasiados abogados?

—Sí, en gran parte.

—Es cierto. Benjamín me ha dicho que en su escuela apenas alcanzan los maestros y las salas de clase para tantos alumnos —hablaba con una desesperación honda y la mostraba en la mirada, en sus manos que iban y venían de la cabeza a la falda—. Y entre ellos, son pocos los que escribirán libros, ¿verdad?

—Pues sí, bastante pocos.

La madre de Benjamín se quedó quieta y entrecerró los ojos como si alguien la hubiera herido de muerte: no se atrevía a clasificar a su hijo entre los pocos triunfadores que escribían el libro y sabía de sobra que Benjamín no tenía relaciones que lo llevaran a un bufete acreditado. Tal vez estas personas. . . de pronto, recordó lo que ella había venido a hacer a esta casa pensando que se trataba de una familia de clase media pobre: dos muchachas esmirriadas al cuidado de un hermano militar que las trataría Dios sabe cómo, entre los siempre sucios muebles de sala y los suelos estropeados. Se había encontrado con dos mujeres bien vestidas en una casa notablemente limpia, arreglada en una forma que a ella le costaba trabajo comprender pero que sabía superior a su ambiente y a sus medios. Finalmente, había descubierto estas cosas sobre la carrera de su hijo y su futuro. Se volvió a Carlota arrugando los ojos, como si hubiera niebla o nubes entre las dos.

—Y usted, ¿para qué quiere casarse con mi hijo?

Carlota enrojeció y se quedó callada. A esta mujer no podía hablarle de los celos y de la adoración de Benjamín y de todos esos detalles que los habían puesto en la situación donde se hallaban.

—Benjamín ha sido novio de mi hermana desde hace varios meses y él le pidió que se casaran —Adelina lo decía con calma pero estaba enojada. El incidente le parecía insoportable y no sabía en qué forma debía terminar la entrevista.

De nuevo vino la voz de Xavier a salvarla de su ira, de su deseo de ser más vulgar que aquella mujer y echarla a gritos de su casa.

—¿Benjamín la mandó a romper el compromiso?

—¿Benjamín? No. No sabe que vine. Me di cuenta de que trabajaba y empecé a hacerle preguntas hasta que me dijo los nombres de ustedes y luego, en el directorio telefónico. . . —algo había cambiado, la decepción recibida era tan grande que la idea del matrimonio pasaba a segundo término comparada con la inmensidad de lo que significaban estas palabras: trabajará en una oficina y no escribirá el libro. Si esto era así nada importaba Carlota y que ya estuviera en la oficina; el destino se cumple antes de saberlo nosotros, aunque se trate de nuestro destino. Se puso en pie con lentitud, no llevaba bolsa sino un portamonedas negro y usado y un pañuelo de algodón con dibujos de flores azules. Los examinó, uno por uno: Carlota, Xavier, Adelina. No tenía qué decirles salvo lo que ellos ya sabían: en esta visita, planeada con ferocidad y valentía, había perdido su última esperanza. Que se casaran era lo de menos.

Ellos también se levantaron. No tenía nada que decir y fue a la puerta sin equivocar el camino, seguida por los otros, y no se despidió. No los odiaba, tampoco a Xavier, pero no le interesaban en lo más mínimo y no tenía intenciones de ocultarlo. Carlota, Xavier, Adelina, ¿quienes eran ellos y qué podía hacerle si Benjamín no sería lo que ella había soñado durante años porque ella había desconocido las posibilidades objetivas de que este sueño se realizara? Esto le pasaba por mal informada, por ignorante, por vivir encerrada en su casa con su marido tipógrafo inventando el mundo de acuerdo con su imaginación y su capricho.

Cerraron la puerta y regresaron a la sala. Carlota dijo:

—Se lo agradezco mucho a los dos. Estuvieron muy bien —estaba deprimida y hablaba en voz más baja de lo habitual—. Pero no entiendo, no sé que pasó ni para qué vino, ni en qué quedamos.

Se expresaba con mayor libertad que cuando estaba Arnulfo presente, en consecuencia, había aceptado que Xavier fuera su hermano y él así lo sintió.

—Mi opinión es que vino a desbaratar el matrimonio y luego se fue preocupada por otras cosas, como la carrera de su hijo. ¿Tú qué crees, Adelina?

—No quisiera. . . —rió de pronto, una risa corta y amarga—. La verdad es que estoy furiosa y no quisiera exagerar. Creo que la suegra es peor que el marido.

Adelina se moría por decir que aquella mujer era agresiva, entremetida, alevosa, dominante y que, sobre todo, no tenía la menor noción de la insignificancia de su hijo. Que Benjamín escribiera un libro era cosa de risa. No diría nada porque ella era diferente y se daba cuenta exacta de que Benjamín casi no existía. Carlota repasaba el último comentario de su hermana con un aire de pesadumbre que le dio lástima a Xavier.

—Yo creo que deberías hablar con Benjamín.

—Pero si él no sabe que ella vino.

—Pero tú se lo dices —intervino Adelina—. ¿Benjamín es mayor de edad?

—Dentro de dos semanas cumple veintiún años.

—Díselo.

—¿Cómo le digo?

—Carlota, ¿qué te pasa? No te das cuenta de nada o. . . yo no sé —se interrumpió por miedo de que Carlota rompiera en llanto—. Pues que su madre estuvo aquí a romper el compromiso y tú quieres saber si él está de acuerdo.

Carlota movió los labios como para aprender de memoria lo que acababa de oír y se sentó de golpe en el sofá. Parecía una niña de doce años que se ve en la necesidad de darle la bienvenida a un presidente. Adelina miró a Xavier, que con expresión preocupada prendía otro cigarro.

—¿En qué piensas?

—¿Eh? Esta señora me pareció un poco. . . desequilibrada. ¿A ti no?

—Bueno, tampoco estará así todos los días —quería ser práctica hacer uso de la lógica, no estar furiosa.

—Lo del libro, por ejemplo, era una cosa muy seria para ella.

Carlota miró a Xavier con la esperanza retratada en la cara de que Benjamín fuera en efecto el autor de un libro famoso para que todas las dudas de Adelina resultaran injustas. Adelina se mordió los labios y dijo:

—Habrá que preguntarle a Benjamín de qué libro se trata.

Entonces Carlota se puso de pie y fue hasta la puerta, allí se volvió:

—Son ustedes muy buenos. Yo estoy muy cansada... —las dos frases sonaban a falso, a mentira, a desesperación.

—Descansa. Ya verás cómo cuando venga Benjamín se aclaran las cosas —era un tono respetuoso, fraternal hasta un punto. En lo futuro, Xavier le hablaría así siempre.

Cuando Carlota se fue Adelina se acercó a Xavier para hablarle en secreto.

—¿Sabes?, yo no quisiera este matrimonio. Fíjate qué mal empieza. En todo esto hay... insinceridad.

Tan pronto lo dijo se arrepintió. Claro que había insinceridad: en ella y en Arnulfo, en Xavier que se casaba por no salir de la familia, en Carlota que les decía que "eran muy buenos"... y en Benjamín. Sólo la madre de él había sido sincera, quería romper el compromiso y así lo dijo; se fue preocupada por otras cosas y ellos pudieron notarlo perfectamente bien.

—No de parte de Benjamín y de Carlota. Se quieren y... se les nota.

Adelina se asombró. Si Xavier podía observar que aquellos se querían, también debía medir cuánto lo quería ella y saber muy bien cuánto la quería él.

—Xavier, ¿tú me quieres? —ella lo ignoraba, él nunca lo había dicho, era un campo oculto donde no se penetraba en vano porque Xavier era un hombre incapaz de mentir.

Xavier cerró los ojos como si la pregunta fuera la consumación de un suceso esperado pero no por ello menos alarmante. Luego dijo, con suavidad, muy cerca de la cara de ella.

—Sí, Adelina, te quiero —en sus ojos estaba la expresión glotona que antecede a los besos y no mentía. Para poder contestar con verdad había recurrido al recuerdo de las caricias de aquel día.

Adelina sonrió al reflexionar que no la había engañado y que entre ellos nunca habría ese lenguaje que consta de asegurarse varias veces al día que uno ama al otro. Él no preguntó: "Y tú?" y el diálogo no quedó establecido. Se sintió sola y deseó que Xavier se fuera.

—No dejes sola a Carlota, me pareció... extraña. Por supuesto, no es para menos.

Tenía razón él. Había que cuidar a Carlota... como siempre, por otra parte.

—Tienes razón —repitió en voz alta—. ¿Te vas, entonces?

Xavier no tenía intenciones de irse inmediatamente, pero se dejó llevar por la secuencia lógica de la conversación.

—Sí —recogió con lentitud su encendedor de plata, su cigarrera y el muestrario de los muebles de baño—. Tú tampoco debes preocuparte mucho. Lo ocurrido es... desagradable, pero no veo por qué ha de ser definitivo.

—Ojalá fuera.

Xavier tomó a Adelina por el brazo y se lo apretó suavemente.

—No pienses así. El amor es al fin y al cabo cosa muy respetable.

El comentario tenía más valor de añoranza que de recomendación. ¡Pobre Xavier, cuyo amor no le inspiró respeto a nadie, ni a sí mismo, puesto que ahora decía amar a Adelina!

Adelina tuvo un largo acceso de llanto cuando se fue Xavier. De aquellos que las personas se permiten dos o tres veces en su vida de adultas. Lloró en la sala, con la puerta cerrada, en aullidos cortos y largos, hasta quedar sin fuerza, sin voz y todavía con las lágrimas corriendo.

Bajó Carlota, pálida y todavía con un aspecto desorientado e incómodo.

—¿Qué te pasa? ¿Por qué lloras así? —Adelina movía la cabeza y las manos en forma negativa, porque la voz no le cuajaba—. ¿Qué pasó? ¿Dónde está Xavier? ¿Te doy un poco de coñac?

Adelina hizo un esfuerzo inmenso para decir con voz entrecortada:

—No. Nada. Estoy nerviosa. Voy a tomarme una pastilla.

Carlota la ayudó a subir la escalera y a desvestirse antes de meterla en su cama. Pero no hubo manera de que Adelina se explicara con su hermana porque la explicación hubiera sido débil y confusa en comparación con la realidad.

"Xavier tiene envidia de tu amor por Benjamín, pero como no es un hombre malo, quiere protegerlo aun a sabiendas de que esa relación será la ruina de tu vida. A mí no me quiere, pero me desea y piensa que ése es un buen sustituto del amor, quién sabe por qué, yo no le he dado motivo. Imposible decírselo a Arnulfo que consiente el noviazgo con Benjamín porque odia el amor. . ."

Tomó una pastilla y se fingió dormida. Luego espió a Carlota con el rabo del ojo y le vio aquel aspecto de incomprensión que no cambiaba su aire sumiso ni le daba rebeldía o violencia para reaccionar de algún modo. Pero, ¿sentía ella rebeldía y violencia? ¿No era sumisa ante Xavier, ante Arnulfo y ante el amor de Carlota?

Arnulfo no llegaba. Consultó su reloj de pulsera debajo de las sábanas y vio que eran las diez de la noche. Tampoco había llamado por teléfono y eso quería decir que tal vez se entretenía en el departamento que ella no osaba mencionar mientras que el hombre sierpe que vino aquella tarde cuidaba la puerta y rondaba por la calle para evitarle a Arnulfo las molestias de una interrupción. Cuando se formuló este pensamiento estuvo a punto de aullar como en la sala pero en vez de eso dijo, con una voz tranquila y blanca como si estuviera real y verdaderamente narcotizada:

—Carlota, son las diez, vete a dormir. Creo que ni siquiera has cenado.

—Tomé un vaso de leche y galletas, para que no te quedaras sola. ¿Cómo te sientes?

—Creo que muy bien. Voy a dormir. Me alegro de que no haya venido Arnulfo para que no me viera. Nunca me había puesto así.

—Me asustaste —dijo Carlota sonriendo—. Creí que había pasado algo muy malo, como la muerte de alguien, o no sé. . .

Adelina cerró los ojos. Pensaba que la vida puede estar más llena de desgracia que la muerte. Pero no, eran mentiras que ella se decía porque se hallaba en este estado de ánimo. Que viniera Arnulfo pronto porque al fin y al cabo, ella lo había perdonado antes de que pecara y aunque lo hiciera, era mejor que cualquiera.

Cerca de la una de la mañana llegó Arnulfo y ella no lo llamó. Oyó que entraba a su cuarto con las precauciones de no hacer ruido y se quedaba despierto, probablemente dando vueltas, como era su costumbre.

—Anoche tuve un insomnio peripatético de la peor clase —comentaba de vez en cuando.

Al recordarlo, Adelina sonrió. Las cosas no eran perfectas pero estaba Arnulfo y tal vez esta imperfección de su vida, unida a la suerte de que Arnulfo fuera su hermano, establecía un equilibrio especial, el "equilibrio" de cada persona, su forma particular de arrastrar la desgracia y de no morir de desesperación. Claro, cuando hay un elemento benéfico, no se puede morir de desesperación.

Al día siguiente era domingo y Adelina despertó muy tarde y sin deseos de levantarse: Arnulfo estaría durmiendo y Carlota se habría ido a misa con Benjamín. ¿Con Benjamín? Tuvo el impulso automático de saltar de la cama y buscar a Carlota para averiguar si Benjamín había venido a buscarla y se detuvo a tiempo, cuando apenas se había despertado y acababa de poner los pies sobre la alfombra. ¿No le bastaban sus propios problemas? Ella, después de todo tenía una vida suya, especial e imperfecta, ¿por qué intervenir para cambiar la de Carlota o para presenciarla tan de cerca? Ésa era la clave: la lejanía. Podría dar opiniones, ofrecer su buen juicio, pero no era necesario ver las cosas con microscopio... Volvió a meterse a la cama. Xavier no vendría temprano porque tenía un compromiso. Los domingos Xavier comía con ellos y a veces salían todos, también Arnulfo y nunca Benjamín, a dar una vuelta por Chapultepec o la Alameda y terminaban en una buena confitería. Así eran los domingos... o habían sido hasta ahora porque cambiarían al mismo paso que las vidas de ellos adelantaban de una edad a otra.

Adelina no pudo contener el llanto, pero esta vez era suave y no ahogado. Lloraba porque no es posible aferrarse a las costumbres de la infancia, ni a las sensaciones de la adolescencia, ni a los lugares, ni a los rituales pequeños que son la esencia de nuestras vidas.

La casa estaba en silencio. Ni Carlota, ni Arnulfo: dormían o habían salido. Ahora, si se sintiera igual que ayer podría llorar a gritos, pero no era lo mismo. Se arrebujó en sus cobijas y lloró hasta dormirse de nuevo con un sueño ligero que le permitió oír el crujido de la cerradura de su puerta. Era Arnulfo, todavía en pijama y envuelto en una bata gris tan falta de adorno que molestaba verla. Adelina abrió los ojos.

—¿Adela? Son las doce del día.

—¿Ya te dieron tu desayuno?

—Sí. ¿Estás enferma?

Adelina estiró las piernas y se cubrió hasta el cuello.

—Estoy enferma de una de esas enfermedades mañosas que vienen cuando me preocupo.

—¿Qué pasó?

—Se presentó la madre de Benjamín a decir que su hijo no podía casarse con Carlota. —¿Como lo decía con tanta facilidad?, ¿estaría durmiendo todavía? Arnulfo subió las cejas y puso los ojos redondos con un gesto muy suyo de asombro y diversión—. Luego, Xavier le dijo que Benjamín no era más que un estudiante de una carrera poco próspera... La señora por poco se muere; seguramente nadie le había dicho eso. Poco después se fue, así es que no sabemos si hay boda o no.

Adelina había ido ridiculizando el suceso mientras lo contaba al grado de que cuando terminó, parecía un buen chiste que Arnulfo festejó más con los ojos que con la boca.

—¡Pero yo acabo de ver a Benjamín y a Carlota desde la ventana, muy tomados del brazo!

Adelina soltó la risa y se tapó la cara con la cobija. Luego se descubrió y dijo:

—¿No te digo que soy una exagerada? Mira que Carlota es fresca; si eso me llega a pasar a mí, no sé qué hubiera hecho. Xavier no viene a comer. . .

Dijo las dos cosas juntas, descuidadamente. Ocultaba que la razón principal de su disgusto era Xavier pero no lo diría jamás. Por eso había que hablar con ligereza, para olvidar que Xavier no la amaba y Arnulfo había llegado tan tarde.

Arnulfo notó varias cosas a la vez: un rostro inflamado que denunciaba horas de llanto, un motivo secreto que él no debía preguntar, un deseo de olvidar el asunto.

—Vamos a comer fuera.

—¿Tú y yo? ¿Y Carlota?

Arnulfo estuvo a punto de decir un comentario cruel; algo así como que Carlota fuera a comer con su suegra, pero se lo guardó.

—Podemos dejarle un recado. Que invite a comer a Benjamín o algo.

—Pues sí.

—Arréglate. Voy a vestirme.

Arnulfo salió con prisa como si lo mejor fuera irse antes de que Carlota y Benjamín regresaran, antes de que ocurriera algo molesto y Adelina juzgara que lo mejor era quedarse en casa.

Pero no, ella también tenía ganas de alejarse, de ver caras nuevas y hacer algo fuera de la costumbre. Tomó un regaderazo y se vistió, las huellas de lágrimas se irían poco a poco.

Arnulfo sacó el coche mientras Adelina escribía en un pedazo de papel: "Invita a comer a Benjamín. Nosotros comeremos fuera y volveremos temprano. Si viene Xavier que me espere."

—¿Ya tienes hambre? —dijo Arnulfo.

—Sí, espantosa. No cené y no desayuné.

—Vamos a Sanborns, yo también tengo hambre.

—Como gringos, a comer a la una.

Arnulfo sonrió. A veces Arnulfo mostraba una especie de calidad que nada tenía que ver con la belleza, pero era un atractivo físico. Rostro limpio y serio, ojos rasgados, una dentadura perfecta. Cuando no llevaba uniforme, parecía estar vestido con telas demasiado suaves y su cuerpo era menos rígido pero siempre delgado y fuerte.

Dejaron el coche en un estacionamiento de Avenida Juárez y caminaron lentamente, deteniéndose en las vitrinas de las joyerías, cerca de los puestos de dulces garapiñados. Adelina quiso ver unos objetos de plata en un comercio que se extendía sobre la acera.

—Nunca nos cansamos de mirar la plata.

—Mientras no nos cansemos de producirla —contestó Arnulfo. A él también le agradaba ver aparadores—. ¿No quieres comprar algo?

—No —Adelina pensó en las interminables, las infinitas compras que haría con Xavier llegado el momento y el aparador perdió todo su atractivo; estaba por volverse cuando vio una moneda de oro con la imagen de un indio—. ¡Sí! Esa moneda. ¿La ves? —Xavier nunca vería la necesidad de comprar una moneda.

Arnulfo se acercó. Él tenía en casa varias iguales.

—¿Tiene que ser ésa?

—¿Por qué? —Adelina se puso seria como si le hubiera preguntado algo de importancia vital.

—Porque puedo comprarte esa, o darte una igual.

—No, por supuesto. Dame una igual.

Lo dijo con su aire comprensivo, con su inteligencia gentil de todos los días, pero algo la puso triste, algo que la llevaba a reconocerse como la persona que no exige los objetos genuinos sino que se conforma con otros porque al fin y al cabo son iguales. Arnulfo, que la miraba de reojo, rió de pronto.

—Adela, también mi moneda es de oro y vale cincuenta dólares.

—Por supuesto. ¿De qué te ríes? —pero se ruborizó intensamente y Arnulfo se rió más todavía—. Qué tonto eres.

Siguieron caminando. Ella tomaba el brazo de él y hacían una hermosa pareja. La gente los miraba porque marchaban seguros de sí mismos, sonrientes, bien vestidos y ambos tuvieron de pronto una vanidosa conciencia de mostrarse y lucirse, de ser ellos, los Ayala; no importaba el llanto de Adelina ni el desvelo de Arnulfo. En ese momento se amaban entre ellos y a sí mismos, y era domingo, caminaban debajo de un cielo azul sin mancha por una calle amplia y eran, a pesar de los dolores misteriosos dos personas muy jóvenes.

Llegaron a Sanborns, ordenaron y comieron dentro de una especie de ánfora de cristal que los separaba del resto de la gente y los individualizaba. Casi sin hablar, salieron de nuevo a la calle, en dirección a la Alameda: globos, dulces, niños de clase media pobre y dos o tres parejas de la misma edad de ellos. Se sentaron en una plazoleta y sintieron el miedo de regresar a su casa y como si hubieran estado en un baile de disfraces, tener que quitarse las máscaras y las galas brillantes para quedar más desnudos que nunca.

—¿Qué te pasa, Adela?

—No quisiera volver a la casa. A veces lo que sucede a diario. . . cansa.

Arnulfo asintió. Sin embargo, esta vida diaria era la que había conocido y la única a que él tenía derecho.

—Bueno, todo cambiará. . . pronto.

—¡No quise decir eso! Quise decir que la vida de las casas cansa y una salida que no se hace por costumbre es. . . magnífica —lo dijo con vehemencia, apretándole el brazo para que comprendiera—. No creas que quiero irme y dejarte solo. De veras no quiero.

Arnulfo se había acodado sobre sus rodillas y miraba hacia adelante.

—Ya sé que no quieres. Pero hay gente que debe conservarse dentro de las reglas de la vida y tú eres de esas.

—¿Lo desapruebas?

—¡No! Lo que más me dolería es que no las aceptaras, huyeras y formaras parte del otro grupo: los que están fuera del juego desde antes de saber que hay un juego y que por estar fuera, se conforman con hacer imitaciones bastante... chuscas.

A Adelina le zumbaron los oídos y se dio cuenta de que esto le ocurría para no oír las palabras de Arnulfo. Pero no, debía oírlas. Arnulfo miraba ahora a los niños, como diez niños que corrían alrededor de la fuente, gritaban y eran distintos a ellos que ya se consideraban adultos.

—Ya me acostumbraré a estar solo. Por supuesto que a mí no me molestaría que Xavier viviera con nosotros —Adelina se alarmó, ¿de manera que también Arnulfo había considerado esa posibilidad?, ¿iría a proponérselo?—. Pero Xavier tiene todos esos planes acerca de la casa adonde quiere llevarte y, según me parece, está demasiado interesado para pedirle que cambie de idea.

Adelina no sabía si decirle a Arnulfo lo que sentía por Xavier y lo que suponía que él sentía por ella; ciertas verdades sólo pueden soportarse si se poseen a solas y él tal vez no tenía la humildad de alma necesaria para aceptar que Xavier la quisiera en esa forma. ¿O no se casaría? La pura formulación de esta pregunta le dolió con tal intensidad que se llevó la mano al pecho.

—Esa casa es lo que más le interesa a Xavier del matrimonio. Si lo dejamos sin casa, no tendrá la sensación de haberse casado —son extrañas las cosas que decimos cuando van con nuestros pensamientos, pero no al mismo ritmo. Arnulfo la miró muy de cerca, como si quisiera contarle las pestañas.

—¿Crees eso?

Adelina se rió con los ojos cerrados, deseosa de que al abrirlos no estuviera tan cerca la cara de él.

—Un poco. Lo creo un poco.

Arnulfo volvió a mirar a los niños. Esta vez pensaba en otra cosa, en algo que no podía expresarse en voz alta y menos en presencia de Adelina. Pensaba que también en el caso de ella era cierto que las relaciones matrimoniales son asquerosas y ya en ese camino, lo mismo da que existan variantes o no. Si Xavier tiene interés en la casa porque simboliza para él una situación nueva, no va a resultar diferente el matrimonio de lo que hubiera sido si la ilusión de Xavier estuviera puesta en vivir en casa de los Ayala. Se estremeció; pensaba con este cinismo porque era un hombre corrupto que a veces olvidaba que lo era y luego lo recordaba cuando hacía juicios como el anterior.

—¿Tienes frío?

—No. ¿Tú crees que yo soy... una buena persona? —algo quedó en su boca o en su garganta, que se asemejaba a un latido.

—¿Cómo puedo juzgarte si para nosotras has sido tan bueno? Para mí, eres la mejor persona del mundo.

Habló de golpe, como si fueran sus últimas palabras después de haber sido herida de muerte. ¡Qué tormento, tener que escuchar a Arnulfo! Lo raro era que estos sufrimientos no deslucieran el hecho brillante de estar juntos en la calle, ese domingo.

—Adivina qué es lo que más me ha dolido en mi vida.

—¿Qué?

—Es una cosa ridícula —ahora casi no podía decirlo, le daba pudor tener tanta emotividad alrededor de ese hecho mínimo; se decidió—. Una cosa de... mamá —Adelina se puso sobre aviso porque después de muerta ella, la mencionaba en contadas ocasiones—. Cuando murió papá yo tenía siete años y pensé que debía sentarme en su silla porque quedaba al frente de la casa. Mamá entró al comedor y se puso furiosa; nunca la había visto así, ni antes ni después. Me quitó de la silla a empujones y creo que me dio una bofetada. Luego entraste tú con la mujer que te cuidaba y los dos disimulamos; yo fui a sentarme a mi sitio de siempre. No se me olvidó nunca. Cuando regresaba del internado creía que ella iba a darme ese lugar y me desesperaba porque no lo decía...

—Allí te sentaste cuando murió ella. Ahora recuerdo que lo noté y me pareció muy natural.

—Demasiado tarde. Nunca le hagas eso a un hijo tuyo —casi no podía hablar porque unos sollozos viejos, de cerca de veinte años, le obstruían la garganta. ¿Llorar por eso? Sí, y no por otras cosas que parecían más importantes como las muertes y los abandonos y porque en este momento de lucidez le parecía vislumbrar que el enojo de su madre no sólo había sido injusto sino que había tenido "toda" la importancia.

Adelina estaba allí, en la banca, con las manos laxas como si no tuviera fuerza y nada pudiera tocar su sustancia inerte de tan agobiada. Ella, alguna noche, soñaría la escena en que su madre había desplazado a Arnulfo del sitio que le correspondía. . . y para siempre. Extraño el mundo en que las madres disponen de los hijos como si fueran piezas de ajedrez sin siquiera tener conciencia de ello.

—Yo no quisiera tener hijos.

El comentario quedó sin respuesta porque él no recobraba la voz, ni la presencia de ánimo y entre tanto miraba entre nubarrones de lágrimas ocultas a los niños que jugaban. ¿Por qué hoy, domingo, día limpio y de primavera, debía venir la conciencia de esta cosa pasada cuando lo mejor hubiera sido perder, enterrar el suceso para siempre y contemplar a su madre como una mujer libre de culpa, sencilla, muerta? Porque él había sido mil veces noble y la había amado, cuidado y complacido con una fidelidad lejana impregnada del miedo a molestarla. Debía recordar porque su abnegación fue inmensa y nunca se sintió correspondido.

—Algún día perdonamos a nuestros padres. Pero sucede hasta que nuestros errores alcanzan una dimensión mayor de lo que podemos soportar. Los perdonamos porque pensamos que nuestras fallas son imperdonables.

Adelina estaba allí, junto a él, pálida y con los párpados todavía inflamados. ¿Corrompiéndose con esta sabiduría dolorosa sacada a gotas de experiencias fatales? Pobrecita Adelina. Con sus cabellos castaños y rizados y su boca cerrada a medias, dispuesta a escucharlo todo. Arnulfo se levantó de pronto y la tomó de la mano.

—Ven.

Ir de la mano de Arnulfo no era nada nuevo; una vieja costumbre de su infancia. Él la llevaba a comprar zapatos al centro cuando ella tenía ocho o nueve años; la llevaba de la mano a comprar sus útiles escolares, la inscribía en la escuela, iba por ella cuando se hacía tarde. . .

Atravesaron la Avenida Juárez y Arnulfo caminaba de prisa, con algo juvenil y frágil, una sonrisa dolorida, pero no amarga ni cruel.

—¿A dónde vamos?

—Verás.

La llevó a la platería y le compró la moneda.

—¿Envuelta para regalo? —preguntó la dependiente.

—Por favor.

Adelina miraba los aretes por pudor, porque no se atrevía a mostrar la magnitud de su agrado. Arnulfo pagó y recogió el paquetito. Ya en la calle, lo puso en manos de Adelina.

—Gracias —se rió con una carcajada corta e intensa—. Estás loco.

—Estamos locos.

Fueron al estacionamiento con la impresión de haber sido felices en forma desusada y al mismo tiempo, de haber sufrido intensamente, de haberse herido y de estar en proceso de herirse más, sin que de ello resultaran rencores, porque en estar juntos estaba el consuelo y el remedio. Cuando subieron al coche, ella llevaba en la mano el cubo blanco con un inmenso moño rosa que no cabía en su bolsa. Ya se conocía ella: cuando le daban un regalo así, tardaba en abrirlo; meses para quitarle el moño y el papel de china, años para atesorarlo.

Cuando llegaron a la casa estaban en la sala Carlota, Benjamín y Xavier. Adelina y Arnulfo entraron con el aire culpable de quien ha hecho trampas y se muestra contrito porque sabe más, piensa más y se ha divertido más que los otros, lo cual no era de dudarse porque aquellos tres tenían las caras más serias del mundo. Hasta Benjamín, que frente a ellos adoptaba expresiones arrogantes de picardía forzada, saludó a Arnulfo correctamente y en espera de que éste le hiciera alguna observación. Pero Arnulfo le extendió la mano como si ignorara la visita de la madre, con una cordialidad totalmente ajena a la ironía. En cuanto a Xavier, aprovechó la entrada de los otros para levantarse y ponerse en disposición de ir al comedor con Adelina.

De Carlota no podía decirse nada. Mostraba su sonrisa, sus pestañas y su piel. ¿Estaba contenta porque había regresado Benjamín? ¿Incomoda porque Xavier estuvo presente? No se sabía. Pero en seguida los dejaron solos a Benjamín y a ella y se fueron al comedor.

—¿Dónde comieron? —preguntó Xavier.

—En Sanborns. ¿Y tú?

—Terminamos por comer en casa de la madre de Raúl. Muy bien, por cierto, pero con mal ambiente; una falta de cordialidad. . .

Xavier había pasado el brazo sobre los hombros de Arnulfo y se apoyaba en él. Adelina reflexionó que eran dos hombres jóvenes y atractivos y que sin embargo, los verdaderos jóvenes eran Carlota y Benjamín.

—Oye, ¿qué dijo ese muchacho de lo de ayer?

Xavier vaciló un instante, no perfectamente de acuerdo en informar a Arnulfo, pero en seguida recobró el aplomo.

—Mira, dice que no sabía la visita de la madre y que no notó nada especial en su casa. . .

Benjamín había dado a entender que no fue a visitar a Carlota porque se emborrachó con unos amigos, pero Xavier consideraba que él no tenía por qué repetirlo.

—En resumen, como a él no le dijeron nada, la realidad es que la madre no vino. . . —el rostro de Arnulfo mostraba su matiz malévolo.

—¡Cómo eres! —exclamó Adelina.

Arnulfo se rió. Tenía una vitalidad que no se conformaba con oír los comentarios medidos de Xavier y aceptarlos para no disentir abiertamente.

—Imagínate. La madre vino ayer a avisarnos que no hay matrimonio, y él se presenta hoy para que sepamos que todo es igual y no ha pasado nada. Si esto se repite, llevaremos una vida doble.

—¿Piensas intervenir? —Xavier lo miraba con ojos pensativos; temía los arranques de Arnulfo sin conocerlos porque proyectaba esta fuerza, esta falta de escrúpulos.

Arnulfo quedó en suspenso. ¿Pensaba decirle al muchacho que se fuera para que Carlota se pasara unos meses llorando y terminara por casarse con otro igual?

—No. Si se acaba este noviazgo, se encontrará otro Benjamín, las mujeres siempre se enamoran de la misma persona —se arrepintió de haberlo dicho porque sonó desagradable, colmado de desprecio e injusto: también los hombres se enamoran de la misma persona—. Hasta miedo da.

—¿Qué dices? —preguntó Xavier.

—No sé qué digo. Se me ocurrió que todos nos enamoramos de la misma persona y entonces, lo que da miedo es descubrir la clase de persona que... —contestó Arnulfo sin dejar de mirarlo y fue Xavier quien bajó los ojos. Pensaba sin duda en la raza de mujeres, todas gemelas, que él podía amar y en que ninguna se parecía a Adelina.

Y Adelina lo sabía: Xavier tranquilo, fino, culto, veraz y distraído amaba a estas mujeres que tenían la sonrisa desbordada, la mente confusa, la sexualidad a flor de piel. Y ella, que era clara, inteligente, valiente, no despertaba su ternura.

Arnulfo notó que el rostro de Xavier se había ensombrecido y adivinó la razón. Pero no, este matrimonio tampoco era importante. No era importante porque ellos estaban destruyendo las buenas razones para vivir y entonces no importaba que Xavier no quisiera a Adelina, ni que a Carlota le esperara un futuro de necesidades y privaciones que le rompiera la sonrisa para siempre. La vida perdía valores y ninguno de los tres era capaz de lanzarse a defenderlos.

—Xavier tiene cara de suicida —pensó Arnulfo y jamás

lo hubiera dicho, pero Adelina, con la moneda de oro envuelta en papel de china y el moño rosa, no necesitaba de él para saberlo.

En el rostro de Xavier estaban el vacío, la indiferencia, la falta de iniciativa total y esto, tan claro para Adelina y para Arnulfo, era tal vez ignorado por el mismo Xavier. Entonces, Arnulfo tuvo miedo de las palabras; le parecía que cada aclaración era más sucia que la otra, ponía de relieve más cosas fuera de sitio, mayor apatía para enmendar errores.

—Pareces un romántico del siglo pasado —tenía que decirle algo, no podía callar.

—¿De los que se suicidan? —lo había captado y Adelina tenía los ojos alarmados como los de una paloma después de un tiroteo—. ¿O de los que hacen drama, pero no se suicidan?

Por primera vez ponía a Arnulfo en un aprieto y jugaba al mismo tiempo con su aspecto, con sus sentimientos y con el sentido profundo de su vida.

—Esa respuesta debes dártela solo —se lo dijo con sequedad, como si fuera un juez, o Dios. Adelina tuvo miedo.

—¿Por qué estamos hablando de estas cosas?

Xavier no lo sabía, pero Arnulfo tenía una grave conciencia de ser él quien provocaba estas conversaciones porque había vuelto la naturaleza al revés, porque la vida para él se sostenía en equilibrio sobre una sola mano, porque había ensuciado todos los pensamientos, todas las posibilidades, todas las realidades y también porque intentaba corromper, deprimir y entristecer a las personas que lo rodeaban.

Entonces se visualizó como un monstruo, se aterrorizó de serlo y comprendió que el suicida debía ser él, pero no lo sería porque era tan distinto a Xavier y tenía abiertos caminos negros que estaba dispuesto a explorar y que no se acabarían mientras él estuviera vivo y dispuesto. Xavier sí, Xavier moriría porque tenía cerrados todos los caminos. Tuvo ganas de ir a la calle a buscar alguien para llevarlo al departamento discreto y bien amueblado con pocos muebles, para afirmar su maldad y su vida y de dejarlas con estos novios que serían los maridos del futuro, ya gestada la infamia de su desgracia, ya casi en el pleno antagonismo de sus relaciones conyugales, listos para besarse, cohabitar, odiarse, ensalivarse, morir mil veces de fastidio y vergüenza...

Adelina, con su moneda envuelta, sin mover las manos y sin saberlo, lo detuvo; aunque fuera un monstruo no se atrevía a deshacer la integridad de la comida en Sanborns, del paseo por la Alameda y todas las sensaciones de luces, colores y sonidos que habían compartido: los gritos de los niños aquellos.

Arnulfo estaba más pálido que Xavier y más nervioso; uno de sus párpados saltaba levemente y había enredado los flecos de la cubierta roja que colgaba de la mesa. Debía verse ridículo con la cubierta agarrada, la dejó caer de golpe y sonrió. Arnulfo no tenía la sonrisa de Carlota, ni la de Adelina, pero sí unos dientes perfectos.

—Voy a leer un rato. Aquí los dejo.

Salió, aparentemente sin prisa, y lo oyeron subir a su cuarto paso a paso, como si contara los escalones.

...que yo me otorgase luego sin réplica alguna por su legítima esposa, y le diese la posesión de mi reino, junto con la de mi persona. DON QUIJOTE

cuarta parte

No era desagradable estar con tía Adelina, pero era diferente. Con mamá las cosas tomaban un aire cotidiano que disimulaba sus imperfecciones, pero con tía, todo podía ponerse en tela de juicio aunque se tratara de la más vieja costumbre.

—¿Conque tú te lavas los dientes al despertar y no al acostarte?

—Sí.

—¿Y qué ganas con tenerlos sucios toda la noche?

A Mario le daba una especie de humillación con risa y acababa por colgarse del cuello de Adelina. Gloria, en cambio, se alejaba murmurando insolencias: "vieja metiche" y "gorda entremetida" eran sus favoritas y Mario se veía entre dos lealtades porque su natural cariñoso lo inclinaba a dejarse llevar por Adelina y al mismo tiempo tenía con Gloria los pactos secretos y por lo tanto la obligación de compartir el odio contra Adelina.

—Tiene una casa enorme para ella sola y su marido.

—¿El tío Ramón?

—No es tío nuestro porque no lleva nuestra sangre; los parientes políticos no son parientes. Tiene esa casa y no nos lleva nunca. Será por miedo de que la echemos a perder.

—Mi papá dijo que no fuéramos porque nosotros no tenemos nada que hacer en una casa tan rica.

—Tonterías. La verdad es que ella no nos invita.

—Llevó a Concha de vacaciones a Acapulco.

—Pero no a su casa.

—Mi papá. . .

—¡Cállate! Si eso fuera cierto, ella tampoco podría venir a nuestra casa porque somos pobres. Y ya lo ves, no sale de aquí.

—¿Somos muy pobres?

—Horriblemente. Concha y yo somos las niñas más pobres de nuestro colegio. ¿No ves que siempre tenemos los zapatos más rotos que cualquiera?

—¿Eso se conoce en los zapatos?

—En los zapatos y en los calcetines.

Esto le producía a Mario un gran alivio; si no era más que eso, podía remediarse fácilmente. Pero no, la pobreza era efectivamente más que eso: era una cosa indefinible que tenía que ver con los sabores, con los olores y tal vez hasta con los colores. Por ejemplo, las salchichas que les sirvieron en un café adonde los llevó Adelina, tenían otro sabor que las de su casa y Adelina misma olía diferente a su madre y a sus hermanas.

—Ser pobre es la desgracia más grande del mundo.

—Y, ¿por qué somos pobres?

—Porque papá no sirve para nada. En vez de vender refacciones como el tío Ramón, se pasa los días diciendo que va a escribir un libro.

—¿No dices que no es tío nuestro?

—No estamos hablando de eso, tonto, sino de papá.

—¿Cómo sabes eso de papá?

—Todo el mundo lo piensa, aunque no lo diga, eso se nota. ¿No te has fijado con qué cara va a su trabajo? Se ve a leguas que no hace nada.

Siempre hablaban de las mismas cosas: de Adelina y de su marido, de la pobreza y de la supuesta flojera de Benjamín. Ahora, por supuesto, tenían otro tema.

—Entonces, si papá se fuga en un barco de vela, ¿qué pasa?

—¡Ay! ¿Cómo ha de ser en barco si en México no hay mar ni ríos? A ver, ¿qué ríos conoces?

—No. No hay. ¿En que se fugaría?

—A pie —este prosaísmo de Gloria la hería más a ella que a Mario porque se apegaba a la realidad que ella veía, en tanto que para él todo era imaginación.

—¿A pie? ¿Con su maleta? ¿A dónde iría? —Mario no se decidía a mencionar un país determinado o un continente. Benjamín acabaría en la India o en algún lugar del África. . . pero Gloria no iba a aceptarlo, porque según él había observado, ella tenía una fuerte tendencia a negar cuanto los demás afirmaban.

—Irá a cualquier parte donde no sea necesario trabajar.

—¿Qué lugar será ese?

—No sé —Gloria no llegaba a tanto en su escepticismo. Tal vez había un sitio donde nadie hacía nada y la gente era feliz.

Estaban en la calle, sitio de sus intimidades, sentados en un zaguán, como a diez metros de la entrada del edificio, lugar desde donde tenían la ventaja de vigilar la puerta de su casa y no ser vistos por los que entraban a ella. Adelina les dio dinero para comprar refrescos y se tendió en la cama de Concha "a descansar un rato".

—La tía Adelina odia los refrescos.

—Pero nos dio el dinero para que saliéramos un rato y no hiciéramos ruido. Lo que pasa es que quería dormir.

Mario tocó el peso de plata que tenía dentro del bolsillo. Gloria no podría desfigurar las cosas que él amaba, porque al fomentar este mundo aparte en que ambos se movían, trasladaba a su hermano a un nivel imaginario donde no importaba que tuvieran su sitio las cosas más vulgares sin que por ello adquirieran vigencia de realidad.

—¿Cuánto tiempo hace que no teníamos dinero? A ver si te acuerdas.

Mario meditó un momento y luego se dio por vencido sin haber intentado recordar.

—No sé.

—Pues desde una vez que vino la tía y nos echaron a la calle porque mamá le pidió dinero prestado y la tía quería darle un regaño y luego el dinero.

—¿Así hace ella?

—Así hace todo el mundo. Tú pides dinero prestado y primero te insultan y luego te lo dan —la idea sedujo a Gloria por un momento—. Por ejemplo, yo te pido tu peso y tú me dices: niña tonta, trabaja en vez de pedir prestado, eres una floja. . . pero te lo doy por última vez y no se te olvide devolvérmelo.

—Yo no quiero prestarte mi peso y tampoco quiero regañarte.

—¡Tonto! Si no es de verdad, es nada más para explicarte.

—Ah, vaya —Mario se tranquilizó pero no sonrió porque estaba pensando en Carlota y el recuerdo de su madre se le presentaba como diferentes alfilerazos, más o menos fuertes, que él trataba de ocultar porque frente a Gloria, su nostalgia debía ser sólo de Gloria—. ¿Qué estará haciendo Concha?

—¿No la conoces? Durmiendo junto a la tía... para hacerse la muy grande y que ya creció.

—Sí, es cierto —tal vez si preguntaba por todos los miembros de la familia no se vería mal que la conversación recayera sobre Carlota—. ¿Y Benjamín chico?

Mario no sospechaba que la pregunta temida por Gloria verdaderamente era ésta. Porque Carlota era tan normal que de su ausencia nada grave podía esperarse y Benjamín grande siempre faltaba de la casa, pero Benjamín chico...

—Pues quién sabe.

—Habrá ido a comer a un restaurant.

—No tiene dinero ni para una torta. Le dan para sus camiones y muy de vez en cuando para que vaya al cine. No es justo.

—Pero si en la casa no hay dinero...

Gloria no contestó. No tendrían dinero, pero su padre compraba libros que no leía jamás, salía con amigos y comía fuera. No era posible que otras personas pagaran sus gastos. Tal vez no eran tan pobres, lo que ocurría es que su padre malgastaba el dinero en vez de dárselo a su madre o que ella, a su vez, no lo pedía con verdadera insistencia. Su madre era... era estúpida, pero Gloria tenía el extremo pudor de no confesárselo ni siquiera mentalmente.

—¿Y mamá? —ahora sí era lógico, pero Gloria había notado el proceso. Tomó una de las manos morenas y gruesas de su hermano.

—Voy a cortarte las uñas.

—Pero hasta la noche, cuando me bañe.

Ella le hacía estos pequeños servicios sin que nadie se

hubiera puesto de acuerdo en ello, sólo porque era tan activa y tan hábil desde pequeñita. Cuando Carlota estaba ocupada en la cocina o encerrada con Benjamín, Gloria quedaba a cargo del niño más pequeño y lo atendía con esmero porque recordaba la primera infancia de ella y de Concha, cuando aparecía Adelina a media mañana y las restregaba con una especie de ansiedad y de rabia contra Carlota que no encontraba tiempo de asear a sus hijas. Tía Adelina nunca había hecho eso con Mario gracias a ella; Concha no se daba cuenta de nada.

—Bueno, mamá tenía que salir alguna vez a la calle —era la condescendencia, con él y con la madre—. ¿No ves que nunca come fuera?

—Nunca. Siempre está aquí en la casa y cuando llegamos ya hizo la comida. ¿Por qué no habrá hecho comida?

Gloria tuvo una sensación de desánimo; los sucesos no coincidían y las versiones que le daba a su hermano quedaban incompletas. ¿La verdad? Para Gloria existían dos esencias de la verdad; una era la suya, imponente y amarga; otra, aquella que manoseaban los adultos y a veces se tiraban entre ellos como si fuera una pelota, la verdad oficial.

—Mira...

—¿Qué? —la mirada de Mario no era tranquila, pero no llegaba a ser desesperada. Gloria hubiera dado cualquier cosa por no ver en el rostro de su hermano una expresión así y, por otra parte, tenía a veces el impulso sádico de provocársela.

—Te voy a leer la mano como las gitanas.

Ese juego era el preferido de Mario, con la dificultad de que nunca sabía qué decir cuando le tocaba leer la mano de Gloria o la de Concha. En seguida se puso atento.

—Ponla floja, tonto. Si la pones dura se ven menos las rayas. Ah, esta maraña que tienes aquí...

—¿Qué es maraña?

—Un montón de hilos enredados... Pues quiere decir que vas a viajar al África.

De los continentes, el preferido por Mario era África:

negros, elefantes, leones, selvas, desiertos; las ciudades todavía no desarrollaban para él su encanto especial.

—Sí. Y ¿qué más?

—Esta rayita es que vas a ir de cacería con un rifle muy grande.

—¿En un elefante?

—Cazan en jeep.

—¿Sí? ¡Qué feo! En jeep no quiero. ¿No dice si puede arreglarse que vaya de otro modo?

—No dice —Gloria tenía las cejas fruncidas como si lo que decía fuera fruto de una intensa concentración—. Dice que vas a ser ingeniero.

—¿No abogado como papá?

—No, porque los abogados no ganan suficiente y luego a sus hijos les hacen falta muchas cosas.

—De veras. ¿Qué va a ser Benjamín chico?

—Nunca lo ha dicho, pero tiene que decidirse el año entrante porque ya es tiempo. Él ya es grande.

—Está lleno de pelos.

—¿Sí? No me había fijado.

—En la cara tiene pocos. Casi nunca se rasura... Concha también tiene pelos en las piernas.

—¿Por qué hablas tanto de pelos? Yo estaba leyéndote la mano.

—Sí. Sigue.

—Vas a tener... tres hijos.

—¿Sí? —la cara de Mario no expresaba alegría—. ¿Por qué mejor no tengo dos? Tres son muchos.

—Niño, tres es uno más que dos de manera que no pueden ser muchos.

—Sí son muchos. Se van a morir de hambre —retiró la mano y cruzó los brazos.

—¡Uf! ¿Quieres que siga leyendo o ya no?

—Sí.

—Te casarás con una señora rubia... —Mario soltó una carcajada—. ¿De qué te ríes?

—De cuando le dijiste a Concha que iba a casarse con un cojo y se puso a llorar.

—La muy animal —Gloria nunca había podido decidir si Concha le parecía más tonta que Carlota o al contrario, pero de cualquier manera no era cuestión de discutirlo con Mario—. Ahora léeme tú la mano.

—Pues... este... —la mano de Gloria era pequeña y flaca, muy dura, con las uñas muy cortas—. Parece de changa.

Gloria la retiró. ¿Por qué Mario, que era un niño tan bueno, la ofendía hasta ese punto? Todo porque ella no tenía las manos de Concha, blancas y suavemente carnosas.

—No te enojes. Es que no lo sé hacer bien —Mario era noble, dulce, bueno; volvió a poner la mano entre las suyas—. Mira, aquí dice que vas a casarte con un rey del África.

—¿Negro?

—Blanco, pero del África. Y vas a tener camiones de dinero para comprarte ropa y vas a oler mejor que la tía.

—¿A qué huele ella? —bien que lo sabía, pero hubiera querido que no fuera cierto, desacreditarla y brillar a solas frente a Mario.

—A belleza. A pura belleza.

Gloria se rió a carcajadas. Mario quería decir "a salón de belleza" y no encontraba las palabras adecuadas.

—Se lo voy a decir.

—No le hace, no es malo... Y vas a tener como treinta hijos.

—¿Treinta? No se puede. Leí en un periódico que cuando mucho dieciocho o veinte.

—Y, ¿cómo hubo un rey que tuvo cincuenta?

—Ah, un rey, pero no una reina. Los hombres sí pueden, pero las mujeres no.

—¿No pueden? Pobres.

—Pobres de ellas si pudieran. ¿Te imaginas qué horror? —Mario no se imaginaba nada y ya estaba pensando en otra cosa.

—¿Mamá fue a buscar a papá o se fugó con él?

Gloria tenía dos respuestas. Escogió la que le pareció mejor, pero no más cierta.

—Yo creo que tuvo que salir de urgencia para arreglar un asunto. Pero ya no tarda.

—¿De urgencia como la Cruz Roja?

—Sí, más o menos —iba a agregar que el servicio de la Cruz Roja era de emergencia y no de urgencia, pero le pareció que no valía la pena.

—¿Qué asunto?

—Pues no sé. ¿Cómo voy a saberlo?

—¿No nos estará buscando la tía?

—No. Está durmiendo. ¿Has visto como duerme? Ronca con la boca abierta, como una foca.

No era cierto, pero haría reír a Mario. Él se rió.

—Pobre.

—Pobre. ¿Por qué? Tiene mucho dinero y se pasea y su casa es muy bonita.

—No tiene niños.

Esta veta sentimental de Mario la contagiaba y a veces, ella también hubiera querido conmoverse, pero odiaba llorar por motivos así. Le parecía injustificado y estúpido.

—Pero nos tiene a nosotros y a cada rato nos viene a ver.

—¿Te hubiera gustado ser hija de ella?

A Gloria le latió el corazón. Mario acaba de preguntarle algo que hacía eco en su cabeza y lastimaba su orgullo. Ella, durante años, había rezado todas las noches para que Dios la convirtiera en hija de Adelina. No ocurrió; por más súplicas, oraciones y hasta amenazas, Dios la condenó a ser hija de Carlota y de Benjamín, hermana de Concha y de Benjamín chico que nunca les hizo caso a sus hermanas. . . Ser hija de Adelina, cuidada y mimada por ella, vestir al gusto de ella, salir a la calle con la sensación de ser parte suya y vivir en su casa con sus muebles entrevistos en pocas ocasiones.

No sólo no se había convertido en hija de Adelina, sino que ésta prefería a Concha. ¿Por qué? ¿Con qué criterio? No se lo explicaba y entonces odiaba a Adelina y se sentía capaz de contrariar todos sus deseos, de desacreditarla a los ojos de cualquier persona y a los de Mario, porque Mario era la única satisfacción que ella encontraba en su casa y una razón de peso para no dejarla. Por ejemplo, el tío Arnulfo dijo que un buen día llevaría de viaje a Concha o a ella; un viaje a los Estados Unidos, ella venció la timidez que le provocaba este hombre a quien veía tan poco y le dijo:

—Yo quiero ir. Me va a gustar más que a Concha y siempre doy menos lata.

—Lo tendré en cuenta —contestó Arnulfo gravemente.

Gloria se perdió en infinitas fantasías... debía dejar a Mario. Claro, el viaje sería corto y a Mario no iba a pasarle nada porque quedaba en su casa con sus padres y con sus otros hermanos, pero... Dos o tres días después de haberse propuesto como candidato al viaje, deseaba intensamente que Arnulfo olvidara el asunto, porque si así no sucedía tendría que rechazar la oportunidad: jamás se separaría de Mario porque él, real y efectivamente, la necesitaba.

Por otra parte, el tiempo la había afianzado en su actitud mostrándole ciertas cosas como una imagen rapidísima de su hermano Benjamín en la calle, vista desde el autobús escolar: un muchacho taciturno, astroso, más descuidado que los vagabundos, los limosneros y los vendedores de periódicos; una mezcla de suciedad, harapos y abandono. Vio a los otros niños que venían con ella, ¿ante cuál de ellos se atrevería a confesar que Benjamín era su hermano?

Cuando regresó a su casa fue directamente al ropero de Benjamín. Tenía un saquito que había sido de su papá, unos pantalones grises y varios de mezclilla, todos en mal estado, pero ninguno como los que en ese momento llevaba puestos. ¿Por qué a Benjamín "le gustaba" verse así? En el alma de Gloria nació una heroicidad a prueba de tentaciones: la de impedir, bajo todos conceptos, que Mario fuera igual. Si pudiera disponer de dinero, sería fácil comprar ropa y tirar la vieja. Pero no, ellos nunca tenían dinero, ¿entonces? Había una solución doble: tratar de que la ropa de Mario estuviera presentable por medio de continuas revisiones y meticulosos remiendos que le había enseñado una maestra a ruegos suyos y por otra parte inculcarle el gusto por la limpieza y la buena presentación a riesgo de que llegaran a molestarle las imperfecciones de su mínimo vestuario.

Gloria era firme como una adulta de carácter fuerte, inteligente como una muchacha mayor, previsora como una anciana. Examinó a Mario con atención: llevaba el suéter de la escuela con el escote perfectamente remendado, las manos limpias, los calcetines zurcidos y los zapatos engrasados. Ésa era su obra.

—No debes apurarte porque mamá no viene. Nosotros siempre hemos sido como huérfanos.

—¿Qué? —el tono de Mario era de alarma.

—Yo te cuido, te despierto en la mañana y te doy tu ropa. Si no está ella no se nota la diferencia.

No estaba convencido. Ese razonamiento de Gloria tenía mucho de extraño y algo de injusto. Era cierto que dependía más de ella que de su madre.

—Ella hace la comida.

—Sí, pero parecemos huérfanos.

Si Concha hubiera estado presente hubiera expresado su inconformidad en todas las formas posibles: ella tenía sus papás y por eso era más feliz que otros niños que a su vez poseen otras cosas. Gloria se rió quedamente, con ironía; su hermana era de esas niñas que leen una fábula moral y creen que se trata de su vida.

—¿Sabes por qué?

—No.

—Porque nuestros padres se quieren mucho. Cuando es así, no tienen tiempo para sus hijos.

Éste era el revés de la medalla y exactamente lo contrario de lo que les explicaba en la escuela una señora de buena familia dedicada a "formar" a las niñas espiritualmente.

—Sean ustedes buenas esposas, escojan bien sus maridos para luego poder tratarlos con respeto y amor. Entonces verán cómo se hacen dueñas de hogares felices, cómo sus hijos crecen dichosos y puros. . .

Mentira. El respeto y el amor eran los encerrones de horas en la recámara mientras los niños lloraban, tenían hambre o se pegaban. Servir al padre peor que una criada porque él no tenía miramientos ni cortesía y aparentemente no venían al caso. En cambio, en la otra calle, vivía una viuda que adoraba a sus hijos, los llevaba a todas partes y los vestía como si fueran muñecos. ¿Qué quería decir esto? Ya había sacado las conclusiones: los padres que se aman son una maldición para sus hijos. También suponía Gloria que hay otras clases de amor, formas benéficas, pero conocía sólo uno: el de ella por Mario. Los demás estaban sujetos a la suspicacia.

—Mira. Mira.

Mario señalaba la esquina. Allí estaba Carlota y según apariencias acababa de bajarse de un camión. Pero no caminaba, veía la calle con indiferencia, no atravesaba.

—¿Vamos a buscarla?

—Espérate —pensaba que sería mejor esconderse hasta que Carlota entrara y luego llegar; todo por falta de franqueza—. Pero no. Ve con ella. Yo me quedo aquí.

La expresión de su madre, inclusive a distancia, le dio lástima. Carlota estaba allí como perdida, con la bolsa en la punta de los dedos y no enganchada del brazo. Mario salió corriendo y se le abrazó a la cintura. Vio que Carlota lo apretaba a su cuerpo sin inclinarse a besarlo y le hacía preguntas fáciles de adivinar.

—¿Quién les dio de comer? ¿O no han comido?

Mario le dio las explicaciones del caso y llegaron hasta el edificio. Entraron. Gloria se quedó en su zaguán en espera de Mario; así era siempre, hacía lo que se ofreciera, y luego regresaba a buscarla adonde la hubiera dejado. Así fue.

—¿Qué te dijo?

—Que se le hizo tarde.

—Ah. ¿Ya despertó la tía?

—En cuanto entró mamá, despertó la tía y salió a verla. ¿Sabes qué le dijo?

—¿Cómo voy a saberlo?

—"Esto es el colmo." Y mamá contestó: "Perdóname, pero no te entiendo."

—Ah. ¿Y Concha?

—Concha seguía durmiendo... creo, porque no la vi. Luego la tía dijo: "Mario, ¿dónde está Gloria? Ve con ella un rato." Y yo me salí.

—Vamos a oír qué se dicen.

Subían por una escalera interior destinada al servicio, entraban a un patio mínimo y allí podían oír lo que se decía en la cocina, en el pasillo y en el dormitorio de los varones. Carlota nunca se cercioraba de que el cerrojo estuviera corrido, de manera que sus hijos entraban y salían por esa parte de la casa y también hubieran podido hacerlo otras personas. Adelina dijo un día:

—Carlota, si no entran ladrones aquí es porque no quieren.

—O porque se imaginan que no tenemos nada. ¿Qué crees tú que podrían robarnos?

Adelina titubeó y pensó en unos aretes de perlas que eran de la madre de ambas y que Carlota había usado el día que se casó. No le dijo nada; sabía que los aretes habían estado tres veces en la casa de empeño puesto que las dos últimas los rescató ella. Si se los robaran sería un descanso para ambas, tenía razón Carlota.

Gloria y Mario entraron y se colocaron debajo de la ventana de la cocina; de allí venían las voces. Mamá debía estar sentada junto a la mesita y la tía cerca de la estufa.

—¿Cómo dices que se llama? —preguntaba Adelina.

—Irene, Irene Vlady —la voz de Carlota venía tranquila y sin entonación.

—¿No digo bien que estás loca? ¿Cómo se te ocurrió ir a meterte a su casa?

—No me hizo nada. Es una mujer de costumbres muy especiales, si tú quieres, pero me trató muy bien.

—¿Qué fuiste a decirle? No me digas que le reclamaste...

—No.

—¿Quieres el huevo tierno o bien frito?

—Ay, Adelina, como quieras. Fui para ver si era cierto que Benjamín iba a quedarse con ella. Yo pensaba decirle que lo admitiera, que se quedara con él en serio para que nosotros nos viéramos libres de todas las acusaciones que nos hace: dice que por nosotros no prospera, que por eso no puede escribir el libro...

—¡El libro! ¡No puede ser! ¿Es el mismo libro aquel que decía su madre?

—La verdad es que él, su madre y sus amigos, nunca han dejado de hablar del libro —Carlota se lo había ocultado a Adelina porque adivinaba su reacción, pero ahora, le parecía enteramente sin importancia.

—Dios mío, hay gente para todo. Entonces él va a vivir con esa Irene para escribir el libro.

—Pues...

—Toma, ¿quieres pan?

—Sí, gracias.

—¿Té o café?

—Pon agua para té, porque en casa de ella me tomé como tres cafés...

—¿Tres cafés? Pues claro, si estuviste con ella quién sabe cuántas horas.

—Pero ya siéntate. Me pone nerviosa que des vueltas.

—Tienes razón —Adelina se sentó junto a la mesa de la cocina y en seguida vino el tic: dos contracciones. Al sentirlo le dio entre tristeza y enojo. ¿Le importaba tanto este lío? No. La verdad era que nada le importaba y sin embargo el tic parecía contradecirla. ¿Cuántas veces había tenido este movimiento nervioso a propósito de cosas que le eran enteramente indiferentes? ¿Qué podía haberle dicho Carlota a la pintora? Nada especial, por desgracia.

—¡Que cara tienes! —dijo Carlota en vez de contar la visita; luego se rió—. ¿No será que mis hijos te han hecho horrores? —en cuanto se rió empezó a sufrir real y verdaderamente; el dolor se portaba como un pez que nada debajo de la capa de hielo de un lago en invierno; sólo se le ve en alguna grieta.

—No. Tus hijos son buenos. ¿Qué contestó cuando insististe en que aceptara a Benjamín?

—Que no, de ninguna manera. Ay Adelina —no sabía si exponerse a los ojos de su hermana con las palabras que no había dicho en años o recatarse y que ella se diera cuenta si quería, como por lo demás había hecho hasta ahora.

—No entiendo nada —otra vez el tic.

—Yo fui decidida a terminar para siempre con Benjamín, pero quería que quedara claro. Mis razones y que era para siempre. Benjamín dice que necesita cambiar de vida y tiene razón. Eso fui a decirle, pero entonces. . . —Carlota se olvidó de Adelina. Todo era sufrimiento, ella se sentía inundada y no podía ocultarlo—. La verdad es ésa. Me dijo que no.

—¿No qué?

—Que no recibiría a Benjamín.

—¿Pero Benjamín no estaba en casa de ella?

—No, estoy segura. ¡Y ella ni siquiera sabía que él podía presentarse en cualquier momento! —Carlota se tapó la cara con las manos. Era, como muchas veces antes, incapaz de llorar, pero podía sentir esta vergüenza honda cuando decía las cosas en vez de callarlas y dejar que los otros las interpretaran.

—¿Era mentira?

—No, no era. Era. . . una estupidez de él.

Adelina sentía la vergüenza de Carlota y trataba de darle al asunto un sesgo práctico, algo que detuviera esta tormenta que estaba en los ojos cerrados y en los puños de su hermana.

—Come. ¿No?

Carlota asintió y empezó a comer lentamente.

—No estoy preocupada por Benjamín; regresará tarde o temprano. Se ha de haber ido caminando, o estará en alguna cantina, o. . . cualquier cosa de ésas de siempre. Es que. . .

—¿Qué?

—Cuánta palabra inútil. ¿Te das cuenta de que este hombre se pasó la noche entera dándome lata con un asunto inexistente? Lo ha hecho muchas veces, pero hoy yo me porté como si fuera él, porque creí todo. Adelina, este hombre es un iluso y yo ya estoy igual que él. . .

Le hago caso, le creo y voy a dar a una casa extraña donde ni siquiera sospechan. ¡Qué horror!

Adelina estaba sorprendida. Nunca, desde que Carlota era niña, la había visto juzgar a nadie, expresar opiniones con libertad y sobre todo no temer las reacciones ajenas, en este caso, las de ella.

—Cálmate. ¿No quieres una pastilla? Traigo unas en mi bolsa.

—No. No es nerviosidad, es... —comió un pedazo de pan laboriosamente y no dijo qué era—. Por fortuna llegaste. Si no, no sé qué iban a hacer estos niños.

—No les dejaste dinero.

—El dinero del gasto está aquí en la casa... pero Concha no lo sabía.

Adelina iba a preguntarle de cuánto dinero se trataba y así enterarse de lo que ella debía darle, pero decidió dejarlo para después. Prendió un cigarro.

—¿No habías dejado de fumar?

—Tiempo pasado. Me gusta demasiado y como aquí están éstos. ¡Qué mal saben!

—Ya te desacostumbraste.

—Puede ser.

Los niños, sentados en el suelo de mosaico, en medio del bote de basura y un tanque de gas, no decían palabra ni se movían. Gloria escuchaba con toda atención, adivinando con su oído finísimo hasta los movimientos que hacía su madre con los cubiertos. Mario, con la cabeza en el hombro de ella, había cerrado los ojos y por su respiración acompasada se sabía que empezaba a dormirse. Gloria no se hubiera dormido porque a su edad el sueño ya no es fácil y porque estaba demasiado atenta y contagiada ya de los sentimientos de su madre y al unísono de la reserva impaciente de Adelina.

—Que lo cuente todo de una vez. ¿O ya no tendrá nada que contar? —dijo en voz baja. Ya sabía ella que la fuga de Benjamín era mentira porque no era capaz ni tenía fuerza para acometer ninguna aventura. Sin embargo, había descubierto que ser iluso era una característica básica del carácter de su padre. Hablaba de cosas imaginarias y actuaba en consecuencia; por ello, nada suyo era serio ni tenía sentido, ni valía la pena. Además, la impresionaba que esta manera de ser existiera en forma estable y como parte normal de la vida de alguien, de muchos tal vez. Hizo un gesto de desprecio. ¡Qué poca cosa tenía que ser la gente para aceptar la vida en esos términos! ¡Qué basura debía de ser su padre! Pero seguían hablando en la cocina.

—Lo que más me duele es haber sido tan tonta. Oigo las mismas cosas que he oído siempre y resulta que las creo —hizo una pausa—. Me gustaría tomarme una cocacola, no me digas que engorda. Pero no es verdad, lo que más me duele es lo que ella, la pintora, piensa de Benjamín. En primer lugar, casi no lo conoce, lo ha visto dos o tres veces.

—¿Te habló mal de él?

—No, al contrario, habló de él como si fuera persona graciosa, simpática. Pero yo sentí que era por hacerme un favor, por tratarse de mi marido, y que en realidad pensaba que Benjamín es una soberana lata y... un hombre sin importancia, que no cuenta. Y, ¿cómo había de contar si ella es amante de un hombre rico?

—¿Ella te lo dijo?

—Sí. Así como para probarme que era imposible que recibiera a Benjamín —Carlota se estremeció—. Si vieras qué mal me sentí... como si yo hubiera sido la dueña de una manzana podrida y estuviera proponiéndole que la aceptara como si fuera una perla. Hice el ridículo.

Lo confesaba así, sin llanto, sin subir la voz, con una tristeza profunda y sin esperanza como hubiera podido aceptar una muerte imprevista o una enfermedad incurable.

—¿Cómo te sientes?

—Muy tonta. Muy, muy tonta.

—Quiero decir que si te cayó bien la comida.

—Sí...

—¿No quieres recostarte?

—Vamos a mi cuarto.

Allí estaba la vieja cama matrimonial que a Adelina

le daba escrúpulos porque era el sitio del sexo y de la pasión, razón por la cual siempre iba a las de los niños y en general las camas eran un asunto muy personal y casi sagrado... Adelina se sentó en un sillón muy usado y Carlota se echó en la cama con los zapatos puestos.

—Vas a ensuciar tu colcha —Carlota dejó caer los zapatos desde arriba—. ¿Estás tranquila? ¿No quieres que se haga algo por buscar a Benjamín? —pensó en la voz de Arnulfo cuando supiera que Benjamín se había perdido; pero estaba obligada a hacer el ofrecimiento.

—Ha de estar borracho. ¿Cómo había de ir a casa de ella si nadie lo esperaba? Era absurdo buscarlo allá.

—¿Esperabas encontrártelo?

—Pues... sí. Quería decirlo delante de él para que quedara bien claro.

—Estás loca. No hubiera resultado.

—No. ¿Verdad? Todo me falla —Carlota miró el techo, las paredes, el viejo tocador que trajo de su casa... todo recordaba las actitudes de Benjamín en el campo amoroso. Ese cuarto era el sitio del amor, de la entrega absoluta por medio del sexo; una fortaleza adonde ella podía retirarse a defender con las mejores razones cuanto había entre ella y su marido. Pero no lo hizo, sino que empezó a decir las cosas que siempre había ocultado y Adelina tuvo el tic, movimiento que le llevaba la contraria a sus palabras, a sus miradas, y descubría sus sobresaltos antes de que ella supiera que eran sobresaltos.

—Esa mujer no es mala, no lo hizo por herirme. En realidad no hizo nada, ¿ves? Es algo que yo sentí en ella. Si ella no recibe a Benjamín en su casa es porque le parece demasiado poco: un tipo raro, medio loco, pobre, ¡qué sé yo! Eso me duele porque yo siempre había pensado que... Benjamín era la gran cosa.

No debía haberlo dicho, en cuanto lo escuchó en sus propias palabras sintió la tristeza de estar perdiendo la ficción principal de su vida ante Adelina, la persona que nunca se había dejado engañar y desde que puso los ojos sobre Benjamín repitió la verdad interminablemente.

Adelina no sacaba satisfacción de la victoria suya ni

de la verdad. Lo satisfactorio hubiera sido que Carlota se apegara a su idea de Benjamín, entonces ella hubiera estado tranquila, sin culpas, sin recuerdo. Pero no, había bastado un hilo de desprecio en la voz, en los ojos de una mujer más vieja, más fea que Carlota (aunque fuera extravagante, pintora y libre), para que se viniera abajo la imagen heroica de Benjamín.

—Es verdad que me siento. . . ridícula.

Carlota fumaba con los ojos en el techo para no ver a su hermana, pero como ésta no contestaba ni se movía, se animó a mirarla: estaba triste, con las manos entrecruzadas, pensando no sabía qué; así estaría cuando Benjamín muriera, haciendo reflexiones póstumas. ¿Y ella? ¿Cómo estaría cuando muriera Benjamín? Benjamín acababa de morirse, en casa de la húngara, en la expresión juguetona y observadora de sus ojos verdes.

—Ahora tengo que prepararme para el regreso —se rió—. No, no tengo que prepararme. En realidad era muy estúpido haberle tomado la palabra y ponerlo en la calle. . . también fue muy cruel. Debía haber sabido que Benjamín era un loco, un hablador, un hombre con la cabeza llena de tonterías irrealizables. ¿Sabes qué hubiera hecho él si a mí no se me ocurre darle la maleta? —Adelina negó con la cabeza—. Hubiera terminado por hacerse el enfermo y dormir hasta las cuatro de la tarde.

No podía callarse y lamentaba lo que decía. Era como si en vez de atesorar y valorar emociones hermosas a lo largo de esos años, hubiera guardado las debilidades, las mentiras, las ridiculeces de Benjamín y ahora estuviera exhibiéndolas, una por una, como un mercader que muestra la mercancía, pero con la intención contraria.

—Llegará enfermo. Como no pudo fingir a la salida, inventará la enfermedad al regreso. Verás que mañana tengo que llamar a su oficina para que me manden un médico que comprobará la enfermedad: presión baja, palpitaciones, jaquecas, y desmayos.

Adelina se sentía sola en medio de aquellas historias nuevas para ella y siempre sospechadas que ahora lucían tan obscenas. ¿Qué haría Carlota al día siguiente, cuando Benjamín estuviera a su lado y quisiera convencerla de que la amaba más que a nadie en el mundo? La miró; fumaba como si su vida dependiera de aquel cigarro y la única diferencia real es que había aceptado ante ella cuanto negó durante años, pero por supuesto eso no entrañaba ninguna novedad... ¿Cuántos años haría que Carlota sabía todas estas cosas de Benjamín? ¿Cuánto tiempo que disfrazaba la ironía de buena voluntad? ¿Cómo no se había esforzado ella para impedir ese matrimonio?

—Una vez hizo algo parecido y yo no caí en la trampa porque estaba segura de que me quería tanto que no podía irse. ¡Me decía que se iba para siempre y no podía dejar de besarme! Regresó sumiso y avergonzado... pero luego se puso furioso y me pegó porque vio su merienda preparada así como a él le gusta: una gelatina, galletas y un vaso de leche. No sabes con qué ganas me pegó... y en ese momento yo estaba segura de que me quería más que a nadie porque no podía soportar haber pasado por un necio...

Adelina iba a asombrarse de los golpes pero también los sospechaba y por ello no tenía ningún caso decir con la voz neutra y el rostro serio para no ofender a su hermana: "Nunca me habías dicho que Benjamín te pegaba." En vez de eso encogió las piernas para escuchar en una posición cómoda un cuento largo.

—Al día siguiente tenía la espalda morada y no me importaba. Lo malo es que nos vio Benjamín hijo.

De nuevo la posibilidad del escándalo y la voluntad de sofocarlo. No era posible empezar ahora con exclamaciones: ésta era la vida imaginada antes de matrimonio, sospechada desde entonces y ahora comprobada. El no equivocarse tampoco es algo absolutamente satisfactorio y puede ser amargo; siempre está la posibilidad de haber impedido un desastre y no haberlo hecho, ¿por qué? Por indolencia, pero sobre todo, por no haber respetado los dolores futuros de Carlota y por haberle concedido escasas posibilidades humanas. Era como haber dicho: no sirve para nada, echémosla al bote de los desperdicios.

En cambio ella siempre se reconoció como valiosa, como útil. . . amada o no.

Carlota no hablaba de sus hijos con Adelina como si los defectos de los niños nacieran de los mil detalles que formaban su vida con Benjamín, la incomprensible vida llena de carencias, de angustias menores y saturada del amor de él. Con Adelina no hubiera podido ni comentar la forzada actitud inocente de Concha, ni la agresividad de Gloria, ni las cosas de Benjamín hijo. Imposible perder el pudor hasta el punto de describir el rostro de su hijo cuando levantó la silla o sus ojos en los días que siguieron y el esfuerzo que ella hacía por caer en la naturalidad que después se llama olvido.

—Nunca se nos olvida nada. Claro, lo pequeño sí, pero esas cosas que son importantes, que duelen y que uno quisiera no haber vivido nunca, se quedan guardadas. . . Ahora, Benjamín no me quiere, está cansado de mí, de sus hijos y de esta casa. Me lo dijo de mil maneras, se pasó toda la noche repitiéndomelo y por eso lo creí. Además se le veía en la cara: parecía un maniático hablando del libro. . . siempre habla del libro, también cuando está tranquilo y parece feliz. . . ¡qué pocas veces ha sido feliz! Eso es lo malo, que cuando se emborracha con amigos, o va a una fiesta, no puedo enojarme porque me acuerdo de que hay tantos hombres más felices que él. Esta casa no le gusta ni puede gustarle porque es fea y no muy limpia, no tengo servicio. Luego los niños. . . pobrecitos, fastidian a cualquiera. Su trabajo es feo. Se lo agradezco a Arnulfo porque si no fuera por él, Benjamín ganaría mucho menos y tendría un puesto peor. En fin, Benjamín sólo puede estar contento cuando sale o va a una fiesta.

"Y cuando hace el amor." Pensó Adelina. Tampoco eso podía decirle a Carlota porque ella lo aceptaría así, con desenfado, y agregaría que por esa razón ella trataba de conservar su buena presencia: usar una buena crema que Adelina le regalaba y lavar los platos con guantes que también ella le regalaba. . . todo para que Benjamín no perdiera la felicidad de su cama ya que no contaba con la de toda su casa. La felicidad de Carlota sería el eco de esta otra, pues si no la generaba, la contemplaría con júbilo. La felicidad de Carlota no le pertenecía ni en un grado mínimo puesto que dependía de las palabras, de las acciones de este hombre de satisfacciones escasas y desbordadas cuando las tenía. ¿Y la de sus hijos? Adelina notó que Carlota no pensaba en esa felicidad; la sentía como una realización a largo plazo por la que ella no tenía que preocuparse. Sería la realización de los deseos de cada uno, no algo que se cuida, se gesta y se educa desde la infancia... ¿era así o no? La felicidad no es un destino, es... Ella era feliz frente a Carlota en este momento y en muchos otros, pero Carlota, en comparación con ella, siempre se había sentido feliz.

—Nunca me has dicho cómo murió Xavier —el comentario sonó especialmente largo, como si le sobraran letras.

A Adelina le pareció que había oído mal y adelantó la cara un momento, como para estar segura. Sí, era eso. Eso había preguntado Carlota porque el haber dicho las cosas que por su lado consideraba impronunciables le daba la libertad de tocar los temas prohibidos de Adelina.

—¿Xavier? —repitió Adelina y su voz sonó diferente, rica en resonancias al decir el nombre familiar de todos aquellos años pasados. Qué hermoso decirlo así, como si estuviera vivo y a punto de venir a buscarla en el coche para llevarla a cenar a Prendes. Salmón al natural, jugo de carne y un merengue—. ¿Xavier? —volvió a decir, lejísimos de contestar lo que Carlota quería saber porque estaba viviendo rápidamente algunas minucias que creyó olvidadas y permanecían en el fondo de sus gustos, por ejemplo las telas a cuadros, las blusas blancas, un ambiente nocturno y sencillo en el centro de la ciudad, por la calle de Madero donde Xavier compraba revistas especializadas, cigarros finos o tabaco para llenar la pipa que ahora acostumbraba fumar antes de dormir y ella se sentía poderosa, bien vestida, hermosa, una señora joven y atractiva que los hombres bien educados veían de reojo con admiración y los otros con deseo franco y urgente porque resultaba una especie de galardón lucir una mujer bella, arreglada y feliz y provocaba un orgullo que Xavier asumía abiertamente ya que le regalaba joyas, telas, adornos que iban a quedar en su sitio sobre el cuerpo sin hijos de Adelina y ella en la casa inmensa colmada de muebles exquisitos. Esa casa era la admiración de algunos matrimonios que apuntaban mentalmente el detalle de un espejo para reproducirlo a escondidas o comentaban la disposición de los muebles del comedor disimulados para hacerlos resaltar detrás de un biombo encargado a un pintor conocido. . .

La casa. Adelina no abandonaría jamás su casa de San Ángel porque aún en los momentos distraídos que eran muchos porque la vida diaria se hace vigente, carcome el pasado y amenaza con el futuro, los muebles, los ambientes, los colores, le daban a su alma un inmenso sosiego, una dulzura de caricia, una piedad que ella no recibía de ninguna persona. A veces se encerraba dos horas en el dormitorio que había sido de ella y de Xavier y donde no entraba más que la sirvienta para limpiarlo, y salía descansada, sin pensamientos, colmada de una paz que no incluía recuerdos concretos sino un contacto físico con los objetos frecuentados y significativos.

Ramón le había propuesto vivir en otra casa; una construida por él al gusto de ella para borrar ésta y las cosas que él no había compartido, inventado y gozado.

—Nunca me iré de esta casa.

Ramón se apenó en silencio porque eso quería decir que Adelina amaba su matrimonio anterior, pero no lo dijo ni discutió el asunto pues se había casado con ella, con su casa, sus muebles y su primer matrimonio sin vacilaciones, seguro de que sólo ella podía hacerlo feliz.

Carlota miraba con atención el rostro de Adelina: semirrisueño alerta, iluminado, y comprendía que su hermana estaba adormecida desde la muerte de Xavier y todas estas cosas de la vida diaria no eran más que los detalles de un sueño agitado porque las proezas reales habían desaparecido al mismo tiempo que él. Ya no esperaba respuesta porque Adelina ni siquiera había captado que la pregunta no se refería a Xavier a secas sino a su muerte. ¿Cómo era posible quedarse así, suspendida en el aire, a la mención de un hombre muerto hacía diez años aunque ella se hubiera casado de nuevo y su vida pareciera tan normal? Nadie como Adelina para escoger buenos maridos; cosa extraña, cualidad que muchas mujeres tienen así como puede poseerse el sentido común, el buen gusto para vestirse o buena dentadura. ¡El sentido común!

Ella no tenía eso; no sabía qué era. Era al mismo tiempo la mirada alerta de Adelina y el rostro reseco de Arnulfo y esas decisiones que entre los dos tomaban llegado el momento y que resultaban tan adecuadas, tan inteligentes y tan ventajosas para todo el mundo.

Tuvo deseos repentinos de irse, de volar hacia el pasado y que esta casa con los malos olores, Benjamín y los niños, se hiciera polvo. Quiso ser la Carlota de antes, la que no tenía que preocuparse por nada, no sabía cocinar ni tenía las manos cansadas por haber trabajado con ellas todo el día sin que una recompensa le hiciera valioso ese trabajo. Allí estaba, a los treintaiocho años, con dos vestidos en el ropero, cuatro hijos mal trajeados y Benjamín.

—Nunca voy a poder salir de Benjamín.

Estaba de Dios que lo dijera todo y ahora, ni siquiera con la atención de Adelina porque se había ido lejos, lejos, quién sabe a qué sitios desconocidos para ella. No, Benjamín no se iría jamás; allí estaría con su inconformidad, sus fantasías y sus enfermedades y ella, si trataba de despedirlo, se ganaría tres o cuatro bofetones muy bien dados con el agravante de que esas escenas pervertían a sus hijos y los escandalizaban. El incidente con Benjamín hijo... ella hubiera podido decirle dos palabras, explicarle que su padre... o darle las gracias. Y no había podido hacer nada porque las cosas de Benjamín eran comprensibles sólo para ella y no siempre, no siempre. Benjamín padre no tenía disculpa y ella no podía inventar una para decírsela a su hijo porque él no la creería jamás y porque su hijo sabía desde la cuna que él no era el preferido sino el interruptor de un idilio violento: había nacido para que sus padres no pudieran estar a solas cuantas veces querían, para que Benjamín insultara por lo bajo cuando él lloraba, para no recibir una sonrisa ni una caricia, sino la distracción de su madre enamorada y entregada, para molestar y estorbar en otras palabras.

Carlota se estremeció por la claridad con que pensar en su hijo le traía estas reacciones. No podía ni siquiera ser hipócrita. Conocía madres que hablaban en forma obsesiva del amor a sus hijos y sus hijos no les importaban en lo más mínimo... En cambio, cuando Concha nació, ya estaban ellos acostumbrados a que alguien diera molestias y por otra parte, como era una niña, Benjamín no podía hacerla objeto de sentimientos antagónicos. Y Concha era tan inocente en comparación con su hermano, sonreía tanto, tomaba en cuenta una injusticia tan pocas veces... Benjamín hijo siempre fue rencoroso y difícil; al año de edad, si ella lo dejaba un rato solo se ponía a llorar a gritos y cuando ella regresaba lloraba más, hasta sofocarse de rabia, para darle a entender que no le perdonaba el abandono. La crueldad de un niño es monstruosa porque no tiene límites morales.

Y los abortos. Ella había decidido no poner en cuestión la moralidad del aborto porque ésa era la única forma de sobrevivir; si ella ponía en tela de juicio aquello, lo mismo pasaría con tantas otras cosas, como el derecho a la pasión. Ella concebía los hijos que no deseaba porque la pasión no le dejaba tiempo para tomar precauciones; no podía perderse el primer impulso del amor, ni ella se hubiera atrevido a decir:

—Vuelvo dentro de un momento.

A Benjamín, era enteramente inútil pedirle que tomara alguna responsabilidad en este asunto. Desde el principio declaró que eso le hacía mal psicológicamente; por otra parte era católico practicante en tanto que Carlota no lo era, de manera que ella debía arreglárselas sola con su psicología y con las exigencias de su Dios si lo tenía.

Así era. Carlota encontró un médico que daba cloroformo y cobraba quinientos pesos y por lo tanto había que conseguir los quinientos pesos y que ocultar los malestares que seguían al suceso; Benjamín no se daba por aludido y ella no lo comentaba con él sino se conformaba con suponer que él lo sabía, lo notaba, lo intuía, pero no se hacía responsable.

Adelina la acompañó la primera vez, a los dos meses de nacido Benjamín hijo.

—Tienes razón —dijo Adelina con firmeza—. Es imposible que tengas otro hijo tan pronto. —Miró a su alrededor. Carlota estaba sentada en su cama de soltera, donde no podían dormir dos personas con comodidad en la única recámara de un departamento de dos piezas y Benjamín hijo, rojo como un tomate, se estiraba sobre la inmensa cama de metal que acababa de regalarle Adelina.

Fueron, y Carlota se entregó al cloroformo en forma menos completa de la que deseaba porque no se trataba de una anestesia fuerte, pero no sufrió mucho: recordaba dolores menores dentro de un sueño que no era suyo... Era extraño, después de aquello, ponerse en pie y salir a la calle caminando como si nada.

Adelina, en cambio, se quedó en la antesala y tuvo que salir un rato porque no soportaba la idea de que en ese momento, en el cuarto contiguo, Carlota estuviera perdiendo un hijo para siempre. Ella llevaba más de un año de casada y no daba señales de embarazo.

—Dios mío, haz que el alma de ese niño se quede conmigo y que yo tenga un hijo.

No sabía si era sincera. Los hijos tal vez no completaban ni iluminaban la vida. Más tarde, cuatro o cinco años después, se sintió culpable como siempre ocurría y pensó que no tener hijos era un castigo por haber aprobado los abortos de Carlota. Se indignaba, sin embargo.

—Eres una descuidada. ¿Cómo es posible que no te espante la idea del aborto? Por lo demás, es bastante peligroso, puedes tener una hemorragia.

Después de nacido Benjamín se sucedieron los abortos hasta que Adelina estalló.

—Estás convirtiéndote en una mujer dura y sin alma. ¿Cuántos llevas?

—De tres a cuatro al año.

—Es horrible, es espantoso. ¿Qué dice Benjamín?

—Pues. . . no es cosa de él.

—¿No? ¿Y de quién?, ¿mía? —estuvo a punto de agregar que era suya para pagar, acompañar y soportar la náusea profunda que la acosaba cada vez que iban a ver al médico. No se lo dijo porque le pareció vil—. Yo no vuelvo a acompañarte.

Esta decisión era grave porque implicaba que tampoco le prestaría el dinero y como no hallaba a quién pedírselo, nació Concha y luego Carlota hizo la decisión de tomar tantas precauciones como fuera posible, lo que no impidió que aparecieran Gloria y Mario a su debido tiempo, todo, porque Adelina no colaboraba. Entre Concha y Gloria hubo dos abortos más que Carlota le pagó al médico en abonos de cincuenta pesos porque era cliente. Carlota llegó a pensar que Concha, Gloria y Mario eran los hijos del escrúpulo de Adelina y no de los descuidos de ella.

—¿Te acuerdas de los abortos? —dijo en voz alta. Adelina asintió, tuvo el tic y regresó a este cuarto donde se había gestado más de la mitad de los abortos y dijo algo diferente a lo que Carlota esperaba.

—No debías haber tenido ningún hijo. Si estuvieras sola podrías vivir con quien quisieras y hacer lo que te diera la gana.

Carlota se imaginó en casa de Adelina o en la redecorada casa paterna de Arnulfo. Pues no, no estaría mal aunque sus hermanos no se parecieran a ella. Tendría dinero, ropa, tiempo para el ocio, para dormir todas las mañanas hasta que el sueño quisiera irse: imposible porque allí estaban los niños no queridos, con una personalidad, unos gustos propios y unos deseos que nada tenían que ver con ella. No contestó. ¡Vivir en casa de Adelina! Su cuñado Ramón era un hombre bueno, tranquilo, que siempre la había tratado con gentileza y que no se opondría a que viviera con ellos. Al fin y al cabo la casa era de Adelina. Además Ramón nunca había querido a Benjamín y se alegraría de que desapareciera del panorama. . . y aquí estaban los niños aunque debieran no haber nacido para que ella y Benjamín hicieran el amor a deshora y sin cerrar la puerta, se acariciaran hasta desollarse y si no había comida no comieran, anduvieran vestidos de harapos y sin pagar la renta hasta que los echaran del departamento y ellos tomaran siempre otro, que para fianzas estaban Adelina y Arnulfo.

¿Qué era mejor, imaginar que iba ahora a casa de su hermana o que los niños no existían y se quedaban ella y Benjamín solos? Esto, esto último, porque vivir sin Benjamín no hubiera valido la pena. Los niños, los niños estropeaban toda posibilidad de vida agradable y libre.

—Claro, no debí tener hijos, ni el primero siquiera —Adelina sí tenía suerte; no conocía ni el uso de los anticonceptivos. ¡Ah, pero los hijos en el caso de ella, hubieran sido una verdadera felicidad! ¿Cuántas veces había pensado que Adelina debía llevarse a una de las niñas y educarla a su modo y en su casa? Pero si Adelina, que se preocupaba tanto por ellos, no se lo proponía, debía ser que Ramón no estaba de acuerdo. Así tendría un hijo menos.

¿Por qué pensaba estas cosas? ¿Se había vuelto cruel? ¿Era una asesina de niños? Encendió otro cigarro.

—Benjamín dice que Dios sabe lo que hace y sin embargo yo no debía haber tenido hijos y tú sí.

—Quién sabe. ¿Sabes qué me dijo el último médico que consulté por ese asunto? —lo dijo sin amargura, con escepticismo—. Que como no tengo ninguna anomalía física puede ser muy bien que no tengo hijos porque no deseo tenerlos —sonrió—. En ese caso, tú los tienes porque tal vez los has querido. . .

—¿Sí? —Carlota se asombró, ¿podía decirse eso de ella a pesar de los abortos? Los abortaba porque no podía educarlos, ni sostenerlos, ni cuidarlos. No, ese médico estaba equivocado y más le valía a ella no engañarse. Los hijos no entraban en sus ilusiones primeras ni en sus planes matrimoniales ni siquiera después de nacidos. En ese caso, la verdad era que ni ella ni Adelina querían hijos y menos ella que la otra, porque para ella perderlos era un alivio y Adelina había salvado tres. . .

—Bueno, por ti tuve tres hijos. Si los quieres. . .

De nuevo la culpa. Primero había dejado casar a Carlota, luego agravó su miseria, su falta de libertad, su dependencia. Hoy, inclusive se daba el lujo de desdecirse y opinar que los niños no deberían haber nacido. Como si resultara de alguna utilidad decir esas cosas cuando los hijos ya nacieron y crecieron.

—¿No tienes sueño? —sonó el timbre y Adelina añadió en voz baja—. ¿Quien será?

Oyeron el chancleo de Concha y casi en seguida, que regresaba a tocar la puerta del cuarto de Carlota.

—Mamá. . . ¿puedo entrar?

—Pasa.

—Allí está la señora Mota con Gisela.

—¡Ay, qué barbaridad!

—¿Quién? —preguntó Adelina.

—La esposa de Ernesto Mota, un amigo de Benjamín. . . Es buena persona. ¿Les dijiste que pasaran, Concha?

—Ya se sentaron.

—Bueno, allá voy. Ve a platicar con ellas mientras. —Concha salió y Carlota se sentó en la cama—. ¡Qué día! Esta pobre de Elena nunca visita porque siempre está muy ocupada y ¡se le ocurre venir ahora!

—Yo me voy al cuarto de los niños —Adelina era muy gentil con sus propias visitas pero si no le correspondía recibirlas, tenía este impulso de esconderse por timidez y hasta por un grano de arrogancia muy bien disimulado. Salió con buen cuidado de no mirar hacia la sala para que sus ojos no se encontraran con los de las visitas mientras Carlota se pasaba el peine frente al tocador y se examinaba la cara de cerca como para corregir algún defecto de última hora.

En cuanto Concha vio salir a su madre le dijo a Gisela en un tono especial lleno de implicaciones.

—¿Jugamos?

—Sí —la niña se levantó inmediatamente y se dirigieron al dormitorio de ellas. Allí notó Concha que Gisela la observaba demasiado y, contra su costumbre, no planteaba ninguna iniciativa. Entonces le dijo con una cortesía vacilante:

—¿Quieres que juguemos a la oca?

Gisela aceptó sin dejar de observarla y Concha empezó a sentirse incómoda mientras buscaba las fichas y los dados. Gisela hablaba mucho y era muy dominante, ¿por qué ahora procedía de esta manera?

—Tú eres mano —dijo Gisela con una voz que destilaba consideraciones. Concha tiró los dados y movió su ficha, así hizo la otra y a los cinco minutos habían olvidado sus actitudes primeras.

—Ahora serpientes y escaleras —ordenó en el tono que Concha conocía.

—Muy bien. Voy a sacarlo —lo sacó del cajón de una cómoda con extremo cuidado: era de Gloria—. Es de mi hermana.

—¿No está tu hermana?

—Por allí andaba. Ha de estar en la calle o fue a comprar algo.

—¿Tu mamá los deja jugar en la calle?

La calle donde vivían los Enríquez tenía un tránsito muy intenso y por esa razón muchas madres preferían que sus hijos jugaran dentro de sus casas, pero ellos nunca habían tenido prohibición expresa de salir por la sencilla razón de que era la única forma de que sus padres no los vieran durante un rato. La pregunta de Gisela, por otra parte, tenía cierta intención que Concha intuyó.

—Pues no... Hay muchos coches y camiones.

La otra se sintió defraudada y Concha lo advirtió. ¿Para qué quería saber eso? Mientras extendía sobre la mesita el cartón de las serpientes sintió que le sudaban las manos: en otras ocasiones no había podido conservar su independencia ni su dignidad, se convertía en seguidora de Gisela y hacía todo cuanto la otra le ordenaba. De nuevo se hundieron en el juego que resultó muy largo. Concha deseaba que durara, abstraerse, olvidar que Gisela se salía siempre con la suya. En un momento dado, notó que había dejado en el cartón la marca de sus dedos húmedos.

Gisela se mostraba muy segura de sí misma y jugaba

con una especie de profesionalismo desenvuelto y capaz; no miraba a Concha ni hacía otros comentarios. Cuando terminó el juego, preguntó de golpe:

—¿Es cierto que tu papá se fue de la casa y los abandonó?

Concha se cubrió de rubor y sintió que el corazón le latía inmensamente; no debía dejarse derrotar tan pronto.

—¿Quién dijo eso?

—Mi papá se lo dijo por teléfono a mi mamá. Y mi mamá me advirtió: "Te voy a contar lo que pasa en casa de los Enríquez para que no metas la pata si notas tristes a los niños." Pero tú no estás triste.

—Y ¿de dónde lo sacó tu papá? —tenía que sostenerse, no dejarse vencer por esta niña que era un año menor que ella y aun así siempre la dominaba.

—Mi papá estaba con el tuyo, quien parece ser que no se sentía bien. Así fue como se enteró de que los había abandonado y ya no iban a tener nadie que les diera dinero. . .

Concha pensó inmediatamente que sus tíos Adelina y Arnulfo les darían dinero como por otra parte siempre había ocurrido, pero no quiso decírselo a Gisela, quien la miraba de frente como para registrar hasta el último de sus pensamientos.

—Tú y tus hermanos van a morirse de hambre y no tendrán ropa que ponerse. Luego los van a echar a la calle, cuando vean que no pagan la renta y entonces, tu mamá tendrá que repartirlos en las casas de los amigos de tu papá para que los cuiden y les den de comer mientras ella trabaja en un supermercado.

La explosión de crueldad de Gisela derrotó a Concha de un solo golpe aunque sabía que esa versión de los hechos era inexacta, aunque estaba segura de que eso no ocurría jamás, el júbilo que le daban a Gisela las palabras que estaba diciendo y la seguridad con que se expresaba la hirieron como si fueran piedras y sin poder remediarlo se le llenaron los ojos de lágrimas.

—Tú puedes venir a mi casa, si tu mamá quiere —añadió Gisela con súbita generosidad.

Entonces entró Gloria al cuarto y captó la situación de una ojeada. Gloria se había quedado en el patio cerca de una hora, con Mario dormido primero sobre el hombro y luego entre sus brazos. Escuchó cuanto dijeron su madre y su tía el tiempo estuvieron en la cocina y luego decidió no moverse para no despertar a su hermano. Le dolían los brazos y las piernas pero no se movió: los dolores de entumecimiento se quitan cuando uno mueve de nuevo el cuerpo.

Frente a Mario dormido se intensificaba una ficción que en otras ocasiones afloraba en forma relativamente leve y simbólica: ella era la madre de Mario y sus dolores eran los del parto, los de la madre que lleva entre los brazos al hijo enfermo, los de la que lo lleva muerto. Había visto en una revista una fotografía de la Piedad de Miguel Ángel y la comprendió a fondo pero sólo en los ángulos que le interesaban: el peso del cuerpo muerto y el inmenso dolor de la madre. La Piedad tenía otra connotación que ella no se atrevía formular: el hijo había sido asesinado y por ello el dolor iba unido a la incomprensión y a la rebeldía. La incomprensión y la rebeldía eran a la vez los sentimientos de ella ante las injusticias de su mundo, ante el destino de su familia y las actitudes de sus padres y hermanos mayores.

Sentada entre el tanque de gas y el bote de basura, con las piernas y los brazos adormecidos pero no insensibles, era la protagonista de la Piedad y esto la conmovía hasta convertirse en una verdadera tortura espiritual que le atravesaba el corazón con dolor verdadero. Perdía la noción del lugar en que estaba y no veía los mosaicos rajados y sucios ni sentía la frialdad del suelo ni el olor impuro. Ella era la madre, la Gran Madre que lleva su carga sin entender a fondo las razones de la muerte de su hijo.

Mario despertó después de un rato y se acordó de que no había hecho la tarea; ella tampoco y de mutuo acuerdo se separaron. Entonces, llena de aquellos sentimientos que eran al fin y al cabo permanentes, recién llegada del mundo distinto donde había estado, mundo sin Dios y con sufrimiento, descubría a Gisela y a Concha en una situación que no le era de ninguna manera extraña.

—¿Qué le estás diciendo a mi hermana?

—¿Yo? Nada —Gisela se asustó y puso cara de hipócrita confiada en que Concha no repetiría lo dicho ante el enemigo común. Se equivocó.

—Dice que vamos a morirnos de hambre y que nos van a repartir en las casas de la gente.

Gloria se sentó a la mesita e hizo a un lado los juegos, sin dejar de notar que entre ellos estaba uno suyo.

—No le hagas caso. Es una imbécil. También en su casa van a morirse de hambre y a ellos también los van a repartir, pero nadie los va a querer por imbéciles.

La palabra "imbécil", en boca de Gloria, hubiera sido ofensiva no digamos para Gisela sino para el adulto más seguro de sí mismo; tenía un tono despectivo, un acento fuerte como un clavo y se perdía la terminación de la palabra. Ser imbécil como Gloria lo decía sonaba al insulto mayor jamás pronunciado por boca de niña. Gisela se levantó.

—Voy a sentarme a la sala con mi mamá.

Concha hizo un movimiento como para detenerla pero Gloria la miró y en cuanto salió Gisela, dijo:

—Deja que se vaya al carajo, es una imbécil de veras.

Concha se espantaba de las malas palabras de Gloria, pero no se atrevía a acusarla porque las aplicaba de acuerdo con las circunstancias y no por vicio, como otras niñas que había en la escuela. Ésas sí merecían que las acusara porque las repetían como loros. Casi inmediatamente regresó Gisela.

—Dice mi mamá que me esté aquí con ustedes —entró y se sentó en la cama de Concha, sin mirar a las hermanas. Estaba humillada y Gloria, mientras guardaba el pliego de las serpientes con una cierta humildad significativa de su disgusto porque no le pidieron permiso para usarlo, sonreía con la boca de lado, en una forma tan chocante que Concha se avergonzó.

—Vamos al cuarto de mis hermanos para no molestar a Gloria —dijo con voz y tono de adulta.

—Allá están Mario y tía Adelina.

—Bueno, vamos al cuarto de mis papás.

Elena dijo a su hija que se fuera no porque ella y Carlota estuvieran hablando de cosas que la niña no pudiera oír sino en previsión de que así sucediera, pues hasta ese momento, la actitud de Carlota no le había dado a suponer que un comentario del sitio donde se encontraba Benjamín fuera bien recibido o viniera al caso.

—Así que todos bien. . . —dijo con calculada lentitud.

—Sí, gracias a Dios. Y a Elenita, ¿siempre la operaron de las amígdalas?

—Siempre no. Oye, de veras que hace meses que no nos vemos, como seis. A Elenita se le quitaron las infecciones con una medicina que le mandó una doctora de allá por la casa. Vive una tan atareada con los niños. . . con los maridos. . .

—¿Cómo está Ernesto?

—Bien —Elena vio la oportunidad—. Ya sabes cómo es de exagerado, pero luego lo comparo con otros maridos que conozco y me doy cuenta de que es un hombre muy bueno. Yo me sentiría perdida sin él. Un poco botarate.

Carlota había oído por lo menos cien anécdotas sobre lo tacaño que era Ernesto y siempre le caía en gracia que Elena pensara lo contrario, de manera que sonrió bellamente para no ofender y recordó que Elena en una ocasión le había pedido los suéteres viejos de Mario bajo el pretexto de que ya no había hijos menores que él; Carlota no se los dio porque estaban demasiado usados y Elena, entre unas y otras, le dio a entender lo que efectivamente pensaba; que los guardaba por si acaso tenía otro hijo.

—¿Y Benjamín? ¿Cómo anda?

—Bien, igual que siempre —nada más lejos de la mentalidad de Carlota que confiarse a Elena en cualquier ocasión y menos en ésta—. Y por fin, ¿qué va a estudiar tu hijo Alejandro?

—Dice que quiere ser físico matemático. Quién sabe cómo será esa carrera. . . ahora los muchachos quieren carreras especializadas. ¿Y tu hijo Benjamín?

—No dice nada. Fíjate Elena que ese muchacho nunca

dice lo que quiere —eso sí podía comentarse, "como madres que somos", según había expresado Elena una vez—. Si vieras cuánto me preocupa. . .

Elena cultivaba una fuerte antipatía por Benjamín hijo; una de las razones era que no la saludaba nunca, ni en su casa ni en la calle.

—Entra como si fuera el plomero y nadie le dice nada. Es un salvaje. ¡Y si vieras cómo se viste! Carlota es muy descuidada con esos niños —esto se lo decía a su marido repetidas veces y él escuchaba con atención porque los defectos de la casa de Benjamín le daban una sensación de venganza por las ofensas que el otro le hacía. Su casa, en cambio, era muy diferente: tenía cinco hijos cuidadosamente vestidos a pesar del ahorro, o tal vez a causa del ahorro, todo reluciente de limpieza y Elena se las había arreglado para adquirir en abonos objetos que no soñaban los Enríquez: máquina de coser, extractora de jugos, lavadora y aspiradora. Ernesto no se lo confesaba a nadie, pero este ambiente ordenado y limpio dentro de una administración estricta era gran parte del éxito de su matrimonio. Los cinco hijos se debían a que Elena cumplía con sus obligaciones de católica cuando fallaba el sistema del "ritmo" y a él le agradaba tenerlos a pesar de que un niño implica una serie de gastos, porque cumplir así quiere decir también orden, tacañería de alma; los hijos de Benjamín venían por el exceso de pasión, los de Ernesto por la falla del ritmo.

¿Qué pensaría Elena de Carlota si supiera lo de los abortos? Horrores. Pero no tenía por qué saberlo aunque lo sospechara y hasta había dicho:

—Las mujeres empiezan por los anticonceptivos y terminan con los abortos. Es el mismo caminito.

Carlota la había mirado sonriendo. Que pensara lo que quisiera; ella iba y venía diario por ese caminito.

—¿Benjamín no vino a comer? —preguntó Elena de pronto.

—No —imposible negarlo porque otras veces, cuando Benjamín comía en la casa, Elena había encontrado la mesa puesta todavía y a Benjamín leyendo el periódico—.

No vino.

—¿Te avisó?

—Sí. Me dijo que se iba con unos amigos —Carlota respondió sin vacilaciones y Elena se asombró: resultaba entonces que el mentiroso era Ernesto.

—Ernesto tampoco comió en la casa. Me habló por teléfono para decirme que estaba con tu marido. . . pero no le creí, por eso te preguntaba.

Ah. Benjamín estaba con Ernesto y probablemente le contaría todo lo ocurrido. . . menos lo que él no sabía, por supuesto. Y por eso Elena se había presentado, a pesar de sus ocupaciones, con el noble deseo de informarle dónde estaba su marido. Los odió a todos: a Benjamín, a Ernesto, a esta Elena que ahora la miraba con atención como si quisiera leerle el pensamiento.

—Me parece que Benjamín mencionó esta mañana a Ernesto, pero no estoy segura.

—Son unos sinvergüenzas. Lo único que les gusta es contar mentiras y gastar dinero —Elena estaba indignada, seguramente se habían puesto de acuerdo con varios días de anticipación y Ernesto no se atrevió a decírselo sino hasta última hora para que ella no protestara. Y la había expuesto a hacer el ridículo más pavoroso. Si ella no fuera tan discreta. . .

Ahora le tocaba a Carlota el turno de adivinarle a la otra los pensamientos y la miraba atentamente para no perder ni un gesto significativo.

—No tienen consideración —siguió Elena—. Lo que les interesa es reunirse para hablar de cosas que no harán nunca: los libros que van a escribir, las mujeres que van a tener. . . parecen tontos. Ah, por cierto, ¿sabes que Roberto se fue de su casa muy en serio con una mujer y dejó a Laura?

Elena se encantaba dando noticias y así como era discreta con los asuntos de sus interlocutores en cuanto pasaban éstos a ser "otras personas" contaba sus cosas con verdadera fruición. A Carlota no se le escapó lo de "en serio", que aplicado a Benjamín era perfecto, puesto que parecía haberlo hecho en broma.

—Bueno, ese matrimonio tampoco era una cosa muy normal.

—Mira, ella sostiene la casa y anda con otro, o con otros, porque este de ahora es el segundo. Pues sí... en realidad no vivían juntos y tampoco puede decirse que Roberto fuera un marido como... los nuestros.

Carlota la miró con unos ojos serios que en realidad disfrazaban una ironía profunda. Ahora resultaba que Ernesto y Benjamín eran unos maridos modelo sólo porque sostenían sus casas pobremente y sin satisfacer las necesidades y no se iban. Sintió venir su violencia disfrazada de broma.

—Más valía que se fueran y nos dejaran trabajar y divertirnos a nosotras, como hace Laura.

—Yo no quiero ser como Laura —Elena estaba auténticamente escandalizada—. ¿Tú sí?

—Yo sí. Imagínate lo libre que debe sentirse —lo dijo y se rió coquetamente, como si jugara.

—¡Cómo eres, Carlota! Por poco me tomas el pelo —estaba alarmada y con ganas de irse por no saber qué más decir, por creer que Ernesto le había mentido y para evitar otra broma de mal género.

Hubo un silencio que para Carlota resultó largo pero no extraño. Con Elena no había mucho que hablar; no tenía problemas y ella, que sí tenía, no contaba los suyos. En realidad hacía años que no se comunicaba con nadie por no pronunciar el nombre de Benjamín con su matiz negativo o con el otro, el amoroso que sólo ella podía comprender. Hasta que hoy habló para que la oyera Adelina y no recibió respuesta. ¿No la recibió? Por supuesto, ¿qué había de decirle la pobre Adelina? Frente a una desgracia de veinte años los hermanos se limitan a hacer cuentas para saber con cuánto puede cooperar cada uno de ellos. ¿Por qué pensaba estas cosas tan cínicas? Porque si la conducta de Benjamín era turbia, irresponsable y mezquina con ella y con sus hijos, era necesario contar con que la de sus hermanos sería abnegada, generosa y protectora. Así era y no cambian las cosas con los años.

—¿Estás preocupada? —dijo Elena otra vez con esa

luz que no era de bondad en los ojos, otra vez con la esperanza de que fuera cierto que Benjamín se había ido de la casa.

—Sí. Benjamín hijo no vino a comer y nunca falta, aunque se retrase.

—Así son los hijos —asintió Elena decepcionada—. Así de desconsiderados.

—Los tuyos todavía son pequeños. Menos Alejandro.

—Pero crecerán.

Carlota sintió que se dormía por dentro porque para conversar con esta mujer no necesitaba de sus cinco sentidos y que era mejor hablar con los ojos del alma bien cerrados. Por otra parte, así le gustaba a ella tenerlos.

Mario hizo su tarea rápidamente. No era más que una plana de multiplicación que él dominaba a la perfección. Por otra parte le parecía descortés no conversar con su tía, quien sin más trámites se puso a examinar el ropero. Cuando levantó la cara vio que Adelina registraba la ropa de Benjamín chico y tenía las cejas fruncidas.

—Ya terminé.

—¿Ya? A ver —Adelina revisó las cuentas moviendo los labios y cuchicheando números—. Oye, ¡qué bien están! No tienes ni una mala.

Mario sonrió y recogió sus útiles para guardarlos en su mochila de cuero. Adelina notó que era la primera que Gloria había tenido y que todavía conservaba sus iniciales.

—Oye, hijito, ¿por qué tienes tu ropa tan bien cosida y la de tu hermano está llena de agujeros?

Mario se desconcertó; los pactos con Gloria le cerraban la boca y tampoco se atrevía a engañar a una persona mayor y cariñosa, como era su tía.

—No sé, tía Adelina —se ruborizó y pareció concentrarse en ordenar su mochila.

De sobra sabía ella que Carlota odiaba todo lo que fuera compostura, zurcido o remiendo y acababa de ver un suéter de Mario con un parche en el codo tejido aparte con estambre del mismo color pero de diferente clase. ¿Concha? No, ella apenas cumplía con los bordados que le imponían las monjas y eso a regañadientes. Ah, Gloria.

Ella era siempre la última en sus consideraciones porque se le escapaba entre los dedos como si fuera de agua. Si Gloria hubiera sido latosa y pedilona no ocurriría así. Sin duda era ella la que cuidaba de la ropa de su hermano con una habilidad casi de experta y Mario debía saberlo; tuvo entonces la prudencia de no insistir. "Cuando las personas no quieren confiarse a nosotros no debemos forzarlas", decía Arnulfo con tristeza, como si pocas personas quisieran confiar en él y Adelina lo creía a pie juntillas aunque se tratara de niños.

—¿Dónde habrá aguja, hilo y esas cosas?

—Yo sé —Mario salió del cuarto casi corriendo, contento por no haber nombrado a Gloria. Tampoco tocaría los instrumentos de costura de ella sino que iría al costurero de Carlota que era una canasta grande y revuelta que podía transportarse sin mayor esfuerzo. La trajo. Adelina levantó la tapa y se escandalizó en silencio, había un cerro de calcetines rotos, piernas de pantalón y cuellos de camisa, pero no se veía hilo ni aguja. Metió un brazo hasta el codo y sacó una tijera oxidada, luego dio con un alfiletero y finalmente encontró una cajita con dos carretes, uno de hilo blanco y otro negro. Entonces sacó del ropero una pijama de Benjamín hijo, la examinó y dijo en voz baja:

—No tiene un sólo botón y la tela está tan vieja que no aguanta remiendos.

Mario no se avergonzaba de esas cosas, toda su vida había visto ropa vieja, agujeros, ojales sin botones, pero le parecía que Adelina estaba muy lejos de ese mundo y que sus obligaciones debían ser otras.

—Claro, porque esa pijama primero era de mi papá y luego se la dieron a Benjamín. Mejor no la compongas.

Pobre Benjamín hijo, ¿como era posible que lo sintiera tan desconocido? Benjamín no era agradable, ni cariñoso, ni simpático, sino todo lo contrario pero las personas mayores que lo rodeaban habían nacido muchos años antes que él y debieron haber sido buenas, afectuosas, para que él tomara ejemplo. Era grosero y arisco pero, ¿por qué no le enseñaron a ser tierno? Ese niño Mario, por ejemplo, era cosa muy distinta. . . pero cuando él nació todo era diferente. Ya nadie era joven, ni tan egoísta, ni con ganas de vivir bellamente y en forma exclusiva.

—¿No habrá aquí unos botones?

—Están en una cajita roja. Mira, aquí.

Adelina se dispuso a remendar y a pegar botones, no importaba que duraran un solo día porque aquí tenía ella de nuevo su parte de culpa. Cuando Benjamín era pequeño ella apenas tenía tiempo de ver a Carlota para darle dinero, regalarle lo que le sobraba y acompañarla a que se hiciera abortos, porque vivía Xavier y entonces ella no podía registrar roperos, ni revisar zapatos, ni hacer invitaciones a las tiendas de ropa. Quién sabe cómo iría a resultar este Benjamín.

—Imagínate, con esos padres, el pobre muchacho debe de ser un complejo vivo —había opinado Arnulfo, con su rostro especial para la maledicencia—. Yo no lo veo desde que tenía diez años. . . ya entonces se pasaba los días escondido y sin hablar.

¡Gloria! Gloria podía ser también así y no era bueno permitirlo. Pero no, porque Benjamín hijo era espantosamente indolente, había perdido tres años escolares y cuando pasaba no era precisamente por sus buenas calificaciones sino por un soplo de suerte. Concha y Benjamín hijo no estudiaban nada, igual que Carlota cuando era pequeña; Gloria sería huraña pero no floja.

—¿Dónde está tu hermana?

—Concha está con Gisela.

—No. Gloria.

—Ah. Haciendo la tarea —no la miró a los ojos y Adelina lo notó. Este día se enteraba de todo tan sólo con respirar—. Es muy estudiosa, ¿no?

—Sí, más que Concha y que todas las niñas.

Adelina calló. La admiración de Mario la conmovía y ahora empezaba a sufrir por Gloria y por Benjamín hijo que nada le pedían, no se le acercaban y que le parecieron de pronto más desvalidos que si fueran huérfanos. La pijama era tan vieja que la aguja rompía la tela sólo con atravesarla, pero había que seguir porque nada se ganaba con dejar al muchacho durmiendo con ese andrajo. "El remiendo no es vergüenza." ¿Quién lo decía? Quién sabe. Tal vez su madre en la que no pensaba nunca porque veinticuatro años son demasiados para el recuerdo de las palabras y de las actitudes a menos de que hayan sido muy buenas o muy malas.

Estaba empezando a angustiarse y tuvo el tic dos veces.

—¿Tía Adelina, es verdad que tú eres muy feliz?

—¿Yo? —se sonrojó; una no podía poner los puntos sobre las íes con niños de esa edad. Pero pensó en el remiendo que había tejido Gloria—. Pues sí, hijito.

—Gracias a Dios —el rostro de Mario no cambió de gesto, pero él era demasiado pequeño para que esa expresión fuera una muletilla, y por eso era cierta, inmensa, con todo su significado.

Mario era como... como Arnulfo. Se alegraba de su felicidad con más deseos de que fuera cierta que de discutirla y, por ello, la verificaba a la ligera. Adelina hubiera querido preguntarle a Mario si él era feiz, pero no se podía, ni a él ni a Arnulfo, porque parecía un abuso. Los dos, cada quien en su caso, tenían razones suficientes para no serlo.

—Oye, ¿quién era mi tío Xavier? No me acuerdo de él.

Adelina cerró los ojos. Había días en que el juego de las circunstancias coincidía para que Xavier se presentase muchas veces, en diferentes formas. Contestó con gusto, con animación inmediata.

—Xavier era mi esposo. No te acuerdas de él porque murió antes de que tú nacieras. Era arquitecto y me regaló la casa en que vivo. Le gustaba mucho esa casa, diseñó los muebles, las cortinas, todo, hasta las plantas que iban en cada arriate del jardín. Me casé con él tres meses después de que se casó tu mamá... Él tenía un despacho que muy pronto se hizo famoso; muchas familias le mandaban hacer sus casas y también las arreglaba por dentro y, ¿a qué no sabes qué hacía con tanto dinero que ganaba? —Mario no necesitaba contestar. Ponía toda su atención porque nadie, nunca, había dicho tanto de Xavier—. Pues hizo una especie de edificio de departamentos y se lo regaló a la gente pobre de una colonia muy triste que ahora está muy cambiada. En eso empleó los últimos meses de su vida.

En efecto, como para que Adelina no fuera demasiado rica, Xavier dispuso así de gran parte de su dinero y luego murió.

—¿De qué murió?

—Del corazón.

¿Había muerto del corazón? Sin duda. Carlota y Arnulfo no lo creyeron, la miraron con sospecha porque Xavier parecía haber muerto años antes de una enfermedad difícil de definir. Era como una imposibilidad de hacer algo con ilusión; trabajaba por las mañanas y a veces también por las tardes, cenaban fuera casi todos los días, después del cine o del teatro, pero sin ilusión. Ella sabía que no había otras mujeres en la vida de él y que ella era fuente de inmensas satisfacciones físicas para su marido que con tenerla cerca dos segundos se inquietaba sexualmente, pero esto no era la felicidad de él. Si lo hubiera sido, ella tratara de compartirla en vez de dejar hacer, aislarse, volverse independiente y gentil a medias por no poderlo ser enteramente.

—¿Cómo muere la gente del corazón?

—Se duerme y no despierta. Es como un sueño largo, muy bonito —si no se lo decía así, este niño podía crear algún miedo a dormirse o angustia ante la idea del sueño. Xavier había muerto dulcemente porque ya estaba muerto y su alma sólo tuvo que dar un paso pequeño para traspasar el límite. El cuerpo con sus exigencias y sus alegrías no era nada, era una máquina aparentemente fuerte. Las satisfacciones físicas de Xavier no habían dejado huella en el cuerpo de ella ni en el tiempo, y ahora, al paso de quince años, ella recordaba con más frecuencia y detalle cosas menos intensas y menos vigentes de su vida matrimonial. O cosas tristes, como por ejemplo, una vez que sorprendió a Xavier en una actitud desolada después de hacer el amor; callado, desnudo, con los brazos doblados debajo de la cabeza.

—¿En quién piensas?

Xavier se volvió a mirarla lentamente. Tenía los ojos fríos y prohibitivos, como si ella hubiera tocado el único sitio que guardaba para él solo. Xavier no era hipócrita y no contestó nada, sino que se levantó de la cama y dijo con voz pareja.

—Voy a bañarme.

Xavier no acostumbraba bañarse por la noche y, a causa de eso, Adelina sintió que lo hacía para limpiar su cuerpo de los humores de ella, y dormir oloroso a jabón, sumergido en la ensoñación que ella había interrumpido. Adelina se encerró en un cuarto pequeño que era de su uso particular: costurero y vestidor. Allí estuvo desesperada, callada, pensando que debía salir corriendo de esta casa, irse a la suya quedarse con Arnulfo disfrutando la ausencia de sufrimiento que se presentaba cuando estaban juntos y a veces la felicidad. Le hubiera dicho:

—Arnulfo, vengo a vivir contigo porque Xavier sueña con Carlota después de hacer el amor.

Arnulfo lo creería a pie juntillas, pero diría inmediatamente que no podía ser porque ella era la buena, la bella y la inteligente y ella regresaría, segura no de sí misma sino de que Arnulfo la quería de verdad. Era extraño haberse atrevido a casarse con Xavier apoyada en el ánimo que le infundía Arnulfo quien por su parte no tenía las menores ganas de separarse de ella.

—¿Y qué hiciste cuando él se murió? ¿Te casaste en seguida con el tío Ramón?

Adelina se rió. Mario lo decía con inocencia y resultaba cómico.

—¿Cómo crees? Eso no se hace, porque cuando a una mujer se le muere su marido se queda muy triste y no tiene ganas de casarse pronto, sino hasta pasado un tiempo bastante largo.

—¿Cuánto?

—No sé. Yo esperé cinco años. Mientras, fui a vivir con tu tío Arnulfo y cerré la casa.

—¿La alquilaste?

—No, porque todas esas cosas que tiene adentro son

demasiado personales y no me hubiera gustado que nadie las tocara y las usara.

La verdad era que Adelina nunca "cerró" su casa. Conservó los sirvientes para que la limpiaran y la arreglaran, iba casi todos los días y a veces, como si viviera allí, se tomaba un café en la sala. Todo a espaldas de Arnulfo para que él no fuera a pensar que llevaba una vida doble y no habitaba íntegramente en la casa de él ni le entregaba su compañía en forma absoluta.

Los cinco años de vida con Arnulfo tomaron para ella un sentido especial y los recordaba con dolor de corazón. Para empezar, él decía que era la época más feliz de su vida y para ella no tenía esa connotación sino que había estado salpicada de sospechas que constataba a cada minuto, de deseos de vivir en otra parte, de añoranza por su vida matrimonial que ahora comprendía como una forma de vida más que como algo relacionado con el amor de un hombre, y por un asco absurdo que se apoderaba de ella cada vez que recordaba las inclinaciones de su hermano.

—¿Es bueno mi tío Arnulfo?

—Es buenísimo.

—¿Como tú?

—Más, mil veces más que yo. Más generoso, más limpio, más abnegado.

Lo dijo con pasión y Mario sonrió abriendo mucho los ojos. Nadie le había dado esa imagen de Arnulfo ni la había tenido las contadas ocasiones en que se habían visto.

—De veras.

—Sí, claro. De veras.

—Tú lo quieres más que a nadie.

—Sí. Así es —pero cuando vivió con él después de viuda supo que lo quería mucho menos que a sí misma. Ella sí se amaba porque se casaba con Ramón a sabiendas de que Arnulfo se quedaba solo y lo que era peor, con un ferviente deseo de no estarlo.

—La soledad no es mala —dijo Arnulfo una noche—. Lo malo es que hay personas que no la queremos.

Eso fue en el primer año, cuando veía todavía lejana

la posibilidad de que Adelina volviera a casarse. Luego, no se hubiera permitido esas palabras para que ella no fuera a sospechar que le suplicaba, le rogaba humildemente que viviera con él. Arnulfo sabía sufrir con elegancia y además, Ramón, igual que Xavier, era amigo suyo y Adelina lo conoció porque Arnulfo lo invitó a la casa a cenar. Nunca supo ella si la invitación había sido intencionada o no, si Arnulfo quería ese matrimonio o no, pero su experiencia le indicaba que Arnulfo tenía una actitud doble frente a sus dos matrimonios: propiciarlos e impedirlos al mismo tiempo.

—¿Y mi tío Ramón? ¿Es bueno?

—Ya veo que te gusta preguntar cosas de los parientes. Tienes razón, debes irlos conociendo. Tu tío Ramón es un hombre muy bueno y muy trabajador, muy generoso y de excelente carácter.

Mario tuvo la sensación de que Adelina lo decía como si estuviera leyendo el periódico y se equivocó a medias: el tono de voz era poco emotivo, pero detrás de él estaba la convicción profunda de que Ramón era cuanto decía y con creces. Siguió hablando.

—Lo que sucede es que se toma muy en serio su trabajo y no viene a comer a la casa. En la noche cena conmigo siempre.

Mario pensó que era una gran ventaja que su tío Ramón no se presentara a comer pero no juzgó adecuado expresarlo así.

—¿No lo ves en todo el día?

A veces lo veía sólo unas horas por la noche, pues ella sufría jaquecas por la mañana y cuando despertaba se encerraba en el dormitorio que fue de ella y Xavier para que los dolores se evaporaran en el curso de la mañana y ella pudiera, alrededor de la una, bañarse, vestirse, tomar un bocado puesto que su verdadera comida era por la noche, con Ramón. Las mañanas con jaquecas eran deslumbrantes, extrañas, y si ella hubiera sido absolutamente sincera, sin miedo al absurdo y a la contradicción, diría que cuando pasaban dos semanas o tres sin enfermarse, se entristecía porque no iba a ese cuarto a entregarse al rito de cerrar los ojos y marchar hacia atrás en el pasado como si soñara o hubiera muerto.

Ramón salía de puntillas transido siempre por esa admiración fervorosa que había sentido por ella desde que la vio presidir la mesa de Arnulfo: Adelina en la flor de la edad, bella como no conocía otra, pero con una discreción especial, una prudencia y una gracia poco ruidosa que eran su encanto verdadero. A esa mujer se la podía amar con el cuerpo pero sobre todo con el alma. Adelina tuvo conciencia de estos sentimientos como si alguien se los dijera al oído y decidió casarse con Ramón. No era guapo como Xavier sino de facciones ordinarias y lo que Arnulfo denominaba en momentos de broma "una veta gachupina muy marcada". Ramón nació en España pero sus padres vinieron a México cuando él tenía tres meses, de manera que no hablaba con acento y jamás su alma albergó nostalgias ni siquiera postizas por la madre patria. Se nacionalizó en cuanto fue mayor de edad, por otra parte.

—Es un gachupín en planta —opinó Arnulfo una vez, riendo—. Pero te concedo que se baña.

Ramón era muy limpio, grueso, con ojos verdes de párpados caídos y lleno de la dedicación más completa a sus dos temas principales: Adelina y su trabajo. Vender refacciones era más que una ocupación una pasión y todo esto para que Adelina tuviera propiedades aparte de esa casa que él no le había dado, ropa, alhajas, pudiera comprar lo que le pidiera su imaginación que era tan modesta, tan práctica, tan al gusto secreto de él que antes de casarse sólo había tenido dos amantes como en contra de su voluntad y para seguir el dibujo de unas circunstancias menores. Ahora, cuando las recordaba, sabía que la primera fue barata y la segunda cara, pero nada más. Luego se enteró de que la primera había muerto y lloró a ocultas de Adelina, con un sentimiento que no venía al caso analizar.

La pijama de Benjamín hijo estaba casi arreglada pero no duraría mucho, los parches y los botones se llevaban con su peso la tela transparente que casi no los sostenía. Adelina la alisó con las manos y luego la dobló distraídamente. Ahora una camisa azul, también sin botones y con un puño descosido. . . Mario estaba sentado en su cama, con las manos cruzadas, con la intención de ser lo más gentil que se pudiera y atento a todos los movimientos de Adelina, a sus gestos, a sus palabras tan lentas en comparación con la prisa de sus pensamientos.

—Eres más bonita que mi mamá, pero ella se ve más joven.

Adelina se rió con la risa que conocían Arnulfo, Xavier y Ramón. Una risa corta para las alabanzas.

—Eres muy amable. Pero creo que estás equivocado. Tu mamá es muy bonita.

—Tú tienes más grandes los ojos y la nariz más delgada.

—Bueno. Muchas gracias.

¿Por qué ella no se ocupaba más de estos niños? ¿Por qué no lo hizo en el pasado? ¿Sería solamente porque no quería representar el papel de la tía sin hijos que se desvive por los ajenos y se atormenta por las disposiciones de los padres en cuanto a su destino y su educación? Claro que el hecho de que estos niños fueran hijos de Benjamín influía mucho en su actitud; amar a sus hijos era exponerse a sufrir por sus inconsecuencias, poner a Carlota quién sabe en qué predicamento y, en resumen, algo que se presentía como incomodidad, problemas y dolores; todo menor, comparado con el bien que podía hacérseles a los niños. Ella se había conformado con darle dinero a Carlota, siempre con miedo a que lo gastara en cosas absurdas o en Benjamín y siempre con la seguridad de que no iba adonde ella hubiera querido. Entonces venían las compras colmadas de culpa porque había visto que alguno de ellos tenía los zapatos rotos o que las niñas estaban haciendo mal papel en la escuela porque ya no les venían los uniformes y tenían que usarlos de cualquier manera. Arnulfo tenía conciencia del asunto y su reacción era muy parecida.

—Esos niños viven en una casa espantosa, andan mal vestidos y seguramente descuidados de muchas maneras.

A veces, me gustaría tenerlos aquí, para que gozaran de las comodidades.

Era una fantasía porque Arnulfo no podía hacerse cargo de niños ni nadie iba a confiárselos porque la magnitud de su problema personal implicaba que él no tenía autoridad moral para educar a nadie sin darle, más tarde o más temprano, los peores ejemplos. Además, él tampoco quería tratos con Benjamín.

—Ese niño mayor de Carlota es idéntico a su padre. Qué horror —no lo decía en serio, pero era cierto que Benjamín hijo no le gustaba porque tenía los mismos rasgos que su padre; si hubiera sido alto y delgado como él, moreno y de ojos rasgados... tal vez. Pero Adelina sentía que no, que así tampoco y que Arnulfo no hubiera amado profundamente ni a los hijos que ella y Xavier no tuvieron porque estaba en contra de lo que fuera creación, principio, reproducción, unión de hombre y mujer.

Quizá ésa era una de las cosas que la habían convencido de que debía casarse con Ramón antes de que lo estuviera de la candidez de alma de él, de su abnegación, de su suavidad esencial. La idea de que Arnulfo consideraba ocultamente su situación de viuda sin hijos como la ideal, lo mejor que pudiera haber pasado para llegar a la felicidad final de ellos dos, para propiciar su soledad y la compañía que se prestaban dentro de un aislamiento roto por la llegada de Ramón, que a su vez apareció única y exclusivamente porque Arnulfo lo quiso.

Estos niños tenían un tío y una tía que no les servían para nada y estaban reducidos a la más triste de las condiciones. Esta camisa azul de Benjamín hijo era inenarrable. Mucho peor que aquellas de Ramón que ella convertía en trapos para limpiar vidrios o el interior de la estufa.

—¿Cómo es África?

—¿Qué dices?

—¿No has estado en el África?

—No.

—¿No? ¡Qué lástima! Y, ¿cómo dicen que has viajado tanto?

—No tanto. He estado en Europa y en Estados Unidos.

—Te faltan Asia, África y América del Sur.

—Pues sí. Dame ese pantalón gris.

A Europa, pero no con Arnulfo, sino con Ramón.

—Adela, vámonos a París.

Eso lo dijo Arnulfo una noche, cuando ya hacía dos años que había muerto Xavier y a ella le latió el corazón de entusiasmo y pensó vanidosa, superficialmente, en el aspecto exótico y especial que ambos tendrían en París; aunque ella podía pasar por española o italiana, Arnulfo llamaría la atención porque era un ejemplo de mestizaje fino, de rasgos indiados pasados por el tamiz de otra sangre menos oscura pero también heroica. Xavier no deseaba volver a Europa porque su despacho lo apasionaba y no quería alejarse tanto; tal vez prefería conservar la imagen que vivió a solas en su época de estudiante. No todo se comparte con las esposas, el pasado puede formar un núcleo aparte, grato al pensamiento, aislado de la vida en común. Eso lo sabía Adelina ahora. Xavier la llevó seis o siete veces a los Estados Unidos y a Canadá: Montreal, Nueva York, Washington; regresaba siempre a las mismas ciudades y no tenía interés en conocer otras.

—Esto no tiene compostura —levantó en el aire el pantalón gris. La tela estaba tan adelgazada por el uso que debía verse perfectamente bien el color de la ropa interior de Benjamín hijo. Lo dobló y lo puso en el gancho—. Cuélgalo por favor. —Mario obedeció y quedó de pie muy cerca de ella, con sus manos gordezuelas a pesar de su cuerpo delgado cruzadas al frente, como en espera de que Adelina le pidiera alguna otra cosa y ya dispuesto a darla, pero ella no le pidió nada, sino que lo hizo volverse hacia un lado y después lo sentó en sus rodillas. El cuerpo de Mario se acomodó en el suyo con una facilidad especial y Adelina se sintió cómoda en una forma diferente. El peso no la molestaba, era una cosa tibia y frágil. Adelina cerró los ojos; era bueno sentirse así, era inesperado y bello. Menos mal que este niño era tan quieto y tan inteligente; no daba miedo amar ni acariciar.

—Tu padre se fue de la casa hoy en la mañana y mi papá se lo encontró caminando en la calle como un loco y tuvo que quedarse a cuidarlo de miedo a que se lo llevaran al manicomio —decía Gisela acostada en la cama de Carlota y de Benjamín, mientras Concha se miraba en el espejo del tocador. Habían jugado al parto y Gisela era la madre; desde que había descubierto, hacía cosa de un año, cómo nacían los niños, no podía hacer uso de otras ficciones, la dada por su madre de la cigüeña, no se prestó nunca a ninguna representación a pesar de la insistencia de Concha quien decía haber visto el famoso pájaro cuando se presentó con Mario colgado del pico.

—No seas bruta —decía Gisela—. ¿Cómo se juega eso? No vamos a pararnos en la ventana como estúpidas a hacer señales para que baje en esta casa y no en otra. A eso no se puede jugar —su instinto certero le advertía que la ficción del juego debe estar directamente relacionada con la realidad y no con otra ficción; si así era, el juego perdía su sentido y se convertía en un absurdo.

Concha, menos sensible, insistía en el asunto.

—Tú no tienes que hacer señales. La cigüeña sabe que a ti te toca el niño, entra por la ventana y te lo pone en la cama que ya le tienes preparada.

Gisela se reía a carcajadas hirientes.

—En primer lugar los pájaros no saben nada porque no son inteligentes como los perros y en segundo lugar, nadie puede depender de una cigüeña. Ni que fuera el cartero.

Concha se desesperaba y sentía temor de ver que algo no era como se le había dicho; era más cómodo aceptar lo que decían los mayores aunque fuera mentira. Cuando Gisela supo la verdad en una versión aproximada que le dieron en la escuela, se la contó a Concha a la primera oportunidad y por poco la vuelve loca: pasó varios días asustada imaginando la herida infinita de un parto monstruoso, intrigada ante la desgracia de haber nacido mujer y resignada luego sin comentarios pero después de haber hecho el propósito vago de no casarse nunca para no tener hijos.

Ahora Gisela jugaba al parto con entusiasmo. Se tendía en cualquier cama, empezaba a lamentarse, convertía a sus amigas en médicos y enfermeras y luego terminaba con el hijo imaginario entre los brazos cantando canciones de cuna como había visto en una película.

—Cuando yo dé el grito más fuerte, tú empiezas a llorar como niño, ¿entendiste? Cuando lo vistas, te presentas con él en los brazos para que yo le cante.

Concha asentía con las manos sudorosas y la muñeca más grande, la de cara descascarada, entre los brazos.

—¿Cómo voy a saber cual es el grito más fuerte?

—Pues oyendo. Concha, ¡que tonta eres! —Concha la miraba con desesperación y sin fuerza para enojarse. El hecho de tener la muñeca delante le daba al juego un realismo que ella no podía soportar.

—Vamos a jugar a otra cosa.

—¿Sabes qué es lo malo de ti? Que te gusta jugar de mentiras, con lo grande que estás. Hasta mis hermanos chicos juegan a cosas ciertas: policías y ladrones, vaqueros... y tú... Nada más te gustan las mentiras.

Por eso, por ese amor desenfrenado que Concha parecía tenerle a las mentiras, gritó Gisela desde la cama donde fingía el parto, la verdad sobre Benjamín. Una verdad que Concha había vivido todo el día y que ahora, en boca de Gisela, sonaba extraordinariamente nueva, vil, colmada de deseo de ofender con hechos irrefutables.

—Tu papá es un loco.

Concha no la miraba. Tenía la muñeca en las manos como si fuera otro objeto cualquiera y estaba sintiendo una ira que antes no conocía, las ganas de morder, desgarrar y matar, sentirse perro, tigre, fiera. Antes de que supiera lo que hacía ya estaba junto a Gisela golpeándola con la muñeca.

—¡El niño! —gritaba Gisela—. ¡No me pegues con el niño!

Pero Concha tenía la muñeca agarrada por las piernas como Gisela le había mostrado que debía hacerse después de salida del vientre materno y golpeaba sin parar, tampoco cuando se abrió la puerta y aparecieron Elena y Carlota, una más asombrada que la otra.

—¡Concha! ¿Qué haces? —la voz de Carlota era baja y severa, tenía la boca rígida.

—Dice que mi papá está loco y que se fue de la casa. Quiero matarla.

Carlota atravesó hacia su hija y le quitó la muñeca de las manos. Aquello era una mezcla extraña: Concha tan alta, con cuerpo de mujer, golpeando a otra niña menor que ella con el símbolo de su infancia y de su feminidad sólo porque no podía soportar más inocencias destrozadas.

—¿Estás loca? Ya eres una muchacha grande...

Intervino Elena, con la cara de madre discreta y fina de una hija ofendida.

—Gisela tiene la culpa. ¡Mira que decir esas cosas! Yo no sé de dónde las saca. Bueno, las criaturas son terribles, ¿no te parece?

—Sí... —Carlota estaba ahora muy seria. Ya sabía lo que había venido a decirle y finalmente se había salido con la suya. Se volvió a Gisela—. ¿De dónde sacaste eso que le dijiste a Concha?

—Quién sabe —interrumpió Elena, muy nerviosa—. Las niñas inventan.

—¿De dónde lo sacaste? —la pregunta era fría, hacía caso omiso de la presencia de Elena y estaba formulada en un tono especial.

—Gisela, te prohibo que contestes —dijo Elena y se enfrentó a Carlota quien se rió de pronto en una forma que Concha no había oído antes.

—Váyanse, tú y tu hija. Y no vuelvan. Eres una hipócrita. Sal de aquí antes de que te dé unas bofetadas.

Elena se pensaba a sí misma mucho más enérgica que Carlota a quien imaginaba sin carácter, sin fuerza para mandar y sin habilidad para economizar. Ahora no podía creer lo que escuchaba.

Gisela se levantó de la cama y desfiló hacia la puerta sin mirar siquiera a su madre y Elena siguió a su hija porque sintió que no debía quedarse sola con aquellas. Antes de salir, dijo:

—Esto lo sabrá Ernesto.

—Sí y yo se lo voy a decir a mi hermano para que le quite el empleo y tú veas lo que es no poder ahorrar.

Elena se quedó clavada en el suelo, con la expresión altanera a medio caerse como si fuera una máscara y detrás ella, empezaron a verse el terror y la sorpresa.

—¡Qué infamia!

No se quedó a escuchar la respuesta, salió sin cerrar la puerta, detrás de su hija. Concha y Carlota se miraron. Nunca se habían mostrado su ira, su capacidad humana de barbarie y de vulgaridad, desplegadas en el momento solitario en que un enemigo quería hacerlas pedazos con la verdad aquella que de cualquier manera no ignoraban. Eran de la misma estatura y Concha adelgazaría un poco más cuando empezara a ponerse guapa. Entonces parecerían hermanas.

—No le digas nada a tu tía Adelina —murmuró Carlota.

—No —en esta ocasión, no titubearía frente a Adelina para terminar contando lo que más quería ocultar. Todavía tenía el rostro enrojecido y le temblaban los labios, pero sus pensamientos no estaban en el pleito con Gisela, ni en Benjamín, sino en el parto, en el madito parto que debía despedazar la carne para dar a luz a un niño que no imaginaba en forma realista sino como este muñeco que ahora sostenía su madre por una mano.

Así como antes Carlota se había sentido con derecho a preguntarle a Adelina sobre la muerte de Xavier sin recibir respuesta, así ahora Concha sintió que había ganado el privilegio de expresar la duda tan urgente.

—Mamá, ¿cómo se hace para tener un hijo? —le agarró el antebrazo con fuerza—. ¿Duele mucho? ¿Se te rompe la piel?

—No se te rompe nada y duele pero puede soportarse como cosa natural que es; por otra parte, el médico te da calmantes y te cuida mucho. Casi todas las mujeres del mundo tienen hijos y no les pasa nada, ¿no lo ves?

Concha aflojó los dedos pero no soltó a su madre.

—¿Me lo juras?

Carlota tuvo una lástima intensa de esta hija que recibía la verdad sólo bajo juramento y dejó la muñeca sobre la cama para abrazarla.

—¡Qué tonta eres, corazón! Las mujeres pueden tener hijos con facilidad aunque no las atienda nadie. Además... es una cosa bonita; te sientes feliz porque vas a tener en los brazos un hijito tuyo y vas a poder besarlo, bañarlo, vestirlo con la ropa que has estado haciendo durante meses... —Carlota calló porque la voz le temblabla. Por primera vez sentía la maternidad como debiera haber sido para ella, como un principio de creación y no como el resultado del amor. ¿Por qué ella no había recibido así a Benjamín hijo cuando la enfermera se lo trajo para que lo viera por primera vez? No podía recordarlo de recién nacido. ¿Era rojo y peludo como Mario o bonito como Concha?

Concha se dejó abrazar por su madre y miró la muñeca, ahora despatarrada sobre la cama, con la cara más rota después de los golpes a Gisela. Bueno, eso sólo era una muñeca, como tantas que están en las jugueterías, pequeñas y grandes, de diferentes materiales y colores. Un niño... era otra cosa.

Carlota pensaba que nunca antes había hablado con Concha abiertamente, sin deseo de ocultar sino de revelar y que con sus otros hijos aún no lo había hecho. Debía ser difícil o imposible, puesto que con la más sencilla de todos resultaba tan angustioso... Pero, ¿qué hubiera podido decirle ella a su hijo Benjamín? Probablemente la experiencia de las horas pasadas en la calle era más vívida, más clara, que las explicaciones de ella. Deseaba que así fuera porque Benjamín padre no le diría nunca nada por falta de tiempo, de confianza y de ganas. ¡Arnulfo! ¿Por qué lo traía a cuento? Arnulfo estaba bien lejos de sus hijos y Benjamín padre decía que... pero no, Arnulfo hubiera podido decirle a Benjamín hijo estas cosas que resultan importantes... Arnulfo debía saber lo importantes que eran y él era un hombre minucioso, responsable, con sentido común.

—Ya tienes el pelo muy largo.

—Sí, pero no me lo cortes; me gusta como me veo —la voz de Concha era tranquila y se había soltado de su madre. Era claro que el episodio llegaba a su fin y ella había recobrado la calma. Fue hasta la ventana.

—La señora Elena estaba furiosa —Carlota se rió repentinamente a carcajadas y Concha se volvió, también riéndose—. ¡Qué malas fuimos! ¿No? Yo le pegué a Gisela y tú por poco le pegas a ella.

—Vamos a ver qué está haciendo tu madrina —salieron del cuarto una detrás de la otra, con la sonrisa en los labios.

Gloria no salió cuando oyó el ruido en la habitación vecina por puro desprecio y porque Elena le era todavía más antipática que Gisela y por no verla se hubiera quedado encerrada durante horas, aunque oyera peores ruidos. Además, ella tenía que leer el Lazarillo de Tormes para su clase de literatura aunque las monjas no dijeron que nadie leyera, sino se limitaron a contar con aire razonable que ese libro se trataba de las travesuras de un niño y formaba parte de la picaresca española. Pero Gloria había creado sospechas hacia las monjas, su forma de expresarse, su aspecto, hacia su colegio, su casa y la vida. Por eso, cuando podía constataba en otros libros lo que decían las monjas y eso no era tan difícil para ella como para otras niñas porque su padre siempre había comprado libros y repartidos por toda la casa había unos libreros primitivos de ladrillos y tablas que servían para acumular aquellos tomos nuevos, muchos sin abrir, que Benjamín compraba, sacaba a la calle una o dos semanas y luego abandonaba sin leerlos, o hasta la mitad o la cuarta parte.

Leía el Lazarillo con un interés ávido y sorprendido mezclado con el sentimiento de triunfo que le daba haber descubierto a la monja. Si conociera el trámite, la delataría ante la Secretaría de Educación Pública por. . . ¡por ocultar la verdad y exponer ante las alumnas datos equívocos, de los cuales podía colegirse que el Lazarillo de Tormes era un cuento para niños de seis años! ¡Cuánto gozaría ella si esta verdad se extendía y ninguna niña volviera a ese colegio mientras que las monjas quedaban abandonadas contándose inocencias y tonterías unas a las otras, inventando mundos que no tenían que ver con nada para olvidarse sin duda de que eran monjas! Mujeres mentirosas y sin moral, inventoras de verdades como las de su padre. Eso era exactamente. Cuando la madre María del Pilar hablaba de literatura, ella sentía lo mismo que cuando decía su padre que iba a escribir un libro.

Y ella estaba becada en esa escuela y le hacían la caridad de recibirla y era hija de Benjamín ya para siempre, sin escapatoria posible. No podía convertirse en hija de Adelina o de Arnulfo que tenían el buen hábito de referirse a las cosas y a los sucesos dándoles sus nombres y sin sacarlos de la dimensión adecuada. También era hermana de Benjamín hijo que parecía ciego y de Concha la idiota. Pero estaba Mario, y ella, que era su madre real y verdadera, lo enseñaría a no engañarse. Su madre verdadera desde que lo vio en el sanatorio a través del vidrio y pasó dos horas contemplándolo mientras Concha y Adelina hablaban con Carlota.

Sí, señor; hacia ese reino es mi camino.
DON QUIJOTE

quinta parte

Samuel fue a casa del Chato Barret, pero no quiso verlo. Allí le dejaba el anillo, en un sobre que compró y manoseó en seguida... y que se conformara; además ya le había pagado y no iba a escucharlo una o dos horas por el mismo precio.

Entonces no supo qué hacer; si ir hacia Santa María a la casa de Arnulfo o regresar al restaurant donde pensó hallar a Alberto y todavía pensaba que... Qué tonto, ¿cómo no se le había ocurrido cuando estuvo allá?

Caminó desde las calles de Cuba, donde estaba el departamento anticuado, grande y lujoso de Barret y fue a dar de nuevo a la Santa Veracruz, al cuarto con puerta a la calle que había visitado hacía apenas una hora. Tocó con suavidad y esta vez le abrieron en seguida, Federico no había vuelto a dormirse.

—¿Qué pasó? —preguntó un poco desencajado, listo para defenderse de una trampa que nunca estuvo tendida y sin acertar a llamarlo "señor".

—No pasa nada, mano. Ya le llevé el anillo. Éste es otro negocio diferente.

—Quiere que vuelva esta noche, ¿no? —no lo decía con tristeza ni con alegría, sino con una cierta seriedad dura y poco emotiva que sacudió a Samuel.

—No. No lo vi. Le dejé el anillo con su criado.

—Ah. Pase.

Se hizo a un lado y Samuel se vio de nuevo en el cuarto de los recortes de papel de china con el perchero disimulado en el rincón y la cama ya hecha.

—¿Ya se te pasó el sueño?

—Siéntese, jefe. Luego que usted se fue ya no pude dormirme; así me pasa, por más cansado que esté —hubo una pausa, Samuel se acomodó en la silla y respiró hondo. A veces, a estas horas se presentaba el cansancio; ya no era el mismo de antes, cuando a la una de la noche caía en la cuenta de no haberse sentado desde hacía horas—. ¿Está usted enfermo?

El tono de Federico era cauteloso, pero con un fondo de respeto, reconocía en Samuel una persona superior social y culturalmente, pero no se hallaba seguro de sus intenciones.

—No. Muchas gracias —era ridículo decir que se sentía muy bien, el muchacho iba a pensar que rechazaba su cortesía—. Pero estoy cansado, ¿no quieres que salgamos a tomar un café? Yo te invito.

Federico lo miró con recelo todavía. ¿Se trataría de un negocio sucio de veras? Él estaba resuelto a no robar. Eso siempre salía peor porque se quedaban las personas sin empleo.

—Vamos. Yo no me he desayunado. Quiero decir que no he comido nada —se rió—. Es muy tarde, ¿qué horas tiene? —mientras hablaba se puso un suéter negro, de cuello alto.

—Las cinco y media.

No, no era feo este muchacho, pero, ¡cómo hablaba! Tenía un acento tan vulgar que parecía fingido. Y Arnulfo nunca había sido como otros, que gustan de ejercer en sus protegidos sus dotes didácticas. Además, ya había descartado esa idea. Salieron.

—¿Te dan de cenar en el restaurant?

—Sí. Se come bien. Pero hasta la hora de cerrar. Como dos veces al día; a estas horas y hasta las doce de la noche.

—¿A qué horas entras?

—A las siete unos días u otros desde las cinco —¿no querría este hombre robarle al restaurant y que él fuera cómplice? Eso le daba todavía más miedo porque si se hacía público, salían las fotos en los periódicos y luego. . .

Llegaron hasta Soto y sin decir palabra, se metieron en un café barato y se sentaron. Samuel tuvo una conciencia repentina de que Federico debía ser conocido en ese café y de que alguien pensaría que él estaba haciéndole proposiciones. ¿Y qué? ¿No había sido alcahuete tantas veces? ¿Qué más daba proponer para otros que para uno mismo? La verdad por la verdad misma no le resultaba interesante; que pensaran lo que quisieran.

Federico pidió una hamburguesa y una coca cola sin mirar al muchacho que tomó la orden. Iban a decir que andaba con un hombre ya viejón y mal vestido, mendigando invitaciones después de haber presumido de que a él los viejos ricos le rogaban. Mejor hubiera presentado a Samuel, pero entonces creerían que ya era su amigo en forma permanente.

Samuel se quitó el sombrero y pidió un café con leche y pan. Tenía los ojos muy azules.

—Mira, se trata de que estés pendiente de un tipo que puede ser que llegue allá donde trabajas. Si llega hablas a un número de teléfono donde yo voy a estar, y luego le das un recado para que hable él.

—¿Y ya? —le brillaron los ojos. No podía creer que se tratara de algo tan simple—. ¿Es para algo malo?

—No. Es para que un amigo mío sepa donde anda este tipo.

—¿Vive con él?

—Sí. Eso.

—Y se le fue, ¿no? —Samuel asintió—. Eso les pasa siempre —iba a decir "a los viejos", pero no se atrevió. Samuel captó la vacilación y sonrió levemente.

—Mira, es un muchacho apenas mayor que tú, muy alto y de buen grueso, blanco, de pelo y ojos negros, vestido con pantalón claro y con un suéter de esos que se ven muy finos. . . y lo son.

—Guapo —lo decía con envidia y con tristeza, como si ser guapo fuera una carrera y él no pudiera intentarla por las condiciones en que lo había puesto la vida.

—Guapo a los ojos de quien lo busca —se escuchó decir Samuel con algo de asombro porque Alberto era guapo a los ojos de quien lo viera—. Se llama Alberto Bárcenas —sacó un papel del bolsillo, un papel maltratado pero en blanco—. Aquí voy a escribirle unas palabras y del otro lado pongo el nombre y el teléfono.

"Alberto: comunícate con Arnulfo, quien desea hablar

contigo. Saludos. Samuel Macías." Le dio el papel a Federico y él lo miró antes de guardárselo.

—Qué buena letra tiene usted. Nadie que yo conozca la hace tan bonita —Samuel no sabía si era alabanza o si simplemente estaba llamándolo viejo. No importaba, tampoco.

—Nada más que no puedo pagarte por adelantado porque ahora traigo poco dinero. Te pagaría mañana.

—¿Y si el tipo no se presenta?

—Estás atento también los días que siguen hasta que yo te avise. No es difícil reconocerlo porque no es del tipo ni de la edad de los clientes de allá.

Federico empezó a comerse la hamburguesa con mucha hambre y ninguna educación. Samuel lo tomó con naturalidad; él no era ni había sido nunca Arnulfo Ayala para ponerle condiciones a todas las cosas de la vida. Él no se defendía del dolor como Arnulfo porque lentamente había ido perdiendo todos sus intereses y ahora, a los cincuenta años, no le importaba nada más que esta obligación pesada de sobrevivir. ¿Cuántos años hacía que lo habían despedido de la compañía aquella porque uno de los jefes se empeñó en denunciarlo como homosexual? "Queremos empleados casados", le dijeron "Y naturalmente, recibirá su compensación." Hacía más de veinte años y la compensación fue pequeña porque él llevaba poco tiempo en esa compañía. Corrió a depositar el dinero en un hospital y se hizo socio para que lo atendieran a su muerte porque no volvería a tener otro empleo ni nada estable entre otras razones porque perder el empleo en esa forma era el castigo más claro por su homosexualidad, su aspecto de sensualidad homosexual y sus intenciones abiertamente homosexuales. De manera que en las compañías privadas, donde se gana dinero en serio no quieren homosexuales porque alguien puede chantajearlos, sino hombres casados, cargados de hijos y de problemas porque esos no tienen deseos ni necesidades. Imbecilidad, pero él quería dejarse podrir, terminar calladamente y sin comentarios, aunque le llevara años. Para que el castigo fuera completo se volvió alcahuete y sirviente de homosexuales ricos, muchos de ellos antiguos compañeros suyos; sólo para que el castigo fuera completo.

—¿Usted vive por aquí cerca?

—No muy cerca, llegando a la Lagunilla. En la calle de Comonfort.

—¿Allí tiene su cuarto?

A Samuel le divirtió que Federico quisiera saber con precisión si tenía un cuarto, tal vez con la esperanza de que tuviera una casa o algo más decente.

—Mira, tengo el cuarto más descuidado que puedas imaginarte. Nada de adornos de papel de china y de sillas de paja, como tú. Mi cama, una silla para poner mi ropa y un ropero del año del caldo. . . —lo dijo con los ojos pícaros y Federico lo tomó muy a mal.

—En primer lugar, no le pregunto porque crea que tiene un departamento como el viejo de anoche y en segundo mi cuarto tiene que estar así porque luego llegan gentes.

—No te enojes.

—No, pues —Federico hizo un gesto de escepticismo y se llenó la boca de papas, le quedó una afuera y la empujó con el dedo como si tuviera capacidad ilimitada. Samuel sintió ganas de reír y lo disimuló con tanto esfuerzo que parecía tristeza o molestia—. ¿A poco ya se enojó?

—No hombre. ¿Tienes familia?

—Pues claro —de nuevo la agresividad. ¿Cómo no iba a tener familia? Sólo que hubiera nacido del aire—. Tengo mis papás, dos hermanas y un hermano chico. Viven en una portería por la Colonia Condesa.

—No es mal rumbo.

—No, pero yo tuve que irme. Hace dos años que me fui. . . no había lugar.

—¿Les das dinero?

—No. ¿Sabe qué? Les pago los abonos. Una televisión y una máquina de coser para las muchachas, para que no se hagan putas, ¿no cree?

Lo dijo contento, con algo mundano y orgulloso que hizo bajar los ojos a Samuel. ¿No se daba cuenta Federico de lo que él era?

—¿Cuantos años tienes?

—Veinte.

—Menor de edad —dijo Samuel en forma automática.

—Sí, pero en el restaurant dije que veintidós, ¿no? Si no, no me dan nada. Fíjese, antes trabajaba en una herrería, allí sí se trabaja fuerte todo el día. Ya me estaba poniendo tísico y un amigo me dijo: "No seas pendejo, si no estás tan peor. Tu nada más hazte el encontradizo." Yo le dije: "¿Y si me dan de patadas?" "Nada más no te subas en coches, pero todos los viejos quieren." Es cierto, sí quieren.

Samuel había oído esta historia muchas veces y no se escandalizaba, pero siempre encontraba inquietante la falta de modales afeminados en estos muchachos. Por ejemplo, él se sabía secretamente afeminado y si en su momento no hubiera aprendido a ejercer cierto dominio sobre sus modales y las inflexiones de su voz, hubiera hablado y se hubiera conducido con una afectación casi cómica. En cambio éstos eran muchachos como cualquiera, con la veta pervertida de venderse uno intuía que no importaba a quién. Además, a fuerza de inmadurez, estaban llenos de rasgos infantiles. Tal vez eran unos monstruos, pero no eran simple y sencillamente homosexuales; sino lamentable, extraña, complejamente homosexuales.

—¿Te gusta lo que haces?

Federico se ruborizó intensamente y empezó a jugar con los cubiertos que no había utilizado mientras Samuel se arrepentía de aquella pregunta tan íntima o que había resultado tan íntima en este caso.

—Pues. . . ¿qué hay gente que. . . le guste? Yo. . . —en la pausa se aglomeraron explicaciones exactas acerca de sus actitudes en relación con los viejos, mañas para molestarse menos y un malestar más profundo de lo que Samuel sospechó en un principio—. Yo. . . no. No me gusta, pero nunca lo digo porque luego se siente peor.

Samuel asintió y consideró cuidadosamente lo que debía decir ahora. Optó por cambiar de conversación.

—Yo soy muy descuidado, pero hay una señora que me arregla mi cuarto y se ocupa de que mi ropa esté limpia, ¿ves? Cuando tengo le pago, pero hay veces que pasa un mes y no le doy nada a la pobre.

—¿Usted trabaja? —ahora Federico estaba tranquilo, agradecido tal vez de no hablar de los viejos ni del restaurant.

—Pues. . . trabajé en un tiempo y ahora, la voy pasando. . . mal, a veces —era la primera vez que se lo decía a alguien así, con ese tono suyo que registraba los hechos pero no se quejaba de ellos como si su emotividad estuviera lejísimos—. Le hago mandados a unas personas.

—¿Mandados? —Federico soltó la carcajada. Para él un mandadero era un niño de catorce años con una bicicleta—. ¿A poco mandados?

—Sí. Como el del anillo por ejemplo. Como este encargo que te hago ahora —lo decía con paciencia en los ojos y en la voz, con una falta de pretensiones largamente practicada.

—Ah. . . pues sí. ¿Y con eso le alcanza?

—Yo no tengo abonos que pagar.

Federico sacudió la cabeza y empezó a hacer gestos.

—Es lo malo de la gente. ¿Para qué se hace tantas deudas? Lo de la máquina de coser está bien, pero lo otro. . . ¿Usted no cree?

—¿Saben en qué trabajas?

—Saben que soy mesero —reflexionó un momento—. Ya se han de haber dado cuenta, pero tampoco les conviene decírmelo. Yo creo que saben porque en el edificio donde viven hay un jotazo y nunca dicen nada de él cuando yo estoy presente.

Pero no. Este muchacho no era como él; él con la mitad de eso se hubiera vuelto loco de culpa y de vergüenza, él por mucho menos se había aislado de sus hermanas y de su hermano con quien había negado estar emparentado cuando alguien le preguntó si eran de la misma familia.

—Yo también tengo dos hermanas y un hermano, como tú. Pero no los veo desde hace mucho tiempo. O bueno, a veces los he visto, pero de lejos. —Él era así, con su actitud de culpable, con el rostro sucio y la mirada huidiza del culpable. "¿Qué has hecho, Samuel?", se preguntaba a sí mismo y nunca podía contestarse: "Ser, inevitablemente."

—¿Usted cree en el amor? —la pregunta era más ingenua que cursi. Pregunta con una respuesta grande y una pequeña. Eligió la grande.

—Mira, todo lo bueno que pasa en el mundo, es por amor. Por amor de las madres a sus hijos o a sus esposos, de los hermanos y las hermanas, del género humano por el género humano. . .

—Todo se llama amor. Que raro ¿verdad?

—Sí. Y todo lo malo que sucede es por falta de amor —quería decirlo todo ya que había empezado, pero Federico lo interrumpió.

—Los odios y las envidias.

—Sí, eso.

—Oiga, ¡qué bien habla! —Samuel ya no quiso seguir hablando del amor porque las alabanzas no tenían sitio en este mundo esquemático donde él representaba el papel de mediador de dos entidades que no querían o no podían comunicarse directamente—. ¿Quién lo enseñó a hablar?

Samuel pensó en la serie de personas que habían intervenido en su primera educación: su madre, sus hermanas mayores, sus maestras, las amigas de sus hermanas.

—¡Uy! Un montón de mujeres.

—¡A poco! A poco tiene usted mujeres —el comentario era curioso de informaciones inesperadas, de revelaciones que Samuel no podría hacerle jamás.

—No. No tengo ni he tenido, pero conocí muchas de niño y de joven.

—Ah —la curiosidad no se había colmado, muy al contrario—. Usted era rico, ¿no?

—No hombre. Que rico voy a haber sido —su padre era médico y su familia acomodada. Se asombró de que a estas alturas alguien pudiera notarlo—. Teníamos para vivir decentemente.

—Pues eso dice la gente cuando tiene dinero.

—De cualquier manera, todo eso está muy lejos y decirlo no cambia nada.

—¿Ahora sí se enojó?

Samuel negó con la cabeza. Fuera de su cuarto y con el suéter, Federico se veía más joven y notablemente flaco; estaba en los huesos y casi parecía un niño de escuela.

—¿No tienes más hambre?

—Pues. . . no sé. El hambre es algo muy extraño; nunca se acaba, ¿no? Me voy a pedir un café con leche como el suyo.

Lo pidió y se lo trajeron. Comió el pan con avidez y sin mirar a Samuel, como si mostrar apetito fuera entre otras cosas una intimidad.

—Estás hambreado, eso es lo que pasa.

—¿Sí? ¿Y usted no tiene hambre?

—A mi edad uno no tiene tantas ganas de comer ni de dormir. Yo a veces quisiera sentarme un rato largo, como ahora, pero no dormir.

—Hay unos viejos comelones —la experiencia de Federico nacía de los que iban al restaurant y no podía verlos de otro modo que como símbolos de abundancia y de pecados de la carne.

—Estás loco. Los que tú conoces están a dieta casi todos. No hay uno que coma normalmente —hasta Arnulfo, añadió mentalmente. Pero la comida de él era siempre una dieta porque correspondía a una de las manifestaciones de su ascetismo.

—Ah, de veras. No me acordaba. Es que como gastan el dinero así. . . en tantas cosas diferentes.

Samuel lo miró con ternura: "en tantas cosas diferentes". Como en la posesión fugitiva del cuerpo de esta criatura frágil, ignorante de muchas cosas del mundo y con la experiencia extendida hacia algo que era una especie de campo inmencionable donde ocurrían cosas que no podían encontrarse ni en los libros de pornografía. Entonces tuvo miedo, un miedo horrible de decirle a aquel muchacho una palabra que ninguno de los dos hubiera podido precisar, porque él no era hombre de prometer y no cumplir y por otra parte hacía años que no tenía otros compromisos que los surgidos naturalmente del desempeño de este oficio borroso y extraño que no tenía nombre decente y sí tal vez el más vil de los nombres. O tal vez no. Los que compran comida son sirvientes, los que compran sexo para otros deben disfrutar de una categoría parecida.

—La cuenta, por favor —la trajeron y Federico sacó un billete de cincuenta al tiempo que Samuel sacaba otro igual. Los dos eran del Chato Barret y los dos tuvieron conciencia de ese hecho y se vieron con sonrisas iguales: irónicas, burlonas, un poco descaradas.

—Cada quien lo suyo —dijo Federico cuando vio que Samuel ponía su billete en manos del muchacho.

—No. Otra vez te toca a ti.

Federico guardó el billete y miró a Samuel. ¿Comerían juntos otra vez?

—Gracias, jefe —lo dijo con el peor de sus acentos. Peor que un limpiabotas o un vendedor de periódicos, y se ruborizó.

Salieron y llegaron sin hablar hasta la Alameda.

—Bueno, me voy a ver al viejo ese, como tú dices. Allá espero que me hables. Di que quieres hablar con Samuel Macías. ¿Te acordarás de mi nombre?

—¡Cómo no!

—Bueno, pues ojalá tengamos suerte.

Le dio una palmada en el hombro y echó a andar hacia la derecha. Caminó dos cuadras y notó que para él hubiera sido bueno seguir sentado en aquel café. Tomaría un camión. ¿Por qué hacer todo a pie, de cualquier modo? Se subió en un Azcapotzalco y había lugar.

Arnulfo no había adquirido nunca la costumbre de pagarle regularmente por sus servicios ya que sus relaciones no eran claras. Si él hubiera sido solamente el empleado anónimo a quien se ordena que haga tal o cual cosa, Arnulfo le hubiera pagado modestamente pero con seguridad. Modestamente porque su generosidad estaba toda dirigida a las personas que amaba, entre las que Samuel no podía contarse aunque tuviera derecho a su intimidad y a sus secretos vergonzosos o complicados. Esta liga con las debilidades de Arnulfo no convertía a Samuel en su amigo porque no correspondía más que a una parte de su personalidad: Arnulfo no era débil sino fuerte y también tenía una intimidad tierna y sorpresiva colmada de cualidades que Samuel apenas se atrevía a creer pero que existía como lo demostraba la asiduidad de Arnulfo con su hermana, aquella bella mujer de pestañas temblorosas que Samuel había visto dos veces en su vida. Recordaba como si fuera ayer la primera, cuando Arnulfo decidió poner aquel departamento que tuvo tantos años; la segunda, años después, cuando Arnulfo estuvo a punto de verse acusado nuevamente de corrupción de menores por un muchacho de las filas de Federico que tenía su negocio perfectamente organizado: él era el menor corrompido, sus padres los acusadores, sus amigos los testigos. Arnulfo les dio diez mil pesos y él tuvo que regatear porque querían quince.

Por todo esto, Arnulfo no le daría un billete de cincuenta o de cien si él encontraba a Alberto, le prestaba compañía por la tarde y lo consolaba mientras se desesperaba sordamente. En este caso todavía menos porque relacionaría el dinero con la aparición de Alberto quien por cierto tenía una cuenta en el banco porque Arnulfo no quería que entre ellos hubiera tratos económicos. Cada mes, Arnulfo depositaba una cantidad en la cuenta de Alberto y tenía una delicadeza que este último no sospechó jamás: no veía cuánto sacaba; si se sobrepasaba, el banco se lo haría saber. Pero Samuel estaba enterado porque Arnulfo lo enviaba al banco cuando tenía demasiado trabajo y le recomendaba en forma muy explícita que se las arreglara para que nadie le dijera cuánto gastaba Alberto a menos de que fuera obvio que no le alcanzaba, porque entonces sería necesario depositar una cantidad mayor todos los meses. Samuel lo arregló a su manera y no se acordaba cómo.

Llegó a Santa María y se bajó y luego se metió en los callejones menores donde estaba la bella, complicada, adusta y recién decorada casa de Arnulfo.

—Quiero un decorador de buen gusto. No deseo que

esto resulte uno de esos arreglos amanerados que harían reír a cualquier persona decente.

Samuel fue a ver al mejor decorador que encontró y la casa no resultó amanerada sino ostentosa; no haría reír a los decentes, sino aterrorizaría a los pobres. Eso era todo. En cuanto al gusto...

—Puedo soportarlo —le dijo Arnulfo con frialdad a Samuel y Samuel sabía que lo soportaba porque Alberto había tratado con el decorador en todo momento y no estaba ya muy seguro de si su casa correspondía al capricho de Alberto o si el decorador había logrado imponerse. De cualquier manera no le importaba mucho, en tanto que Alberto mostrara ese entusiasmo por ver diseños, visitar mueblerías, comprar objetos artísticos. Claro, Samuel suponía que Arnulfo hubiera preferido quedarse con su casa llena de muebles viejos, relativamente corrientes y promiscuos, con las recámaras de sus hermanas cerradas con llave y recordando su infancia, su adolescencia, aquella época en que él vino con motivo de la fianza del departamento y todos le parecieron tan jóvenes y tan hermosos y él se sintió inferior porque aunque fuera sólo un poco mayor que Arnulfo, ya estaba envejecido, muerto y catalogado para siempre a causa de aquel ostracismo aplicado en su trabajo que él interpretó entonces como la exclusión de la vida entera, porque no era fuerte como Arnulfo Ayala que recibía anónimos y los tiraba a la basura sin parpadear y tenía cada vez más influencias porque la clave para que las agresiones del prójimo no se vuelvan certeras es actuar como si no las hubiera. No, él era un harapo y lo leyó en los ojos de Adelina Ayala cuando le abrió la puerta; él era un ser repugnante que aparecía para manchar la alfombra de la sala y para quemar la casa. Así había actuado, había colaborado para que Arnulfo fuera más corrupto. Mentiras. Mentiras. Arnulfo era lo que era y él no podía agravar ni mejorar su situación. Todos eran lo que eran.

Tocó la puerta y vino a abrir el asistente.

—Juan, ¿está el señor?

—Está en su cuarto. Pase usted. Voy a avisarle.

Samuel entró y se acomodó en el único sillón de aquella sala que parecía no ser del gusto de Alberto: cómodo, hondo, con un taburete al lado donde él no se atrevería a subir los pies. Arnulfo estaría encerrado inventando excusas para su desesperación o tal vez sin inventar nada, entregado a su desesperación como las criadas, o las jóvenes de dieciocho años o las mujeres de cuarenta; o finalmente, como cualquier persona que al fin y al cabo no era.

—Viene dentro de un momento, señor.

Vendría caminando con agilidad, tal vez en mangas de camisa, con esa rapidez de movimientos que si antes era gracia ahora parecía nerviosidad porque Arnulfo también envejecía y se deterioraba. Pero no, Arnulfo se presentó con un suéter azul marino, abierto, que marcaba sus hombros huesudos más que una camisa.

—Hola —estaba esperando a Samuel porque era el tipo de persona que no descansa hasta dejar terminado un asunto o por lo menos en un estado de claridad francamente prometedora. Se dejó caer en el sofá blanco.

—Este mueble es infernalmente incómodo. Aquí había otro sofá de esos de la época de los ternos, ¿te acuerdas? Esa moda asquerosa del sofá y dos sillones muy pesados. Bueno, pues era fantástico para sentarse, recostarse, leer, fumar. . .

¿Estaría Arnulfo dándole conversación para disimular su inquietud? Tal vez estaba contento de tener con quien hablar. Pero él, Samuel, debía hacer un esfuerzo por ser muy sincero especialmente hoy. No es que no lo fuera por costumbre, es que para él era clara la diferencia entre ser sincero y ser verídico. Lo primero era confiar, lo segundo, ajustarse a la realidad.

—¿Dormiste la siesta?

—No. No propiamente. Pero me metí en la cama y empecé a deprimirme de una manera tan atroz. . . —Arnulfo sabía a Samuel capaz de la sutileza y si no se confiaba a él era por pereza, o porque era huraño, o por orgullo, pero no por sentir que el otro no comprendería—. Parece que la gente le da a uno por muerto antes de que lo esté o algo así.

—Uno mismo se da por muerto —la voz le salió ronca, llena de reminiscencias del momento en que había decidido continuar su vida ocultamente, sin otros tratos que los superficiales con seres humanos con quienes no establecía relaciones. Arnulfo se sorprendió, era una novedad que Samuel hiciera alusiones sobre su pasado remoto. Los ojos le brillaron de malicia.

—Me lo imagino, la ventaja es que puede resucitar cuando le da la gana —sonó duro, más burlón de lo que Arnulfo había querido, pero no surtió mal efecto en Samuel.

—¿Resucitar? —lo preguntaba con calma, sin asustarse ante la idea, pero sin entusiasmo—. ¿Ave Fénix a los cincuenta años?

Arnulfo se puso serio. Esperaba esas bromas de Samuel que venían en tonos neutrales, hechas para salir del paso y hablar de otra cosa en cuanto fuera posible y se encontraba con esta falta de afectación para considerar en presencia suya un asunto que sólo le concernía a él.

—El optimismo es una actitud hacia la vida. Lo mismo sucede con resucitar; es un punto de vista.

—Que lleva a las acciones. Porque estar muerto es no hacer nada y yo hace como veinte años que no muevo un dedo por iniciativa propia. ¿Que te parece? —en el fondo Samuel estaba más alarmado que Arnulfo. No figuraba en sus planes hablar de estas cosas que imaginaba lejos de sus intenciones actuales.

—Nada. No puedo decirte nada en este momento porque nunca se me había ocurrido que fueras tan consciente de. . . todo eso. La verdad es que jamás he podido explicarme cómo hiciste para echar a perder tu vida en unos meses y cómo tuviste la fuerza de voluntad para persistir en tu actitud. —Arnulfo había pensado en eso muchas veces, ociosamente, antes o después de ver a Samuel.

—No se necesita fuerza de voluntad. Es como la locura: crees que has perdido un brazo y actúas como si no lo tuvieras. En ese sentido no cuesta trabajo persistir, muy por el contrario, el esfuerzo viene cuando decides que el brazo te sirva, aunque estés seguro de que no lo tienes.

—Este sofá no sirve —se levantó y dio unas vueltas, luego eligió un sillón demasiado grande, con alas a los lados del respaldo—. Éste es de abuelita gringa. Oye, ¿y qué piensas hacer? ¿Trabajar como un cristiano cualquiera, vivir como los seres superiores y reunirte con los tuyos?

—Suena muy bíblico. No. No exactamente. No sé ni qué estoy diciendo.

—¿Por qué sucedió todo? —Arnulfo no sentía que preguntar así fuera indiscreción tratándose de Samuel porque había demasiados antecedentes suyos en manos del otro y siempre los recordaban sin pudor.

—Me corrieron de aquel trabajo por puto. Claro, en una forma encubierta.

La palabra gruesa no le molestó a Arnulfo, en cambio, siempre lo desesperaban los circunloquios para hablar de este machacado problema que no era asunto de nadie.

—¡No! Mira, qué cabrones.

—No podía hacer nada sin perder la dignidad y, desde luego, lo acepté sin darme por aludido. Pero no me repuse.

Arnulfo había sospechado que se trataba de eso, pero no se resolvía a creerlo porque Samuel, cuando estudió con él, era muy directo en cuanto a ese asunto se refería y de un olfato infalible. Por supuesto, allí no funcionaba la susceptibilidad porque estos eran sus tratos con otros homosexuales. . .

—¿Tú tienes el mito del hombre normal? —Arnulfo pensaba que no existían los hombres normales: un ingrediente de más o de menos, eso era todo. Lo pensaba, pero no lo creía. Había demasiados secretos en el pasado de cada uno, demasiadas actitudes contrarias a lo que el prójimo juzgaba como natural a la condición humana.

—Sé lo que un hombre que se siente normal piensa y

siente acerca de un homosexual y con eso me conformo. Además, hay algo que me fastidia inmensamente; esta actitud de muchos homosexuales de suponer que todos lo son. No es cierto, no todos lo son aunque me alegraría mucho de que lo fueran para que nos fregáramos al parejo —Arnulfo nunca había oído que Samuel hablara con violencia y le hizo efecto cómico.

—¿Qué te pasó? —preguntó con sus ojos rasgados llenos de picardía—. ¿Te insultaron o qué?

—Me insultaron entonces y por eso eché a perder todo. ¡Qué imbécil!, ¿verdad? Debí haberles demostrado que su actitud era una basura y que hacían una infamia —Samuel reflexionó en sus palabras y le llamó la atención la cantidad de vocablos, los matices que daba con ellos y las cosas que había dicho. Cayó en la cuenta de que hacía años que hablaba sólo lo necesario y ya no tenía el hábito de comunicarse con personas cultas porque no se lo permitía a sí mismo, no porque no las hubiera o él estuviera por debajo de ellas. Eso lo hizo sufrir más que el recuerdo de la ofensa pasada y de sus consecuencias. Y sintió que le temblaban los labios y que debía callar un rato; Arnulfo lo notó y cambió de conversación.

—¿Qué anduviste haciendo? —la pregunta era inútil porque Samuel no contaba los secretos de sus clientes a nadie, ni al mismísimo Arnulfo Ayala.

—Fui a ver si encontraba a Alberto. No me sonó lo de que buscara a otro.

A Arnulfo le latió el corazón. Claro, eso era lo que él quería, lo que había querido desde el principio; ahora, extrañamente, no temía decirlo.

—¿Y?

—No. No estaba donde pensé. Pero si va nos avisan por teléfono. Tú quieres que regrese, ¿no?

—Pues sí —no podía admitirlo humildemente, tenía que sonreír como si se despreciara a sí mismo—. Eres muy listo y me conoces mucho. Quiero que regrese Alberto porque no podría soportar que nadie ocupara su cuarto, tocara sus cosas, criticara tal vez algún capricho suyo. Quiero que regrese Alberto porque. . . —se detuvo porque sus palabras lo avergonzaban, no podía aceptar esta actitud de homosexual viejo y abandonado por el amante, y porque si seguía repitiendo esa frase terminaría, por gritar el nombre de Alberto como una hembra furiosa y despechada—. Estoy perdiendo el sentido de las proporciones, tú me entiendes —lo dijo ahogándose, para que Samuel lo salvara, lo detuviera, le hiciera recordar quién era y lo que no debía hacer.

—Arnulfo, jamás has aceptado lo que eres —habló con cansancio, hasta con una severidad especial—. Te dije lo que eras en el colegio, cuando tenías dieciséis años, bueno, pues aunque lo admitiste no lo aceptaste entonces ni ahora tampoco. ¿En qué cambia tu desesperación la forma o el lugar en que la expreses? Quieres al muchacho; así es. ¿Qué objeto tiene que lo digas a solas y no delante de mí? Es necesario que te protejas de la opinión de muchos, pero no de la mía... No quieres oírte ni escuchar lo que te pasa. ¿Tanto escándalo para que resulte que eres tú quien no quiere enterarse?

Arnulfo fue al bar, un bar disimulado dentro de un armario colonial; se sirvió un vaso de agua gaseosa, sacó una pastilla del bolsillo de su suéter y se la tomó. Luego volvió a sentarse.

—Si Alberto no regresa, todo tiene que seguir adelante. Tengo que acostumbrarme a la idea. No por ello voy a volverme casto ni heterosexual. Además, tengo que seguir siendo como soy aparte de ser homosexual, esto es, el hombre inteligente, trabajador, ordenado, capaz de arreglar mi vida y la de otros. Aunque sea necesario tomarme quinientos frascos de calmantes. Y mira, sí sé lo que te pasó hace veinte años: te escuchaste a ti mismo en vez de tomar una pastilla y salir a la calle a buscar otro empleo. Has sido poco enérgico, siempre hay voces interiores que no deben oírse. —Samuel se acomodó en el sillón y no hizo intento de negar, sino que se quedó pensando—. Pero sí, a pesar de todo, quiero que venga Alberto.

—Yo venía a decirte dos cosas —sonrió—, que me parecían difíciles de expresar cuando se me ocurrieron:

una, que me dedicara yo a encontrar a Alberto en vez de perder el tiempo entrevistando candidatos. Un prurito denominativo, por supuesto.

—¿Y la otra? —sin darse cuenta, Arnulfo tomó su actitud de jefe de oficina a quien se dirigen diariamente quinientas peticiones y él concede diez.

—La otra. . . que me dieras una cantidad determinada de dinero cada vez que te haga una comisión.

Ambos se ruborizaron. Arnulfo hizo un gesto de sorpresa y luego de vergüenza. Samuel lo formuló con estoicismo, como si se tratara de una penitencia que se hubiera impuesto para pagar por diversos pecados.

—¿Andas muy mal? —dijo al fin Arnulfo, suavemente.

—No. Igual que siempre. No tengo menos dinero y puede que tenga más si tomamos en cuenta cuánto ha cambiado el poder adquisitivo de la moneda pero quiero que me pagues porque aunque no soy un empleado como tu asistente, trabajo para ti a destajo, digamos —se quedó sin aliento, sudoroso, decir aquello le costaba más esfuerzo que recorrer todos los bares de México cuya clientela podía hacer suponer la presencia de Alberto, pero claro, aquello no le hubiera causado más que cansancio, una parte de su cansancio diario.

—Pues sí, por supuesto —Arnulfo estaba incómodo a su manera, como si lo hubieran sorprendido cometiendo algún acto indebido, robando, para decir la verdad—, lo que pasa es que a mí me parece un poco. . .

—¿Humillante, dices? ¿Para quién? ¿Para mí? ¿No sabes que yo acepto dinero de cualquiera? —Arnulfo no acababa de comprender el sentido de esta actitud de Samuel—. Por ejemplo, hoy me dio cincuenta pesos el Chato Barret por hacerle un favor.

—¿Ése? —Arnulfo estuvo a punto de decir que el Chato Barret era un imbécil que aparte de gastar dinero, lo único que había hecho en su vida era su autorretrato en acuarela, pero no tenía caso. La verdad es que él jamás había sabido de dónde sacaba Samuel para vestirse, comer y pagar la renta.

—Ése y otros que tú desprecias. Me han dado dinero,

ropa, y hasta sobras de comida. Imagínate si me ha de humillar que tú me pagues en vez de ponerme a administrar esas cantidades de dinero que a veces se me han ido íntegras, como en el caso del decorador.

—Ese pendejo.

—Claro, y como estabas tan intratable y al mismo tiempo querías complacer a Alberto, no hubo forma de que revisaras las cuentas. Te advierto que no estoy cobrándote cosas pasadas, pero sí deseo que quede claro de hoy en adelante.

—¿Por qué? ¿Por qué de hoy en adelante?

—Hablando de resurrecciones. No, no voy a reunirme con mis seres queridos, pero quiero que me pagues mi trabajo y que no me cuentes mentiras en pro de la claridad de nuestras relaciones.

Arnulfo se rió, divertido a medias, con este aire juguetón que todavía regresaba a sus ojos así, de pronto, cuando nadie lo esperaba.

—¿Después de veinte años? Y ¿a qué se debe?

—No sé —Samuel lo dijo con una solemnidad especial, capaz de desarmar a cualquiera—. Porque es feo que no me digas "ve a buscar a Alberto", sino "ve a buscar al doble de Alberto" y encima no me des un quinto, como si fuera tu amigo. Si soy tu empleado págame y dime con precisión lo que quieres que haga —ahora lo decía con menos tensión pero con igual vergüenza, el otro lo miraba atentamente.

—Es cierto —dijo Arnulfo de pronto—. Es cierto. Esto ha sucedido por egoísmo, por vanidad mía. Es increíble que un equívoco se sostenga por vanidad. Te he explotado miserablemente. Voy a pagarte por mes.

Samuel se acordó de la cuenta de Alberto y de los depósitos que él hacía mensualmente y quiso ponerse de acuerdo en la cantidad. De otra manera resultaría que Arnulfo tampoco podía ser exacto en cuanto a cantidades porque estaba acostumbrado a que Samuel fijara los precios de sus compras y regateara con las personas.

—Óye, yo creo que debes darme quinientos pesos. Un

promedio de diez mandados de a cincuenta, ¿no te parece?

—Pensaba darte mil.

—No. Es demasiado —él era un sirviente, no un mendigo, no un amante joven, no un chantajista, no un hombre carente de vergüenza y de pudor. Al contrario, en este preciso instante sufría a causa de la vergüenza y del pudor. Su segundo ser se estremecía y se cubría la cara con las manos porque estaba acostumbrado a recibir, pero no a pedir ni a hacer transacciones. "Quisiera morirme en un rincón y luego volverme aire", decía, su alma. "Nada más te falta reclamarle que nunca te invita a comer", le murmuraba al oído.

—Tú mandas —esto venía con la cortesía usual para muchas personas cercanas a Arnulfo, pero no acostumbrada con Samuel ni con sus hermanas. ¿Por qué pensar "Samuel y mis hermanas"? ¿Por qué no decir por lo menos, Samuel, mis hermanas y Alberto? Porque con Alberto existieron siempre las distancias secretas del miedo a la traición, en tanto que Samuel y Adelina, para precisar, eran incondicionales, olfateaban, complacían, se preocupaban y no se iban jamás. Adelina se había casado con Ramón pero no se había ido y él continuaba siendo el primer personaje de su vida y seguían diciéndose palabras zalameras y mirándose a los ojos al sonreír.

—¿Crees tú que cuando se casó mi hermana por segunda vez me puse peor que ahora?

Era la primera vez en años que Arnulfo mencionaba a Adelina. Samuel intuyó que Arnulfo hablaba de la parte más tierna de su alma y no dijo nada, sino que se quedó quieto, así como cuando los pájaros se acercan demasiado a nosotros y no queremos asustarlos.

—Pero tampoco podía ser que se quedara aquí conmigo, de ama de llaves, ¿no te parece? No tenía veintiocho años cumplidos cuando enviudó de Xavier Casillas. Mira tú que eso fue extraño. Xavier era un buen tipo: trabajador, cariñoso con ella, y ella estaba enamoradísima... pero podía verse que él no era un hombre feliz, como si le faltara algo. Y yo siempre tuve la idea de que era una de esas personas que enloquecen y se matan en un momento de depresión. Un día amaneció muerto y yo fui el que llamó al médico. ¿Sabes qué hice? Le mandé hacer una autopsia porque no podía convencerme de que no era suicidio. . . a espaldas de mi hermana naturalmente, quien estaba tan acongojada que no pudo hacerse cargo del entierro.

—¿Qué ganabas con saber si era suicidio?

—No sé, pero me iba mucho en ello. Yo lo hubiera odiado por matarse, hubiera entendido mejor su vida con mi hermana.

—¿Fue suicidio?

—No. . . y sin embargo, hay formas encubiertas de matarse que no implican tomar un veneno. Uno se mata cuando se niega a vivir.

Samuel pensó que él debió haber tenido un gran caudal de esperanza, a pesar de todo, para arrastrarse estos años sin comer bien, sin vivir en un lugar decente, sin vestirse como a él le gustaba cuando se sabía joven y atractivo.

—Hay personas cuya vida o muerte no dependen de las acciones de los otros sino de sus circunstancias. Pero tú eres de los primeros.

—¿Sí? Sí, por supuesto. Xavier tal vez era de los segundos. . . encontraba todo demasiado fácil y hubiera necesitado dificultades, luchar por algo. . . o desenamorarse de mi hermana Carlota.

Arnulfo se asustó. Nadie lo había dicho en voz alta hasta ahora y muchos lo habían pensado: él, Adelina, Carlota y posiblemente Benjamín. Pero nadie lo decía porque era tan absurdo y tan vulgar. Era la novela radiofónica de los Ayala y nadie debía darse por aludido. Pero Samuel sabía escuchar: enarcaba las cejas y no hacía comentarios.

—Aunque parezca mentira, Xavier Casillas se enamoró de una de mis hermanas y se casó con la otra. Se casó bien, con la mejor. A Carlota sin duda se la puede amar por sus condiciones físicas, por su personalidad, pero Adelina tiene eso y además cualidades —así amaba él a Alberto, por sus condiciones y sin pensar en las cualidades que hubieran podido faltar completamente—. Alberto es de la misma raza de mi hermana Carlota, ¿te habías dado cuenta de que como no le tenga uno enfrente no puede decirse nada bueno de él?

—Hombre. . . Alberto es buen muchacho.

—Sí, las alabanzas negativas. Merece todas, el pobre. No es mal educado, no es ladrón, no es cruel y no es chismoso, ¿no? Ahora me doy cuenta de algo, los amores imposibles son así porque las personas amadas son imposibles. Carlota, aunque le hubiera correspondido, era imposible para Xavier Casillas porque no es mala, ni mal educada, ni desagradable, como Alberto. Pobre Xavier. Alberto es el tipo de persona, además, que siempre resulta odiado por el servicio, por los amigos y hasta. . . ¿habías notado que es terriblemente tonto?

—Lo que noto es que quieres herirte. Aunque Alberto tuviera todos los defectos del mundo, o la ausencia de cualidades, como dices tú, tú no eres menos, ni sufres demérito por ello.

Arnulfo se recostó en el respaldo del sillón como si estuviera agotado. No podía ya soportar la idea de estar aquí con Samuel, hablando de todas estas cosas, sólo porque Alberto no llamaba por teléfono.

—Se fue por poco inteligente. No se dio cuenta de que fuera de esta casa no puede vivir. Aquí tiene todo, hasta la imaginación mía, para hacerle creer que vale mucho. Tampoco podría maltratarlo.

Samuel estaba poniéndose nervioso. Lo mejor era despedirse de Arnulfo y buscar a Alberto en los hoteles, en los bares, no sabía él adónde. No era posible quedarse aquí, ahora que Arnulfo ya había perdido el dominio de sus temores y empezaba a delirar su pasión por Alberto y a herirse en esta forma carente de lógica y de piedad. Sonó el teléfono en el pasillo y Arnulfo cerró los ojos con fuerza, como para no ver un hierro encendido a dos centímetros de su piel.

—Señor, le habla la señora Adelina.

Arnulfo abrió los ojos y fue al teléfono con paso rápido. Algo urgente debía ser. Se habían visto esa misma mañana.

—Oye Arnulfo, ¿estás ocupado?

—No. ¿Sucede algo?

—Mira, he estado hasta ahora en casa de Carlota. Para empezar te diré que Benjamín anda de parranda y probablemente lo traerán sus amigos, pero. . . —Adelina bajó la voz— Benjamín chico no vino a comer, no tenía dinero para comer fuera y parece que no tiene amigos. Muy bien puede ser algo sin importancia, pero yo quisiera saber si vas a estar en la casa para llamarte en caso de que no regrese. . . digamos a medianoche.

—Sí. Voy a estar acá —típico de Adelina decir estas cosas en forma mesurada, razonable y previsora. ¡Benjamín chico! Hacía como tres años que no lo veía. Las pocas veces que había ido a casa de Carlota, él no estaba o se había escondido para no saludar—. No te preocupes. Avísame si sucede cualquier cosa. Tampoco pienso dormirme temprano. También avísame si aparece el muchacho. ¿No será su primera parranda?

—Puede ser. Pero no me consuela. Es un muchacho muy. . . especial —por la voz de ella pasaron muchos adjetivos y escogió el único que no era ofensivo para Benjamín hijo. Arnulfo la entendió a las mil maravillas.

—¿Sí? Bueno, no te preocupes.

—Muchas gracias, Arnulfo.

—Hasta dentro de un rato.

¿De qué estilo sería la originalidad de su sobrino Benjamín? ¿Serían Carlota y Benjamín el tipo de padres que hacen un hijo homosexual? No. Era otra hebra de la madeja. Si acaso harían un hijo impotente.

Cuando regresó a la sala, tenía un aspecto más fresco.

—Se me hace que esta noche no voy a poder soltarte aunque aparezca. . . eh, Samuel.

—¿Qué pasa?

—No saben dónde anda mi sobrino Benjamín y como ése no tiene sitios conocidos, habrá que ir a las delegaciones de policía.

—¿Cuántos años tiene?

—Diecisiete o tal vez dieciocho. Es igualito a como era su padre pero peor: más huraño, más torpe. Hace mucho que no lo veo. Resulta que su padre tampoco está en la casa y Adelina se quedó acompañando a Carlota.

Tocó el timbre y Juan se presentó como si hubiera estado a dos centímetros de la puerta.

—Tráenos algo de comer —Juan asintió—. Comerás de mi dieta porque Juan no compra nada de grasa ni de harinas desde que me enfermé.

—Gracias —Arnulfo lo había invitado a cenar aunque no en la mesa porque a estas horas tampoco él se sentaba a la mesa. Sonó el teléfono de nuevo y esta vez Arnulfo se levantó como si fuera a contestarlo. Apareció el asistente.

—Le hablan al señor Macías.

Samuel miró a Arnulfo y salió de la sala.

—Bueno.

—Óiga, jefe, soy yo.

—¿Qué hay?

—Allí está uno como el que usted me dijo. Lleva un suéter cerrado, azul claro.

—¿Le diste el recado?

—Sí, pero se lo echó al bosillo y siguió comiendo.

—Óye, espérate en el teléfono un momentito —fue a la sala, donde Arnulfo seguía sin sentarse y sin color en el rostro—. Parece que está en un restaurant de Avenida Juárez. Habla el mesero, ¿quieres que lo mande llamar?

Arnulfo se dejó caer de golpe sobre el sillón. Quería pensar cuerdamente y con rapidez. Tal vez, si Alberto sabía que lo buscaba él, no iría al teléfono o se ofendería por haberlo hecho espiar... había que correr ese riesgo, pero él no podía exponerse a que se le hiciera un desprecio público porque orgullo o no orgullo tenía un profundo, un terrible miedo de herirse, cosa que resultaría inevitable si Alberto de cualquier manera no se daba por aludido y...

—No. Que no lo llamen. Solamente que le den un recado. Que se comunique a este número.

—Está bien —eso ya estaba hecho, de manera que no había problema. Regresó al teléfono—. Oye. . .

—Sí, aquí estoy —otra vez la voz del mal acento, más inocente y desvalida que nunca.

—Ya no le digas nada, pero fíjate a qué horas se va y si no sale forzado, platícale para saber adonde vive. Yo paso por allá más tarde o te busco mañana —luego agregó, con una especie de confianza o de intimidad sorpresiva también para él—. Todavía tengo otra cosa que hacer.

—¿No quiere que lo ayude?

—Hum. Ya te diré. Gracias.

—¿Usted todavía va a estar en ese teléfono? —la pregunta era suave, más nacida de la gentileza que de un interés práctico.

—Un rato más.

—Está bueno, hasta luego.

Samuel colgó y volvió a la sala. Arnulfo tenía una charola de comida a su lado y aspecto sombrío.

—¿Con quién hablabas?

—Con un chamaco mesero.

—¿Es tu socio? —Arnulfo no podía dejar de ser irónico ni malévolo aunque estuviera desesperado y así lo aceptó Samuel.

—En este asunto nada más, y puede que en el de tu sobrino, si no aparece.

—¿Vives con él?

—Puede ser mi hijo. Es una criatura —mal razonamiento, también Alberto podía ser hijo de Arnulfo aunque con menos diferencia de edades. Pero Arnulfo no paraba en susceptibilidades.

—¿Dónde lo conociste?

—Trabaja en ese restaurant —de ninguna manera iba a contarle la historia con el Chato Barret, entre otras razones porque el asunto no le pertenecía. Y además porque no deseaba oír los comentarios de Arnulfo al respecto—. Alberto tiene un suéter azul claro, cerrado, ¿no?

—Es el que le mandé traer de España. ¿No te acuerdas? Se lo llevó puesto.

—Es cierto. Ya van a darle el recado.

Arnulfo sacó un pañuelo y se secó las manos; luego sonrió con una expresión escuálida y temblorosa que nunca estaba en su rostro.

—Es como tener quince años y me avergüenzo de ello porque cuando realmente los tuve no fui así. Si entonces me hubiera imaginado a mí mismo en esta situación a los cincuenta años, me hubiera suicidado. Pero con la edad se pierde todo, hasta las dotes que en un momento eran el consuelo del alma. Ahora entiendo aquello que siempre había oído con escepticismo "hay que envejecer con dignidad". No vil, no descarado, no sin las exigencias que uno tuvo siempre.

Samuel observó que a pesar de la sinceridad de las palabras de Arnulfo y del dolor indudable que se desprendía de ellas había una atención al menor ruido, en espera del teléfono. Vio con disimulo un reloj que estaba sobre la chimenea. Eran las nueve y media. Tenía hambre de nuevo y no se atrevía a comer aunque a su lado estaba la dieta de Arnulfo, tan bien presentada que parecía una comida de gala. ¿No iría a hablar ese muchacho? Arnulfo lo sorprendió con los ojos rondando la chimenea.

—¿Sabes que esa chimenea no funciona? No hubo forma de convencer a Alberto de que el cuarto quedara sin chimenea. Da calor por medio de un tubo eléctrico.

¿Cómo no había de saberlo él? ¿No estaba furioso el decorador y le había preguntado, como si no lo sospechara, por qué tenía Alberto tanta influencia en aquella casa?

—Ah, sí. Ahora me acuerdo que el decorador no quería —era hipocresía, pero, ¿qué iba a decir? Arnulfo le contaba cosas que sabía porque la presenció en su momento y lo mejor era hacerse el sorprendido y no el irónico porque esta situación no respetable estaba pidiendo a gritos que alquien la respetara y ese alguien debía ser él.

—Oye, empieza a comer —no se disculpó por no acompañarlo. Nada venía al caso y era obvio que. . .— Bueno, Samuel, ¿tú crees que ande por ahí de loco o se fue a vivir con otra persona?

Ésa era la pregunta normal, la que se hubiera hecho cualquiera, pero en boca de Arnulfo parecía la síntesis de la humillación.

—Creo que anda por ahí de loco, como tú dices, y pienso que si se hubiera ido a vivir con alguien te lo hubiera dicho.

—No sé... Me gusta pensar eso, pero quién sabe si se hubiera atrevido. Tal vez... le dio miedo o algo. También tengo miedo de que... haga una tontería.

—¿De qué clase?

—La tontería clásica —Arnulfo rió de pronto, de sí mismo y de Samuel que se comía ahora una ensalada de manzana con la más cuidadosa urbanidad—. No tiene ni un quinto, no se atreverá a seguir sacando dinero del banco, no se llevó cosas que pudiera empeñar o vender y es clarísimo que no puede regresar a su casa.

—Entonces regresará a esta casa —lo dijo sin cinismo, pero sí estaba alarmado. Su trato continuo con homosexuales le había permitido hacer observaciones que jamás reconocía en su propia persona. Estos seres tenían una veta de histeria, crueldad extrema y exageración que fácilmente los llevaban al exhibicionismo y a la violencia, desde el asesinato hasta el suicidio, que, para Samuel, era el extremo de la violencia. De todo había visto en sus veintitantos años de recadero: quien se degollaba con una navaja o se cortaba las venas en el cuarto de un hotel o asesinaba en las formas más terribles y minuciosas al amante que cambiaba de casa y traicionaba. Alberto era desvalido, histérico, con una especie de orgullo frágil, pero suficientemente afilado como para poner a Arnulfo Ayala en esta situación. Y no llamaba. Estaría terminando de comer el muy...

Arnulfo se sirvió café y dio unos pasos, ahora no solamente tendía el oído sino fijaba los ojos en la puerta.

—No me llama.

—¿Quieres hablarle tú?

—No. No resultaría bien. Hay que dejarlo pensar. Mi hermana Adelina es una mujer tan perceptiva que siempre se daba cuenta de mis problemas...

—¿Está enterada de esto?

—No. Pero conoció a Alberto y sin dejar de ser amable, ni darse por aludida, lo miró con unos ojos muy intrigados, como sospechando cuánto daño podría hacerme, llegado el momento. ¿Te acuerdas del chantaje?

—Claro.

—Entonces vivía conmigo. Fue tan fina que cuando llegó la cuenta del banco no la leyó para no tener que preguntarme por qué faltaba ese dinero. Pero eso era una vergüenza y una porquería. . .

—¿De qué hablas? ¿Del chantaje?

—De que ella, por intuitiva, por discreta y por buena persona tuviera que enterarse de todas las estupideces que he hecho. ¿Ves? Hubiera dado la mano derecha por tenerla a mi lado, pero me alegré de que se casara de nuevo. Imagínatela ahora. No sabría la pobre ni qué cara poner.

—El marido es el tipo de la licencia para la casa de refacciones, ¿no?

—Sí. . .

—Se ve buena gente.

—Medio patán, pero buena gente. Además la adora y le da gusto en todo. Ese muchacho no me va a hablar y yo. . . —no terminó la frase porque la frase no tenía final—. ¿No se irá a suicidar? Cuando salió de su casa hablaba siempre de eso. No debo pensar estas cosas —lo dijo con firmeza.

Samuel se levantó y dijo, todavía con la boca llena.

—Voy a hablar por teléfono con el mesero para saber qué está haciendo —marcó—. Perdone, quisiera hablar con Federico.

—Él habla.

—¿Qué hace el del suéter azul?

—Nada. Pidió un martini y luego carne. Ya está acabando de comer.

—Si no tiene con qué pagar, me hablas en seguida.

—¿Y si se va?

—También, para no estar esperando en balde. Hasta luego —colgó y volvió a la sala—. Allí está. No ha terminado de comer. Además él no sabe que lo esperamos, tal vez piensa que el recado fue escrito en la mañana o algo por el estilo.

—Tienes razón —la cara de Arnulfo tomó una expresión firme y dura—. Entonces hazme el favor de ir ahora, antes de que se vaya, y convéncelo de que regrese —lo dijo como si hubiera perdido el último átomo de dignidad, como si decir esto fuera quemar sus naves, empezar a morir, enfermarse de un mal incurable—. Toma dinero para tus gastos y para que le pagues al mesero.

Eran dos billetes de quinientos que Samuel aceptó.

—Está bien. No piensas salir, ¿verdad?

—¿Salir? ¿Yo salir sabiendo que...? Además estoy esperando que me hable Adelina para decirme qué pasó con el muchacho.

—Bueno.

Salió rápidamente al aire fresco de la calle. Después del sol de la mañana y de todas las zalamerías de la primavera, ahora resultaba demasiado delgado el traje que se había puesto; se estremeció. Se había salido con la suya en cuanto al dinero pues logró un arreglo que perduraría mientras que Arnulfo estuviera vivo y hasta que fuera necesario llevarlo a él al hospital escogido para morir. Por otra parte, Arnulfo lo trató como amigo tal vez porque estaba tan preocupado por otras cosas que no caía en la cuenta de lo mucho que necesitaba un amigo y de que siempre lo había sido, ahora lo veía claro, a pesar de las reservas, las frialdades y la ausencia de invitaciones; porque esa alma orgullosa de Arnulfo tampoco hubiera podido confiarse en nadie que no fuera su amigo, su amigo, su amigo... ¿De nuevo caminando? ¿Por qué? Tomaría un taxi o corría peligro de que Alberto se fuera y no volvieran a verlo, puesto que ya estaba enterado de que en ese lugar lo conocían.

¿Qué estaría pensando Alberto? ¿De qué querría vivir? Que Samuel supiera, Alberto nunca había trabajado salvo en dos obras de teatro y no se lo imaginaba en una oficina porque no vestía, ni hablaba, ni tenía modales de empleado y mucho menos del tipo de empleado que tendría que ser forzosamente dada su incapacidad de desempeñar un puesto mejor. Este muchacho lo único que podía hacer con facilidad era corromperse y tal vez ni eso porque era tímido, escrupuloso y convencional: frente a algunas personas se decía sobrino de Arnulfo.

Cuando llegó al restaurant buscó a Federico con los ojos y luego a Alberto; Federico mismo se lo señaló con una mirada lenta y precisa como un puntero. Lo vio con el perfil de artista de cine, sin rasurar y fumando un cigarro.

—Hola.

—Hola, Samuel. Siéntate. ¿Ya cenaste? —lo decía en una especie de imitación de los modales de dueño de casa de Arnulfo; como otras veces, Samuel a duras penas pudo disimular una sonrisa. Este muchacho era un payaso, no un actor.

—Gracias.

—Estaba esperándote, reconocí tu letra en el recado —Samuel sabía que para Alberto esto era prueba de sagacidad y decidió poner cara de asombro.

—Ah, ¿sí? —qué difícil no ser irónico. Pero los amores ajenos están siempre fuera de nuestra comprensión; también los nuestros, por lo que a eso toca—. ¿Qué andas haciendo.

—Vamos al grano. Arnulfo te mandó para que me convencieras de volver a su casa.

—Sí —otra prueba de inteligencia.

—Pues ya estoy harto de la casa y de los modos de Arnulfo.

—¿Te hizo algo?

—No me deja hacer nada. Como lo oyes. Nada. Por supuesto, yo soy un imbécil que le hago caso.

—Cuéntamelo con detalle. ¿Qué es lo que quieres hacer y no te deja?

—Todo. Trabajar en las obras de teatro o en alguna película. También me ofrecieron un empleo para modelar camisas. . .

—¿Arnulfo te ha dicho que no trabajes?

—No me ha dicho nada, pero yo siento que no quiere y entonces no me atrevo a hacerlo.

—¿Cómo es eso? —Samuel se acomodó, dispuesto a oír a medias hasta que Alberto se cansara de quejarse. Le vendría bien un desahogo.

—Mira, por ejemplo, una vez me ofrecieron que modelara trajes de baño. Me escogieron entre diez, no fue tan sencillo —hizo una pausa igual que un niño para que el otro interponga una alabanza; Samuel no dijo nada—. Se lo dije a Arnulfo como cosa resuelta y no contestó. Luego insistí para saber su opinión y me dijo: "Tú eres libre de hacer lo que quieras", pero yo sabía lo que estaba pasando; él pensaba: "Si quieres trabajar enseñando las piernas como una corista, muy tu gusto, imbécil."

Samuel se rió abiertamente.

—¿Y qué pasó?

—Pues no me atreví. No me presenté en la primera toma y escogieron a otro, un muchacho de esos con patillas y montones de pelos por todos lados —ahora Alberto hablaba como un homosexual con otro de su especie; una especie de intimidad cómplice mezclada con una incomprensión común para todo lo que quedara fuera de su condición.

"Un homosexual es un hombre que entiende todas aquellas inflexiones y matices que a una persona normal no le interesan." ¿Dónde había oído eso? Nunca tan cierto como con Alberto.

—Me parece que exageras. Si tú te propones hacer lo que te dé la gana, no debes ponerte a meditar en lo que implica Arnulfo si sus palabras no te lo dicen así. Atente a la letra.

—No es tan fácil.

—¿Adónde dormiste anoche?

—En un hotel horrendo de donde ya me tengo que ir porque me parece detestable.

—¿Tienes dinero?

—Para pagar el hotel y esto, sí.

Apenas tenía dinero y, sin embargo, no se decidía a

meterse en un café de chinos y a comerse una torta en la calle para no gastar lo poco que le quedaba.

—¿Qué has estado haciendo toda la mañana?

—Buscando trabajo. ¿Has visto unas revistas ilustradas con fotografías en vez de dibujos? Allí fuí a pedir trabajo.

—¿Y?

—La semana que entra.

Samuel respiró hondo. Si ésta era la situación, no había que esforzarse en convencer a Alberto de nada, más valía esperar pacientemente que se cansara de hablar y luego cargar con él para casa de Arnulfo. A lo lejos, Federico le cerró un ojo y él le hizo una señal imperceptible de que todo iba bien.

—Odio a Arnulfo Ayala y todo lo que él significa: su dinero, sus hordas de empleados que corren cuando levanta la voz, su indiferencia cuando le parece que debe tenerla; todo mentira. Porque él es un hombre apasionado y ávido de dominio como muchos otros. Se cree excepcional, ¿sabes? El más poderoso, el más fuerte, el más inteligente. . . pero en realidad, lo único que tiene, es ganas de mandar y de salirse con la suya. ¡Y su dignidad que se pierde cuando habla por teléfono con su hermana! Parece su asistente. Ella es una vieja rica y mandona, de esas que serían el ideal de un gigoló con bastante estómago.

Samuel no comprendía cómo era posible que una persona que había vivido al lado de Arnulfo durante varios años estuviera tan lejos de una verdad relativamente equilibrada acerca de los Ayala. Pensar así de Arnulfo era verlo con los ojos de uno de los empleados menores de su oficina en un momento de mal humor: esquematismo, vulgaridad y mala fe. Decir eso de Adelina era mal gusto a secas.

—Mira Alberto, la convivencia no es fácil porque. . .

—Vivir con una persona te muestra todos sus defectos y no la aguantas —si Alberto seguía siendo inteligente, Samuel no tendría tal vez la perseverancia necesaria para llegar al punto clave de la conversación.

—Al contrario, porque conociendo unos defectos que

al fin y al cabo son más o menos iguales en todos los seres humanos, te ves en la situación de perdonar. Como la cosa más normal del mundo...

—¡Ah no! ¡Eso sí que no! Yo conozco personas que no son dominantes como Arnulfo ni presumidas como su hermana. Y además, hay gente que no perdona, como mi padre. A ver, ¿por qué no le hablas por teléfono para decirle que quiero volver a su casa? —era evidente que esa idea se le había ocurrido antes y tal vez había hablado del asunto con su madre o sus hermanas.

—Tu padre hace mal. Por supuesto, tú lo perdonas.

—¿Yo? ¿A ese viejo inmundo a quien he odiado toda mi vida? Que lo perdone Dios.

—Bueno, allí tienes.

—¿Qué? No te entiendo.

Teorizando sobre el perdón no iba a llegar a ninguna parte. Pensó en otra cosa.

—¿Así quieres estar con Arnulfo? ¿Hablar horrores de él y que él no te perdone ni quiera recibirte?

—Ya estoy así... —lo dijo débilmente y Samuel sintió que Alberto sufría porque estaba fuera de aquella casa arreglada a su gusto, junto a quien se cuidaba de complacerlo aunque al mismo tiempo ejerciera una autoridad disimulada e implícita en actitudes generales. Pero no tenía palabras ni sus pensamientos se expresaban más que en este malestar extendido ahora sobre su rostro correcto hasta alcanzar la hermosura descuidada e inédita.

—No. No estás así. La cosa es diferente porque Arnulfo quiere que vuelvas —no se atrevió a decírselo en palabras más concretas porque temió despertar nuevos rencores—. Él no haría como tu padre, ni siquiera se le ocurriría pensar en cerrarte las puertas —allí cayó Samuel en la cuenta de que hablaba con acierto, porque Alberto tenía un miedo horrible a que Arnulfo lo tratara mal, a su frialdad, a la indiferencia que tanto lo impresionaba y a todos esos recursos violentos de fondo y suaves en apariencia que tan bien conocía Samuel.

—Arnulfo está enojado, por supuesto.

—¿Arnulfo? No me parece —puso cara de naturalidad,

como si ése no fuera el problema—. Arnulfo quiere que regreses. . . pero eso tú ya lo sabes. Fue lo primero que me dijiste.

—No lo sé. Lo dije para molestar.

—¿A mí? —preguntó Samuel con sorpresa genuina.

—Pues sí. ¿Cómo sabías que estaba aquí o que vendría?

—Me lo imaginaba, no sé por qué.

Samuel no podía explicarle que las personas excesivamente simples son repetitivas, recurrentes, por lo tanto, lo más fácil era encontrarlo allí.

—No había venido antes, porque no tengo dinero. . . de sobra.

El rostro de Alberto en este momento era indescifrable: había un ligero rasgo de orgullo en este no tener dinero que significaba independencia, la sensación pasajera de no ser el que recibe de otro. . . por otra parte, había lástima de sí mismo y desvalimiento. Si Alberto hubiera sido un adulto o cualquier otra cosa que no era, valía la pena decirle: "No te alejes de Arnulfo porque la gente débil no conoce jamás la libertad sino la soledad y el abandono. Déjate proteger y querer. Reconoce tu naturaleza y las posibilidades de tu felicidad." Pero Alberto tomaría eso como la peor ofensa y por lo tanto había que darle tiempo para que sus instintos lo llevaran a la casa de Arnulfo, al dormitorio extravagante que había querido tener: una especie de fantasía de muchacho de catorce años enteramente deprovista de sentido práctico. Samuel pensó en los pedazos de papel de china de Federico; hasta eso era mejor que el cuarto de Alberto.

—¿Tú crees que Arnulfo quiera tener un perro?

Arnulfo detestaba los animales por principio: servían para sustituir los amores que la gente no lograba, según él. Los perros y los gatos estaban en el sitio de los hijos, de los amantes, de los maridos, no existían por sí mismos y uno no podía amarlos a menos de que el hueco emotivo fuera tan intenso que el afecto se derramara y estuviera dispuesto a caer sobre el ser vivo más lamentable. Arnulfo pensaría que Alberto se sentía solo o insatisfecho.

—Arnulfo nunca ha querido tener animales en la casa, pero si se lo dices en una forma adecuada, puede ser que acepte.

—¿En qué forma?

—Que no piense que lo haces porque te falta compañía.

—Es que sí me hace. Arnulfo se va de la casa toda la mañana y luego tiene un montón de compromisos en lugares donde yo no puedo ir con él —hablaba con la voz aguda y en tono de queja, pero según notó Samuel, en tiempo presente y como si estuviera de nuevo en casa de Arnulfo—. Por otra parte, no me gusta invitar a nadie porque él es tan conocido. . . —se interrumpió sin duda porque recordó que él se decía sobrino de Arnulfo no precisamente por protegerlo—. Por supuesto, él nunca me ha prohibido que traiga amigos y a veces han venido los de la escuela de teatro, pero esos son. . . quién sabe cómo. Se robaron un cenicero y dos libros.

Si Samuel hubiera estado en la condición de ellos, también hubiera robado lo que fuera. Una casa limpia como una vitrina, con los objetos destacados como si cada uno tuviera su halo adquirido en casa del decorador y además invitados por alguien tan poco simpático, tan poco cordial como Alberto.

—¿Qué dijo Arnulfo?

—Nada. Ya ves que él no es avaro —se sonrojó de pronto—. Dijo que se alegraba mucho de no tener que ver de nuevo aquel cenicero azul firmado quien sabe por quién. . . Ya ves cómo es él.

Ahora hablaba con confianza y espíritu posesivo. Él era el dueño total de Arnulfo y por lo tanto podía criticarlo, pasar por alto sus defectos o subrayar sus errores. Samuel no sabía si ya era el momento de meterlo en un taxi con dirección a Santa María o lo mejor era esperar un poco más; un grado más de convicción de que él pertenecía a Arnulfo, Arnulfo a él y la casa de Santa María era la suya. Alberto estaba mirándolo con sus ojos negros bordeados de pestañas, un poco redondos, con ese aire de niño mimado que adoptaba en presencia de Arnulfo y que tenía ahora porque psicológicamente estaba cerca de él.

—Oye, Samuel, ¿tú nunca has vivido con nadie?

Esta pregunta se la había hecho por lo menos cien veces y Samuel se las arreglaba para contestar vaguedades que no resultan ofensivas entre otras razones porque las palabras que se le venían a los labios eran siempre abiertamente insultantes para Alberto. La idea general era que ni mantenía padrotes ni lo había sido, ni creía en romanticismos de putos pendejos. Pero el de Arnulfo no era romanticismo sino un dolor auténtico que a él le parecía ahora extemporáneo y con algo de repugnante y censurable.

—Yo no estoy hecho para tener aventuras amorosas. Nunca he sentido esas cosas que la gente dice.

—Toda la gente las ha sentido —medio cantando, con un tono afeminadísimo y una especie de sabiduría que a Samuel le pareció la quintaesencia de la vulgaridad.

—Tal vez las he sentido y no me di cuenta, en todo caso, no me acuerdo —le chocaba discutir el punto y no quería que Alberto se saliera con la suya, pero el otro no quería aceptar esa respuesta.

—Lo que pasa es que no me juzgas digno de confianza.

—¡Por favor! No se trata de eso —trató de conservar la calma. Si lo mandaba al diablo de todas maneras regresaría con Arnulfo pero éste podía no estar de acuerdo en que lo maltratara, debía tener presente su condición servil y manejar el asunto profesionalmente—. Resulta que hay seres humanos menos sensibles que otros, menos necesitados de compañía, gente que le gusta andar sola, ¿ves? Yo no digo que eso esté bien, pero así soy yo y nunca he estado dispuesto a cambiar.

—No te has enamorado, entonces.

—Yo no creo en el amor —Samuel se odió a sí mismo por decirlo. Primero, porque daría lugar a que Alberto tratara de convencerlo nada menos que de la existencia del amor, segundo, porque un comentario así en boca de otra persona lo hubiera hecho sonreír por absurdo. En efecto, Alberto se relamió y Samuel decidió interrumpirlo mejorando lo que había dicho antes—. El amor es algo que se demuestra, yo no tengo fe en los que se pasan las horas hablando de eso y luego actúan con ingratitud y sencillamente hacen cosas que nada tienen que ver con lo que dicen. ¿No te parece?

Alberto bajó los ojos como un chiquillo reprendido en el momento en que más descuidado está; Samuel conoció que si no le ponía freno también a esta reacción podría echarse a llorar.

—Vamos a casa de Arnulfo, ¿no?

—¿Qué? ¿Ahorita?

—Claro, para que no tengas que pagar otra noche en el hotel.

Alberto cambió de expresión de nuevo. Era horrible ver cómo cualquiera podía manejar su estado de ánimo sin siquiera proponérselo.

—Pues sí... ¿Arnulfo querrá que llegue a estas horas o ya se habrá dormido?

¡Como si Arnulfo pudiera dormir! Era la buena educación de Alberto que aparecía en los momentos menos pensados y siempre le provocaba asombro. ¿En qué cabeza cabía que el otro, después de mandarlo traer, se iba a meter a la cama a dormir como un lirón? En ésta, en la de Alberto, naturalmente. Podría matar a Arnulfo de impaciencia o de desesperación sin siquiera sospechar que lo hacía. Allí estaba la clave, este muchacho no tenía la menor idea del efecto que una ausencia suya provocaba en Arnulfo, del daño que podía hacerle, de lo que Arnulfo sentía por él. Este muchacho, a pesar de haber sido maltratado, creía que las cosas se dan por generosidad y no porque quien la da tiene sentimientos fuertes, escondidos tal vez, que son la fuente de un regalo o de una cuenta en el banco.

—Me dijo que no pensaba dormirse temprano.

—Pues vamos entonces, porque mañana tiene que ir a trabajar y si está esperándome...

Alberto pidió la cuenta sin hablar más y Samuel recordó el cansancio que volvía a acercársele y la necesidad de dormir que ahora tenía muy fuerte.

—Oye, tú te vas solo. Mi casa está cerca y estoy cansado, no me hagas ir hasta allá.

Alberto se negó rotundamente.

—Yo solo no voy.

—¿Por qué?

—Porque no. No puedo. Solo no voy —Alberto se angustió y su actitud, tan abiertamente infantil, fue clara para Samuel. No iría si él no lo llevaba porque tenía un miedo espantoso de Arnulfo. Más del que Samuel sospechó siempre.

—No sé qué decirle ni cómo llegar. ¿Me entiendes?

Lo entendía. Además, Arnulfo no le perdonaría que Alberto se quedara otra noche fuera de la casa por timidez o por lo que fuera.

—Está bien. Vamos. A ver si encontramos un coche.

Samuel notó que Alberto pagaba con un cheque; como ya estaba reconciliado, podía hacer uso del dinero. Federico no se veía. Estaría cenando. Hubiera deseado hacerle aunque fuera una seña para que no creyera que se iba sin pagarle. Siquiera que en ese lugar hacían bien la comida, aunque ahora estuviera vacío, con algo desolado y polvoso como si nadie limpiara con la aspiradora las pesadas cortinas. Alberto también lo notó:

—Oye, ¡qué feo está poniéndose este lugar! A mí me gusta porque no viene nadie.

Samuel no contestó. Nada más venían aquellos hombres insatisfechos, solitarios, desesperados por su decadencia física y, sin embargo, con fuerza todavía para buscar una satisfacción pagada porque no había otra: a unos los habían dejado sus parejas cuando ya no tenían iniciativa para buscar otras, otros no podían compartir su vida porque vivían aún con su madre o con su hermana. Pero todos ellos dejarían de venir dentro de seis meses, o un año, o dos, porque aunque todavía vivieran, el interés por el sexo disminuye y el cuerpo se muere antes que el alma, mucho antes, cuando la gente puede mirar con sus ojos y hablar con sus labios de cosas que ya no le interesan en absoluto.

Le pareció ver la calle llena de esos viejos que todavía

sentían la lujuria y detrás de sus expresiones ávidas, otra temerosa de no sentir ya nada, de perder también el impulso desviado que aunaba el serlo a la categoría satisfactoria común al sexo. No importaban, que desfilaran rápido. Él quería tomar un coche y llegar a casa de Arnulfo con este hombre joven y bello que ahora se frotaba las manos con su pañuelo. Pasó el taxi y Samuel se subió primero y dio la dirección. Alberto no hablaba y el otro pensaba que si le daba conversación le haría el viaje más ameno, pero no tenía deseos de servirlo hasta ese punto. Después de todo, Arnulfo no le pagaba por hablar con Alberto sino por traérselo.

—Por supuesto. Arnulfo está muy enojado —lo decía bruscamente, con mal modo absurdo y para disimular.

—No, ya te dije que no.

—Tú no lo conoces. Es de la gente que puede sonreír mientras sufre o está enojado. Tiene un gran dominio de su persona, pero luego dice unas ironías...

Mejor que así lo creyera y nunca lo hubiera visto empequeñecido, tembloroso y gimiendo nada menos que por la ausencia de este mismo Alberto que lo juzgaba en forma tan distinta de como era, porque tal vez si supiera que Arnulfo era capaz de la debilidad, del llanto y de la incoherencia no volvería hoy a su casa. Tenía el hábito de la dureza con que había sido tratado y por ello convivir con una persona dura que se suavizaba para él era un triunfo diario que valía la pena mientras se conservara en esos términos. Ay de Arnulfo si al abrir la puerta lo estrechaba entre sus brazos y lagrimeaba; no sería tan torpe. De cualquier manera, debía haberlo llamado para prevenirlo, pero no quiso dejar solo a Alberto porque...

Llegaron y tocaron. Alberto se colocó detrás de él como si imaginara que el cuerpo flaco y pequeño de Samuel podría ocultarlo. Vino a abrir Arnulfo en persona y Samuel notó en el fondo de sus ojos, casi en un sitio inalcanzable, lo que le pasaba por el alma.

—Pasen —tenía la boca adelgazada y lineal, el aire melancólico.

—Buenas noches —murmuró Alberto—. Milagro que estás despierto.

—Tengo un problema —Arnulfo vaciló vagamente, luego le puso a Alberto la mano en el hombro y miró de frente a Samuel—. No apareció el chico ése.

—¿Quién? —preguntó Alberto, contento de no mostrar la cara.

—El hijo mayor de Carlota.

—¿Cuántos años tiene? —el tema le parecía providencial.

—Como dieciocho.

—Se ha de haber emborrachado —sí, podía hablar con naturalidad.

—Puede ser. Pero en su casa no están tranquilos, al contrario. . .

Samuel vio un ligero sudor sobre el labio de Arnulfo, como si lo agotara el esfuerzo de recibir a Alberto así, sin emotividad, hablando de otra cosa. Qué inteligente era. ¿Tendría él que recorrer las delegaciones a estas horas, buscando a ese muchacho?

—¿Por qué no le damos un plazo hasta las ocho de la mañana? —se oyó decir, ya tan cansado que oía su voz a distancia como si fuera de otro.

Arnulfo recordó la voz de Adelina, tan discreta por hábito y que sin embargo denotaba una tensión mayor de la que expresaban sus palabras. Además, ella odiaba las falsas alarmas, las actitudes melodramáticas, pero había sido explícita y le explicó que aquella casa pasaba por una situación fuera de lo normal y que tal vez el muchacho había decidido hacer algo. . . extravagante, fuera de línea. Pero aquí estaba Samuel, pálido, con la esperanza del descanso. Tuvo un fuerte impulso generoso que no era independiente de esta felicidad de tener aquí a Alberto, de tocar el hueso redondo de su hombro, sus músculos atléticos.

—Mira, vete a tu casa. Alberto y yo llamaremos a las delegaciones y mañana temprano te comunicas conmigo para ver si ya apareció. . . pero ven a la sala para darte los datos.

Sobre una mesa estaba un papel blanco con los datos de Benjamín chico escritos en la letra sin inclinaciones de Arnulfo: "Benjamín Enríquez Ayala, dieciocho años, pelo y ojos negros, nariz y boca regulares, tez morena clara, 1.68 m. de estatura, 49 kilos de peso." Adelina no sabía cómo estaba vestido pero lo imaginaba y Arnulfo escribió "vestido pobremente", al lado de los otros datos.

—Toma.

Samuel se guardó la hoja en la bolsa.

—Bueno, me voy.

Alberto y Arnulfo lo acompañaron hasta la puerta con un silencio lleno de comentarios que todos podían prever pero que no decían. Era más allá de la medianoche.

Cuando Samuel salió a la calle, no tuvo el impulso de caminar como siempre le ocurría, sino el de sentarse: en una acera, en una escalera. Lo dominó y siguió hasta San Cosme. Allí pasaría un taxi, o un tranvía en todo caso. Tuvo frío otra vez, no se acordó de que por las noches hay que ponerse algo y eso aunque salió de su casa temprano, cuando todavía el sol... Pasó un taxi.

—A la Avenida Juárez.

¿Por qué? Si era más fácil ir directamente a su casa. Porque ese muchacho iba a pensar que lo había engañado, que no le pagaría sus servicios y él era un hombre justo que sabía recompensar a quienes lo ayudaban y además, no quería figurar en la mente de Federico como un ladrón aunque fuera por cinco minutos, o hasta el día siguiente. ¿Adónde se habría metido el otro muchacho, el sobrino vestido pobremente? Lo normal era borrachera, burdel, o las dos cosas, pero así como el tono de Adelina había hecho reflexionar a Arnulfo, el de éste actuaba ahora sobre Samuel. Arnulfo no se lo hubiera encargado de no haber posibilidad de... ¿qué? Un accidente, por supuesto. Cerró los ojos y soñó brevemente con un campo amarillo donde las espigas se arremolinaban bajo un viento fuerte; luego salió del campo una indescriptible bandada de pajaritos negros que empezó a hacer dibujos en el cielo, todos como letras pero sin serlo... o tal vez de otro alfabeto.

Abrió los ojos con una sacudida. Ya estaban en la puerta del restaurant y era casi exactamente la hora de salida de Federico. ¿Lo esperaría en la calle? ¿Por qué esas vacilaciones? Él, por lo general, actuaba sin pensar, con la seguridad de un autómata. Fue a una caseta telefónica y marcó el número del restaurant; un número memorizado desde hacía años y nunca utilizado para llamadas personales.

—¿No anda por allí Federico?

—Sí, señor. En este momento lo llamo —no preguntaba de parte de quién por razones obvias.

—Bueno —era la voz de Federico, una voz cautelosa y sin matiz, diferente de la que él conocía.

—Oye, aquí estoy en la puerta. Regresé a traerte tus centavos.

—Salgo en seguida —este laconismo traía un entusiasmo y una animación que hicieron sonreír a Samuel. Federico salió con una chamarra tan llena de bolsas que al otro le pareció ridícula; no se lo hizo notar.

—Jefe, no creí que volviera hoy, sino hasta mañana, como ya sabe mi casa. . . ¿O es por el otro negocio?

Atravesaron la avenida y entraron en la Alameda.

—El otro negocio parece que marcha mal y por lo tanto nos necesitarán. ¿Te dije qué era? Un muchacho que no aparece.

—Oiga ¿qué le pasa? ¿Tiene frío?

—No. Sí. Un poco de frío y cansancio. Los años.

—A poco usted está viejo —pero se quitó la chamarra rápidamente y se la echó sobre los hombros a Samuel—. Y aquí no puede uno sentarse a estas horas porque luego luego se presentan los policías.

Samuel no tuvo ánimos para rechazar la chamarra. Además, era la primera vez en muchísimos años, que alguien tenía con él una amabilidad directa, referente a su comodidad más inmediata.

—Te va a dar catarro.

—No qué. Nunca me da. Nada más me enfermo del estómago. De veras que anda cansado.

A Samuel le parecía caminar a ciegas. En realidad

hacía tiempo que no tenía un día tan ocupado y la mayor parte de las mañanas se la pasaba tendido en su cama, con los oscuros de madera cerrados, como si fuera noche. Como un animal; descansando como las fieras que se tiran en el fondo de una cueva para extender los músculos sin tomar en cuenta si es noche o día. Nadie como el hombre para reglamentar sus salidas con la luz.

—Te voy a dar doscientos. ¿Te parece?

—¿Qué no es mucho? —Federico lo miraba con las cejas fruncidas como él hacía cuando algo le parecía desproporcionado e inmediatamente lo asociaba con la cárcel. Su lema vital hubiera podido formularse así: "Cada vez que algo parece gratis o exagerado, es cosa mala y uno puede terminar preso."

—No, me pagaron bien.

—¿Por regresar a "ése" a su casa? —el tono de Federico era burlón—. Si parece manequí.

—Pues sí. Pero para los gustos se hicieron los colores. ¿No crees?

—Sí. . . claro. No estaba feo el suéter.

—No. Es bonito.

—¿Adónde venderán esos suéteres? Nunca los veo.

—Quién sabe —no era caritativo decirle de dónde lo había sacado Alberto—. Así como el manequí te gustaría estar, ¿no? Con un viejo rico, como tú dices.

—Pues. . . no sé. Lo digo de pura amargura cuando me encuentro con gente abusiva que casi no paga como. . . —iba a mencionar al Chato Barret quien al fin y al cabo le había dado el segundo anillo y dinero— algunos que hay. Pero. . . no.

—Lo mejor sería que cambiaras de oficio.

Samuel se lo dijo como si se tratara de cambiar de zapatos, pero en el fondo había una tensión especial, un miedo a que el muchacho reaccionara de cualquier forma, y dijera cualquier cosa que lo afectaría ineludiblemente no sabía bien por qué. Pero Federico contestó con suavidad.

—¿Como qué oficio dice usted?

—Mensajero, como ése —estaban frente a la fuente

de Mercurio y por una vez el muchacho con alas en los pies parecía sonriente y deleitado, en medio de las frondas.

—¿Ése?

—Mercurio, mensajero de los dioses, religión griega.

Federico se detuvo a mirar la estatua como si no la hubiera visto nunca y Samuel mostraba su rostro impávido, muerto y conmovido hasta el miedo de hablar, de respirar, de dar un paso.

—¿Mensajero?

Samuel se rió de pronto.

—Claro, tú no tendrías alas, ni el pelo tan largo y un poco más de ropa.

Federico se rió a carcajadas.

—¡Cómo será! ¡Cómo será!

—Seriamente, si quieres tener otro empleo, cuenta con él —se lo pediría a Arnulfo, que en estos días no querría negarle nada. Federico se puso serio—. ¿Qué te pasa?

—Es que... —hizo un gesto patético que retiró en seguida como si se hubiera tratado de una mano—. Yo quería trabajar con usted.

Arnulfo había dicho esa noche que Federico era su socio; así, al azar, como si no fuera extravagante tener socios. Debía contestar pronto porque Federico había echado a andar de nuevo e irradiaba susceptibilidad.

—Es verdad que yo necesito un ayudante. Pero a veces no gano mucho...

—Yo seguiría en el restaurant pero ya no de puto —le salió así, fácil, con un entusiasmo que hubiera hecho sonreír a Samuel en otra ocasión—. Me jode ser puto.

¿Estaría pensando Federico que él no era homosexual? Esto debería aclararse ahora porque tenía una sensación de ahogo demasiado insoportable.

—Yo también lo fui, pero no porque me pagaran, sino por gusto.

—¿Y ahora? —no era posible pedirle que se asombrara. El sexo debía ser para este muchacho... quién sabe qué.

—Ahora no soy nada, ni es cosa que me interese desde hace tiempo.

—¿No se ofende, jefe?

¿Iría a decirle una de esas cosas que no sólo lo ofendían sino lo despedazaban y mucho tenían que ver con su pasado, con las explicaciones centrales de su vida?

—Espero que no.

—Yo a usted lo vería como a. . . mi jefe, al mío, usted me entiende. No se ofende, ¿verdad?

—No, hombre.

No se ofendió. Oír eso era en un sentido oculto que ahora no se le mostraba, como una recompensa, recobrar lo perdido, ver plasmarse el lugar de la añoranza. Notó que ufría de felicidad. Esta paternidad espuria le recordó las angustias de Arnulfo y cayó en la cuenta de que detrás de la extravagancia de ellos (de él y de Arnulfo unidos en teoría durante un momento), estaba el viejo instinto humano, ansioso y tierno, de proteger a un hombre joven a quien veían como a un niño. Pero él sí se portaría como un padre.

—Ya no habla, jefe.

—Estoy contento, lo que me pasa es que. . . —el sollozo vino de afuera y cayó sobre él como un relámpago. . . lo dejó sorprendido y avergonzado. ¿Llorar él? No, sollozar como un loco asustado de su mismo llanto, alarmado por estar vivo de buenas a primeras, de poder amar a una persona, de querer protegerla, de no permitirle que desaparezca ni se pierda sino que se quede aquí mucho tiempo con todo lo que posea: sus chamarras, sus amores, sus equivocaciones, sus conveniencias, sus ambiciones y sus deudas.

Samuel sintió que de su corazón brotaba un corazón más grande, lleno de músculos, generoso, joven, dispuesto a dar y a conmoverse al recibir, un corazón dispuesto a todo.

—¿Y ahora?

—Estoy contento, te digo. Es que hace mucho tiempo que no sentía cosas, y eso que me dijiste. . . te lo agradezco. Ya veremos. Vamos a trabajar juntos. Luego decidirás si te quedas en el restaurant. Mañana hay que buscar al muchacho que se perdió, ya tengo sus señas. Y ahora, a ver si pasa un coche porque ya no puedo andar. Toma, es de quinientos; lo cambias en la mañana porque no tengo suelto. . .

Hablaba así, para ocultar los temblores de su alma que no tenían que ser conocidos y entendidos porque tampoco es posible que los que nos quieren nos entiendan y debemos conformarnos con sentir su afecto y ser suaves con ellos, sutiles, amorosos según nuestra manera.

. . .tanto seré más estimado, si salgo con lo que pretendo, cuanto a mayores peligros me he puesto que se pusieron los caballeros andantes de los pasados siglos.

DON QUIJOTE

sexta parte

Definitivamente, una tórtola puede morir atropellada por un automóvil. Sucede así: está en el suelo picoteando la brizna invisible para peatones y choferes, no escucha el ruido del motor, pero en un momento dado, su instinto le avisa que ocurre algo y levanta el vuelo para ir a estrellarse sobre el parabrisas del vehículo. No hablemos de la náusea infinita, de los temblores del chofer que no pensaba ni concibió jamás que los accidentes eran esos y que desde niño sabía que las tórtolas y demás pájaros mueren arteramente cuando uno quiere dispararles, lleva un arma preparada al efecto y una intención que no busca otra cosa. Pero está la muerte por accidente, sorpresiva, repelente y distinta a cualquier otra muerte de las clasificadas o en camino de estarlo en estos momentos claves en que lo importante es reunir características, síntomas, la mecánica oculta del suceso muerte.

Por supuesto, la calidad común es el asco. Imposible imaginar adecuadamente el momento equis en que se deja de llamar a un cuerpo cosa viva y se le llama muerto; el instante en que los sistemas principales suspenden su funcionamiento y queda el ritmo indescriptible de los procesos menores. La célula que se descompone en una gota de agua no translúcida, los colores que se mezclan y los ojos que forzosamente deben dejar de ser negros hasta que al paso del tiempo, que no es tiempo ya, queda sólo el color marfileño de los huesos.

Morir es fácil pero es imposible captar no digamos el sentido oculto, el fenómeno físico que se presenta inaccesible en el detalle. Asco. Eso sí. La muerte apesta, es pegajosa y nadie se atreverá a tocarnos nunca más. ¿Y la vida?

Benjamín chico se estremeció al tiempo que apoyaba la cabeza en el árbol con tal fuerza que la corteza le dejó marcas en la piel del cráneo. Este alentar, ser la fábrica del cansancio y el desecho, ser el fenómeno ambulante que no puede detenerse, dejar de sufrir cambios, ser en cinco minutos algo diferente, etéreo y pétreo, diferente a este cosquilleo de líquidos que se transforman en sólidos y en líquidos.

Repugnancia y desesperación, esta última nacida de la incomprensión fundamental de la totalidad del fenómeno. Cuando en la escuela primaria le enseñaron separadamente las funciones de los diferentes sistemas, estuvo sin comer y sin dormir, deseoso de que alguno de ellos se detuviera; pero nada, las cosas seguían. En sus tripas vacías sonaba el aire de su estómago hueco y su sangre corría sin parar, se abrían y cerraban sus ojos, sus nervios funcionaban en forma correcta y compleja. No había forma de detener el proceso mientras él estuviera vivo; ni siquiera inmediatamente después, sino años después. Era para morir de angustia: estar vivo es funcionar.

Pasó la mañana en el parque, bajo el rayo del sol aunque el sudor le corriera por la espalda y a la mitad del pecho como una línea para partir en dos. Tampoco se quitó el saco y aliviar la sofocación que le subía a la cabeza y si se acercó al árbol no fue para encontrar sombra y consuelo, sino para lastimarse, frotarse, constatar por centésima vez que los dolores son hijos del continuo rebote de los nervios. Serían las dos de la tarde porque la sombra ya no estaba a la derecha sino a la izquierda. . . las personas conocidas estarían representando sus diversos pero risibles papeles. No pensaría en aquel par de farsantes que eran Benjamín y Carlota, amándose en los rincones oscuros y sin dejar de jugar "al problema", a la "dificultad", al "obstáculo" y al "libro". Él no tenía sentido del humor y no podía reírse ni siquiera para herirlos. Además, esa fuerza generadora de amor y sexo era una especie de motor que los hacía irrompibles. No con la seguridad, la elegancia y la mentira características de sus tíos Arnulfo y Adelina: dos podredumbres embalsamadas en perfumes, aceites y sedas, dos vergüenzas pretensiosas e inaccesibles. Hasta ahora no podía comprender la diferencia implícita en aquella palabra que aplicaba su padre a Arnulfo y que quería decir que su tío se interesaba en los hombres y no en las mujeres: todo era carne, sudor, color, tocar las manos ya medio descompuestas, tibias y vibrantes, ¿cómo podía ser peor que fueran las de un hombre? El material humano es uno solo y nada se escapa a la repugnancia universal que no individualiza repugnancias particulares.

No puede explicarse, sin embargo. No a sus compañeros de clase, por ejemplo a ese Tomás que con su mejor cordalidad lo invitó a que se cortara el pelo junto con él y se ofreció a pagar. ¿Eso era la afabilidad? ¿Vamos a compartir nuestra desgracia de tener que lavarse, limpiarse, recortarse lo que nos sobra? "Te invito a que nos recortemos juntos esta basura que ahora llevamos orgullosamente como complemento de nuestros cuerpos." Inaceptable, pero no se exponía a explicarle a Tomás el verdadero sentido de las cosas porque de alguna manera esto podía actuarse y no se formulaba en palabras, sólo en pensamiento continuo, discriminatorio de todos los objetos y las personas llenas de fenómenos repugnantes imposibles de aceptar.

—No quiero nada ni a nadie —se aterrorizó de que su misma voz se le metiera en los oídos y transmitiera a su cerebro el mismo pensamiento ya pensado mil veces. La tensión de estos fenómenos menores era inmensa y lo asombroso era no cansarse. Así estaba todo el día y a veces despertaba en medio de la noche y una vez lloró porque al despertar salió de un sueño confuso y sin imágenes que era más bien una sensación de agrado desconocido y perdido ya para siempre. Lloró y cayó en el mecanismo siempre frecuentado de imaginar los caminos de las lágrimas.

Mucho se ha dicho de una lágrima, pero Benjamín chico hubiera explicado con un gesto patético que era una secreción del lacrimal, cavidad mínima que se encuentra al lado de los ojos, cerca de la nariz y que no sólo corresponde a alguna excitación sentimental sino a cualquier perturbación del ojo.

Despertar así para pensar de nuevo en la continuidad del funcionamiento y perder esa sensación suave, de músculos relajados, esa entrega que para él no tenía nombre y no se relacionaba con ningún sistema de su conocimiento. ¡Perder por nada lo que por nada e inexplicablemente se tenía! Lloró dos lágrimas y allí detuvo las secreciones de su lacrimal. Dormía poco de cualquier modo; la tensión era tanta que le costaba trabajo abandonarse, tenderse en el lecho y cerrar los ojos con sencillez y sin complicaciones. El sueño se presentaba para él como una entidad vencedora que se adueñaba de su ser cuando estaba distraído y entregado a estos delirios explicatorios del automatismo del cuerpo. El sueño lo vencía con desprecio y con desprecio lo abandonaba, como diciéndole:

—Anda, sigue adelante con tus pensamientos. ¿A quién le importa?

No podía decirle a nadie lo que ocurría porque comunicarse era ponerse en tela de juicio, volverse motivo de preguntas sin fin y de algo que temía más que las preguntas: explicaciones al respecto de las cosas.

Benjamín chico tenía un miedo espantoso de que se presentara "alguien", hombre o mujer, quien fuera, y le ofreciera una versión distinta y probablemente antagónica a la suya, de las cosas del mundo.

—¡No es cierto! —gritó una mañana a solas en la parada del autobús—. ¡No me lo digan porque no es cierto!

¿De qué se trataba? De la versión inimaginable, de la horrible versión desconocida que podía transformar todo esto en algo estéril, inservible, tiempo perdido. Benjamín no podía admitir que apareciera alguien y le demostrara que sus dieciocho años habían estado dedicados a la más absoluta equivocación: debía aferrarse a todo lo que pensaba y sentía porque aceptar otras cosas era como subir a un barco blanco con las velas hinchadas por el viento y sin rumbo fijo. Esto era el miedo. El asco de lo que ya sabía, el miedo de lo que no permitiría que le dijeran. Esto era la vida suya.

Aun dentro del más intenso estado de preocupación

y aunque haya durado años, existen momentos cruciales que Benjamín conocía perfectamente y éste era uno de ellos. Más grande que ninguno ya pasado porque ahora parecía imposible detener el tiempo; cada día traía problemas nuevos que no se solucionaban con abstraerse en un rincón con la ropa sucia y el pelo sin lavar. Las situaciones exigían cada vez más una actuación, palabras, quién sabe qué acciones muy alejadas de su cerebro. Por ejemplo, hoy, hubiera sido necesario ir al cuarto de los padres durante la noche y matar a Benjamín grande para interrumpir aquella letanía de conceptos que estaba diciéndole a su madre. No que ella no los mereciera, los merecía y de sobra, sino que no debía soportar esa vejación que venía de un hombre que tenía para con ellos una serie de deberes y no había cumplido con gusto más que el acto de la fecundación. Los había sostenido hasta ahora, pero en la miseria; había trabajado, pero resentido y lleno de odio por el trabajo; había tenido cuatro hijos y nunca se hizo cargo de ellos porque seguramente contaba con la intervención de sus cuñados.

Eso, pero con otras palabras insultantes, era lo que él debió haberles dicho cuando empezó a escuchar lo molestos, lo estorbosos, lo fatales que habían sido ellos para la confección del libro que su padre no había escrito. ¿Qué importancia podía tener que esa podredumbre que era Benjamín grande se prolongara ahora sólo algunos meses y ya muerto? ¿Por qué no acabar para siempre con aquella palabrería empalagosa donde sobresalían los vocablos "vida", "sociedad", "ser humano" y otros igualmente vacíos de sentido en los labios de Benjamín?

Benjamín grande lo había emporcado todo, como si el mundo en una época lejana estuviera hecho de calles relucientes y hermosas, de divinas calles blancas e iluminadas y él lo hubiera recorrido con una canasta llena de lodo que tirara con la mano a las paredes y cada vez dijera: "la inteligencia, hermano", "la razón humana", "la condición del hombre", "los países como México", "el mexicano de clase media, hermano, es un hipócrita", "la cobardía de los que vivimos después de la Revolución", "la desintegración moral de todos nosotros". ¡Cómo había echado a perder el mundo, cómo lo había dejado de manoseado y de inhabitable! Era imposible recorrer esas calles enlodadas sin recordar al autor de aquel delito y sin odiarlo, porque era tarea demasiado ímproba la de limpiar, pulir, blanquear aquella mugre. ¿Cómo respirar después de haber escuchado largas horas de conversación con Ernesto Mota sobre Dios y el mexicano de la clase media? Él hubiera querido como cualquiera, como todos los seres humanos, que Dios entrara en el juego y le entregara el paraíso inmaculado para convertirlo en sitio de traición con la voluntad suya, no este mundo donde ni la traición era posible porque estaba poblado ya de falsedades y no era fácil hacer algo por propia iniciativa, ni tener la esperanza realista de un resultado.

Por supuesto, Benjamín grande debiera morir aunque fuera para terminar con el núcleo generador del caos. Lo pensaba con desconsuelo, con sufrimiento por la distancia que existía entre esta formulación y la realidad. No era factible ni estaba previsto en la mecánica general de las cosas cometer parricidio. Parricidio, la palabra le pareció extraña e inventada para que flotara en el aire: nadie, desde el principio de la humanidad, debía haberlo cometido; era mentira, nunca, ningún hijo levantó la piedra, o el hacha, o la espada, para descargarlas sobre la cabeza de un padre. Pero si descartaba la idea de la muerte no quedaba ninguna acción que se sintiera capaz de llevar al cabo. Lo único preciso, exacto, sin modalidades mayores, era matar. Lo demás. . . eran los matices que se ponen en una mano que se extiende, en una mirada, en un gesto que puede perfectamente perderse en el vacío.

Luego, como si su familia fuera puritana, sentía el terror del desperdicio mezclado con el del sumo placer. No había nada que diera el gozo verdadero, ni el cuerpo, ni el alma, y además, había que ahorrar atención, esfuerzo intelectual y físico, no gastarlos en las tonterías repetidas que no tienen razón de ser en ningún lado porque "no modifican". Recordaba con horror y fascinación una tarde en que su padre hizo la descripción de sí mismo y de su familia con toda la minucia de sus fallas y características especiales en forma tal que cualquiera la habría reconocido como indudablemente le ocurrió a los amigos que estaban presentes y, sin embargo, ese conocer intelectual, esa capacidad de calificar y sintetizar no lo llevó a ninguna parte. ¿Cómo ponerse a hablar del "mexicano frustrado de la case media" y seguir gastando la quincena en libros, en cantinas y aun en flores para mujeres que según le parecía a él no le daban a su padre ninguna importancia? Pues así había sucedido. Al día siguiente de la brillante perorata, Carlota le habló por teléfono a Adelina antes de ir al mercado, porque no tenía dinero para el gasto.

"La palabra no modifica la realidad." "Las acciones que pueden tomarse son limitadas." Por ello, por estos dos lemas fundamentales, era bueno quedarse inmóvil, respirando apenas. Y con eso bastaba, ese poco de aire que él introducía sin ningún convencimiento por los hoyuelos de la nariz era bastante para echar a andar la máquina infernal que era su cuerpo, en cuanto el aire penetraba a los pulmones, esas ruedecillas imaginarias de la circulación embonaban y daban sitio a procesos más lentos, pero igualmente poderosos. Era tan sencillo: respirar o no respirar. Las dos cosas.

Por lo general, tenía una fuerte conciencia de las estaciones del año, como si la temperatura fuera algo cuyo contacto no pudiera evadir en tanto que podía escaparse de muchas otras cosas: sus padres, sus hermanos, su casa y las mujeres. Pero el calor, la lluvia y el viento eran como mujeres que lo perseguían para ser sumisas; mujeres pegajosas, barnizadas de azúcar, para lamer y tocar todo el día casi con náusea y sin placer en la lengua. Para hacer aquellos ruidos rítmicos que hacía la cama de sus padres contra la pared donde él tenía su cama, aquellos ruidos de mesa coja en restaurant barato y también para murmurar palabras en tono de urgencia; algo así como: "Fuego, fuego, se quema la casa, tiren a los niños por la ventana, que no se quemen los libros, que mueran todos menos nosotros dos, corramos a poner otro departamento con otra cama."

Tal vez no decían eso, pero lo que dijeran sería más infame y más difícil de reproducir. Quién sabe qué dirían. Aquí sólo sentía este calor que venía de fuera como si él caminara en el centro de una llama a punto de quemarse, envuelto en este saco viejo que tal vez aumentara el calor, pero lo protegía. La ropa vieja protegía mucho: por supuesto que no conocía otra, pero no le molestaba sino le tenía amor porque imaginaba en ella una especie de sabiduría, de resistencia a lo circundante que era su propia actitud. Él, que no carecía de don verbal, hubiera podido decir: no existo propiamente, pero opongo resistencia al mundo circundante. No lo diría jamás porque no tenía público y porque tales frases parecían nacidas en boca de su padre. ¿Cómo habría hecho Benjamín grande para conseguir su público? Esos cretinos que ponían atención a sus ideas, las discutían débilmente y luego se dejaban convencer entre exclamaciones de admiración que a veces eran frases enteras. La inteligencia, el talento, la facilidad de palabra, el poder descriptivo, la fuerza de expresión de Benjamín grande. . . cuando debieran haberlo hecho callar aunque fuera con una soga al cuello para terminar con aquella charlatanería sin nombre que no llevaba a ninguna parte y dada su precisión y al mismo tiempo la inadecuación de Benjamín grande a las verdades de la vida, resultaba irónica, una burla insufrible. ¿Quién puede tenerle respeto a un hombre que ignora la verdad y que, sin embargo, la dice cada vez que abre a boca? ¡Que muera quemado, que le corten la lengua porque enseña creyendo corromper y se corrompe y convierte la verdad que se le pasea por los labios en una manifestación de su ceguera y, por lo tanto, en una mentira más! No habría en el mundo crueldad bastante para castigar a este predicador de verdades rendidas al servicio de las necesidades de su orgullo.

Por eso él, Benjamín Benito, el del segundo nombre que nada tenía que ver con el origen del primero, se había propuesto callar. Callaría y el público de sus pensamientos sería él mismo puesto que ni siquiera estaba dispuesto a escribirlos así como no escribía la carta aquella redactada mil veces en la imaginación; toda dedicada a explicar los motivos de la renuncia. Ésa era otra palabra irónica. Benjamín grande se la había dicho a sus amigos también en presencia de su hijo:

—¿Ustedes comprenden la idea de la renuncia?

Había resultado que aparte de él, nadie comprendía nada, como era habitual, pero Benjamín chico sí había entendido algo. Si él dijera que renunciaba a algo, mentiría, pues no poseía sino desventajas: ropa vieja, estudios mal hechos, ningún deseo de seguir asistiendo a la escuela y mucho menos de trabajar. Además, era hijo de un hombre frustrado de la clase media y eso indicaba que pertenecía a un nivel más bajo aún: el de la juventud sin valores y sin deseos, la que no está frustrada sino en su salsa... la que podría equivocarse o vivir en el error, pero no sentir la decepción ni la ausencia de unos valores que no tuvo.

—Nuestros hijos nunca querrán escribir un libro y ríen secretamente del que nosotros queremos escribir —dijo Benjamín grande, con voz engolada y ademán dramático—. Pero ésta será su tragedia, porque si nuestro ideal floreciera en ellos, escribirían no un libro, sino muchos.

La idea de escribir un libro no le daba risa, sino le hacía surgir sentimientos negativos imprecisos. Primero, el desprecio: su temprana intimidad con toda clase de libros le había dado una confianza en el trato que significaba la falta de aprecio. Él veía cómo los trataba Carlota cuando Benjamín no estaba presente y recordaba un comentario de Adelina:

—Tu marido hubiera hecho mejor en comprarle a tu hijo media docena de pantalones que esos cinco tomos en cuero que, según me parece, no ha tocado nadie.

¿De manera que allí estaban sus pantalones, sus zapatos, sus suéteres nuevos? Carlota no contestó, pero días después, cuando los sacudía con el plumero, murmuró entre dientes:

—¡Malditos papeles! No sirven ni para prender el calentador.

¡Ni para prender el calentador! Y allí estaban los disfraces que a él no le hacían y que le impedían participar en las fiestas escolares, los calcetines sin hoyos, la cama nueva donde él no tuviera que dormir encogido y que no pareciera de niño de diez años. . . Allí estaban los enemigos que no leía nadie, el testimonio de la obsesión costosa de un hombre pobre y. . . el símbolo de la frustración, los libros sin leer de un hombre que quiere escribir un libro y no lo escribe.

Hay cosas que no deben entenderse ni mencionarse siquiera, puesto que no se harán. Él no había expresado nunca sus planes ocultos y le molestaba la pura idea de la comunicación. Cuando su padre muriera (justamente, porque esas personas no tienen que vivir) se diría: fue un hombre que se comunicó con Roberto, con Ernesto, con Jorge, con algunos otros admiradores pasajeros y con ciertas mujeres que le dedicaron un poco de tiempo y atención para luego elegir a otros más ricos, más responsables, que hablaran menos y trabajaran más. Menos su madre; ella eligió al más hablador porque sabía su cuento: cama, cama, cama. Asunto que las otras no sospechaban, porque si hubieran sido astutas. . . quién sabe, quién sabe si se hubieran quedado con este hombre pobre que no amaba a sus hijos.

Benjamín chico, en momentos de gran ira, como cuando vio bajar a sus padres del avión al regreso de Nueva York, hubiera querido decir en voz alta, gritar, o escribir en carteles los adjetivos que para él resumían la actitud de ellos:

—Ahí vienen la lujuriosa y el charlatán.

Ellos, los pobres, venían en actitudes características: Benjamín, ansioso de comunicarse con sus amigos, de escribir ensayos sobre las manifestaciones colectivas de la mentalidad norteamericana, discutir la fase propagandística porque pasaba la mencionada sociedad y otras mil cosas que enfurecieron a su hijo a tal grado que pasó meses sin poder mirarlo por estar convencido de que la violencia no es fácil de administrar. Carlota, en cambio, venía envuelta en una especie de ensoñación que su hijo imaginaba como la intensa satisfacción de haber tenido relaciones sexuales con su padre sin que nadie los interrumpiera, quién sabe cuántas veces al día, como cuando estaban recién casados. Y esa lujuria le daba al rostro de ella una belleza cándida y pastosa, placidez a su voz, lentitud y seguridad a sus movimientos. A todo el mundo hubiera podido engañar bajo el pretexto de que había descansado y de allí esta fuerza de ser, menos a él. Él supo desde su más lejana infancia del antes y el después del sexo, de la frecuencia del antojo, de la expresión beatífica con que venían a tomarlo en brazos después de haberlo encerrado con llave en una habitación cualquiera durante hora y media.

Si esta mirada acariciadora de Carlota era el equilibrio de los seres humanos, él lo rechazaba para siempre. Por desprecio y por odio, como siempre.

Tenía hambre, pero el hambre ya no era activa y ansiosa como hacía dos horas sino una cortada en el estómago hirviendo de acidez, una espuma ardorosa y amarga que subía hasta la garganta; ahora no se hubiera atrevido a comer aunque pudiera, para no mezclar ese sabor con el de los alimentos.

Este parque no era como el México o el España, tan limpios y cuidados, para niños limpios y cuidados. Éste era una especie de refugio de andrajosos al que se entraba por un callejón. Tenía, por cierto, lo que un parque cualquiera: unos columpios rotos, una banquita también para mecerse, un sitio pavimentado para patinar, árboles, bancos de hierro y un estanque de agua verde y maloliente, sin patos, sin cisnes, con unos habitantes más pequeños e imposibles de distinguir de las burbujas, sólo identificables a medias por los ocultos movimientos que ondulaban el agua como si alguien hubiera tirado una piedra cuando ni siquiera había viento.

Era un parque del centro, donde no se acostumbra aún que los niños vayan metódicamente de la mano de sus niñeras, dos horas al día, a jugar al aire libre.

En primer lugar no se trata del aire libre, sino de un nido de papeles con un estanque pestilente; en segundo, estos niños no tienen sirvientas y en tercero, sus juegos con otros son más intensos, menos dirigidos, más violentos. Ése era su parque porque le pertenecía de hecho: por recursos económicos, presentación, gustos. . . pero los niños de la clase media frustrada no iban a esos lugares para no hallarse en malas compañías ni expuestos a cualquier peligro. Benjamín grande había sido educado en un colegio particular y su madre no le permitía ir a ciertos sitios y a Carlota tampoco le gustaría, si llegara a saberlo alguna vez, aunque él ya no era un niño. ¿Desde cuándo? ¿Desde que hubo esa afluencia de pelos en todo su cuerpo? Hasta cierto punto; todavía tenía las mejillas suaves y la sospecha de que si alguna vez tenía barba no sería mucha.

Pero ya no era un niño. Él, que apenas veía a sus hermanos porque tenía una ceguera especial en lo que se refería a ellos: miedo de verse en el espejo, miedo al reflejo, a la multiplicación, al reconocimiento; aunque no hubiera podido decir el color exacto de los ojos de Concha o de Gloria, había visto a Mario dormido, con el cuerpecito flaco, laxo, tranquilo como el de un animal pequeño, y sabía que ésa era la inocencia. Algo que él no recordaba, una calma que él no había tenido y por eso sabía que la infancia estaba más alejada de él que de nadie y no sólo era un camino antiguo, sino una senda prohibida que no tenía regreso. La vida era una senda prohibida que no tenía regreso y apenas ofrecía unos instantes cortos para el descanso fugaz.

¿Cómo se llamaba este parque? Tal vez oficialmente llevaba el nombre de algún prócer, pero así como él en la intimidad de su absoluta intimidad se llamaba Benito, el parque se llamaba Patricia. Patricia era odiada, abandonada por los motivos aquellos y la escena del cine, y no iba a verla y no estaba con ella, pero estaba en su nombre. Este parque era así, no lejos de casa de ella, no bonito, lleno de frondas menores y no de árboles hermosos y duraderos, sino con todos aquellos papeles en el suelo y esos muchachos harapientos tirándose piedras junto al estanque de agua verde y era Patricia porque estaba cerca de su casa y porque no podía pisarse sin entrar en unos aires especiales que tenían sabor a ella. Ese sabor abstracto que estaba en algún sitio de la imaginación y que no dependía de los besos, ni de la cercanía, ni de aquellas cosas que ciertas personas hacían en los cines. Era algo diferente que se relacionaba con lo que podía resultar familiar si la naturalidad fuera posible y no hubiera tantos obstáculos entre las personas y sus tendencias resultaran más puras y secretas.

El parque no era como aquellos otros que también conocía y no frecuentaba: nada de hermosas fuentes con la eterna agua giratoria, ni los tiestos cuidados, ni los pastos parejos, ni siquiera un vigilante para recordarle al prójimo que las horas del amor no son todas las horas ni todos los lugares. Pero era Patricia como si Patricia fuera una canción que él cantara levemente sólo para reconocerla. Ésta era cosa oculta, lejana y casi inasible, no como otras cosas precisas, actuales, de las que se viven diariamente.

Él estaba en ese parque llamado Patricia porque Benjamín grande se había pasado la noche anunciando una fuga que Benjamín chico juzgaba improbable, pero que constituía un reto para su dignidad: él demostraría con una mayor hazaña el fracaso de la palabrería, la inutilidad del talento sintético y la ridiculez declamatoria del brillo personal. Eso era cosa decidida y la idea de la hazaña estaba allí, luminosa e intacta todavía, pero ya contrastada con la penuria de las circunstancias.

Este contraste, lo advertía ahora, era tal vez la causa de que su padre no se lanzara a la acción: entre la perfección de las ideas y los medios que estaban al alcance de la mano había un trecho largo. Pero tampoco se le escapaba que las hazañas del alma son mayores y que es el alma lo que resiente los fracasos pequeños que desde el punto de vista práctico no tienen importancia. El alma puede dar el gran salto en dos minutos, puede alcanzar la meta en un gran impulso de energía indefinida. "El alma no puede morir", había dicho alguien (ojalá que no Benjamín grande sino otro, un autor desconocido impreso distraídamente por una editorial mediocre), y él no podía reflexionar en ello porque imaginaba entonces como perfecto el estado de alma sin cuerpo y eso le parecía una ilusión inaceptable como las demás ilusiones. O bien que nadie, dentro de las capacidades humanas, podía responsabilizarse sobre el estado hipotético de la vida sin cuerpo. Si el alma es eterna, son eternos el terror y la melancolía.

Si no era el alma, la entidad capaz de la hazaña sería una fuerza especial, una especie de flecha que salía del corazón y cruzaba los aires en forma de curva, sin objetivo, sólo para dejar el exquisito efecto de su trayectoria curvada y elegante. Era hermoso y entre sus hábitos no estaba el de pensar cosas hermosas. Sonrió. . . algo así como un gesto porque él sonreía poco y además demasiado rápido. Así, curvada y elegante.

Las emociones a veces se despiertan en el cine, o en el teatro, o frente a un libro que Benjamín chico no leería jamás, pero las suyas, tan despiertas y tan dormidas siempre, no lo sabía bien, se agitaban sólo ante la idea de la hazaña que era tantas cosas a un tiempo: la prueba de que no se parecía a su padre, de que su padre no valía nada a pesar de que su persona estaba siempre ligada a los valores que él predicaba, a los que otras personas reconocían en él y a una rápida imagen de la belleza, la única que él había conocido.

Hazaña era atravesar el océano Atlántico en un esquife partiendo de algún puerto del Mediterráneo; hazaña, dar la vuelta al mundo; hazaña, los viajes al espacio que para él eran tan incomprensibles en cuanto a distancia se refiere que casi necesitaba olvidarlos para no devanarse los sesos sin entender a fondo. Hazaña era avanzar en menos tiempo que el normal una distancia grande, algo relacionado con el concepto de espacio y de resistencia. Hazaña era volar, flotar, lograr con ello efectos luminosos y bellos. Hazaña era un dibujo dinámico y excepcional.

No daría el paso atrás porque sabía sin saberlo y al

revés que no había ningún camino que llevara hacia atrás y que toda la infancia y la adolescencia lo empujaban hacia adelante. Lo supo al levantarse esa mañana y ponerse el saco del mal aspecto y las comodidades profundas, como si se preparara para una larga excursión donde la libertad de movimiento y la falta de preocupaciones insignificantes fuera cosa esencial. A diferencia de su padre, que había hecho el viaje con los zapatos apretados y una maleta de veinte kilos colgando del brazo, él iba ligero, con dos cuadernos de pasta de cartón, un lápiz sin punta en la bolsa y un peso que tenía desde ayer y no había gastado por haber recorrido caminando las distancias enormes desde el parque Patricia que estaba tan lejos de su casa, tan cerca de la escuela y de la casa de la verdadera Patricia quien tal vez ya tendría un amigo que la llevara al cine, o nadie y no iría al cine.

Él, de cualquier modo, llevaba más de tres semanas de no presentarse a la preparatoria y por eso no estaba al tanto de los sucesos. Patricia no tenía nada de particular, era flaca y... no era como su madre y como su tía, para decirlo en pocas palabras. Y estaba enamorada de él. Por ello no era fácil que encontrara quien la llevara al cine, a menos de que cualquiera de los otros sospechara lo que Patricia era capaz de hacer en el cine, porque entonces la llevaría cualquiera. Así era la lujuria, la puerta abierta donde entraban todos guiados por su olor a melaza y a moscas; así debía ser con Patricia cuando descubrieran cuánto deseaba ella besarse en la boca y cuánto se ofrecía cuando decía, como a él le había dicho, que no la tocara porque al fin y al cabo a su madre le hubiera parecido mejor. Patricia ella, Patricia el parque y él, Benjamín Benito, también Patricia a veces cuando la evocaba con esta voz desconocida y ajena.

¿Qué recordar, después de todo? ¿Qué diálogo reproducir en la memoria y con qué motivo?

—¿Me quieres?

—Te adoro, mi vida.

—Te adoro, mi vida, yo te adoro... te adoro... te adoro.

Esas palabras no eran suyas ni estaban cerca de su boca ni de su mente, pero se alimentaban de su vida y salían del dormitorio de sus padres mientras se sacudía la cama coja y los niños más pequeños se preguntaban de dónde salía aquel ruido rítmico que no se oía siempre.

Él no hacía preguntas, él ni siquiera imaginaba posiciones y el día que quisieron mostrarle un dibujo que sus compañeros se pasaban entre ellos cerró los ojos antes de mirarlo porque sus ojos no querían empaparse de algo que sabía ya con la imaginación de sus oídos.

—Te adoro.

¿Qué era adorar con la voz ahogada y suplicante?, ¿qué era aquella tortura común que se resolvía en frases rotas por el resuello?

Ah... él quería palomas, bandadas de pájaros, mariposas entre las hojas verdes de un arroyo cristalino tapizado de piedras de colores y habitado por peces quietos que apenas movieran las aletas como banderas para hacerse señales, y quería todo aquello que no se relacionara con el acto de creación de aquella cosa imposible de crear que se llama ser humano. Quería a los animales más alejados de su carne de animales, más cerca de ser símbolos, y prefería aquellos que se envuelven en polen para ser fecundados en una soledad que no resienten porque jamás supieron de la compañía equívoca y honda que es el sexo. El pez aquel que pone huevos en forma tan modesta como disimulada y luego corre hacia el anonimato sin pensar en el que ahora se encuentra a unos miles de metros y vendrá a fecundar aquellos huevos y a su vez partirá mientras en el fondo del mar se gesta el nacimiento de unos huérfanos que abrigarán sin saberlo la heredada tendencia a no enfrentarse y a dejar a sus hijos. Desparramarse así, extrañamente y por instinto, le está vedado al hombre; nace indefenso y muere incapaz. Por eso inventó el amor y la cosquilla del cuerpo compartida y las palabras tenues...

Benjamín Benito Enríquez, pez frustrado que no acertaba a imaginarse en los brazos de un ejemplar femenino de su especie y vivía perseguido por el asco de oler, de tocar y de mirar. Piedra entristecida, Benjamín Benito, incapaz de dormir en los lechos gastados de los estanques verdosos; paloma triste, que no anuncia la paz ni la inocencia.

Estaba el deseo de sentar un precedente y el miedo de que tal cosa no fuera comprendida como lo que era. El temor de repetir la historia del mensaje perdido para siempre que le quita sentido a nuestros hechos y los convierte en algo inexplicable. No. Aquello debía resultar muy claro a pesar de la desconfianza total en las palabras, entidades semejantes a los corpúsculos del aire, de un cuarto cuando el sol les da cuerpo, semejantes a sí mismas y a nada.

—Aire, aire, aire —el mismo que se respira sin pensar, que se respira durante horas y días, el que tiene olor, microbios y según parece, color cuando se ve de lejos. Con eso había que expresarse porque la evolución del gruñido al poema no debía resultar cosa inútil sino acontecimiento para maravillarse. El poema. Pudor por el poema escrito con la mano atrevida de un hombre que en un momento de privilegio imaginó que "comprendía todo": el alcance de la astronomía, los adelantos de la ciencia y los pasos contados de la naturaleza.

A falta de palabras, siempre podía expresarse en acciones: caminar dos cuadras y acercarse a Patricia, espiar en favor de la exactitud. Ver desde un rincón de la calle, detrás de una caseta telefónica la puerta de casa de Patricia y no ver más porque parecía que en aquella casa nadie se acercaba a la ventana. Ni una mujer barriendo o sacudiendo un trapo como suelen verse, sino unos huecos negros que no mostraban el color de la pared, o cuadros, o una lámpara. Esta observación, la de notar lo que no era visible, era grandiosa porque hasta para él que estaba continuamente deslumbrado, denotaba ternura.

No era necesario calificar con palabras extrañas o altisonantes el impulso que lo llevaba a aquella puerta, ni lo que esperaba ganar con ello, pero era valiente poder hacerlo, significaba algo: la ternura. Si él hubiera sido hosco, una criatura huraña a quien por equivocación faltaban uñas y colmillos, ¿iba a pararse a metros de distancia y a ver, a notar que no estaba un color que le permitiera imaginar el cuarto de Patricia? ¿Sería como los de su casa, que olían a comida porque así es el destino y no a lavanda ni a flores y por la mañana, cuando se abre la ventana, destilan ser humano? Así debía ser. Con ella adentro, ella con la cintura quebradiza y no flexible, como si estuviera hecha de madera; con la piel no pareja y la sonrisa imperfecta.

¡Qué lejos estaba él de añorar la entrada al cuarto de Patricia! Los navegantes tampoco ansían las cuevas donde duermen las sirenas y, sin embargo, las examinan con los catalejos para ver los dibujos de las paredes verdes. El cuarto sería como el de Concha y Gloria porque Patricia tenía una hermana menor con los dientes disparejos y olería como el de ellas: a ellas, a comida, a pinole y a ajonjolí de carne de niña.

Podía salir de Patricia, el parque, y caminar las dos calles como si fueran agua que se cruza en un barco de vela triangular y abultada, y quedarse a la vista de la costa, sin llegar a la orilla ni echar ancla...

Examinó los dos cuadernos que había tenido en las manos toda la mañana; uno de ellos estaba en blanco y el otro lleno de intentos caligráficos hechos durante sus clases cuando era necesario disimular porque todos apuntaban las obscenas opiniones de los maestros buenos, malos, volubles, cariñosos, tercos o buenos para nada. Estaba lleno hasta la mitad y no tenía rayas ni dibujos sino la voluntad empecinada de hacer rápidamente letras bellas sin otro significado que la estética y el pretexto. Mayúsculas, eses, erres y luego unas vocales como las que hace un niño de primaria que ha dominado el lápiz y ya lo usa a su antojo.

El otro cuaderno estaba en blanco aunque las pastas no lucían nuevas. De pronto, tiró el primero al agua como si el peso fuera excesivo y le estorbara para las proezas que pensaba acometer. El otro se lo puso bajo el brazo; duraría el resto del año si lo usaba con discreción, hacía las letras pequeñísimas, ahorraba papel y trataba de no usar arriba de media página diaria. El resto del año. Los pensamientos son automáticos y no funcionan de acuerdo con la realidad; que lo dijera Benjamín grande, que teorizaba sobre cosas que había experimentado toda la vida. Pensar al mismo paso de la realidad es tal vez ser genio, una de tantas profesiones de importancia dudosa. Benjamín chico no comprendía el talento, ni el amor, ni la muerte; le eran conceptos tan ajenos que ni siquiera se plasmaban en vocablos o los utilizaba como puntos de referencia. Podía pensar en desaparecer sin decir muerte, podía adivinar la superioridad inexplicable de ciertas personas sin relacionarla con el talento, podía sospechar las predilecciones sin darles nombre. Todo estaba ennegrecido por la sexualidad de sus padres, las cualidades de Benjamín grande y su propio deseo de no ser.

Salió del parque caminando de prisa, como si en vez de esconderse detrás de la caseta fuera a tocar la puerta de Patricia, a entrar, a sentarse, a decir las cosas aquellas que muchos compañeros suyos decían en casa de sus novias. Iba ligero y sus pies no dejaban huella en el pasto disparejo y seco; parecía que nadie había pasado. El saco calentaba como un horno, pero él no sentía la molestia del calor con claridad sino como parte de la incomodidad que siempre lo rodeaba; el cuaderno no pesaba, él no pesaba.

Benjamín chico llegó hasta la caseta a tiempo para ver que Patricia salía de su casa en dirección a la tienda, entraba, estaba allí unos minutos, volvía a salir con un paquete en las manos y su andar inseguro de muchacha fea y flaca, nostálgica y compleja. Atravesó la calle para alcanzarla antes de que entrara de nuevo.

—Patricia.

—Me asustaste —estaba verdaderamente asustada, ruborosa, con los dedos frágiles hundidos en el paquete.

—Vamos a dar una vuelta.

—¿A dónde? —sus ojos tenían resplandores de azoro, no de curiosidad ni de deseo, como la vez aquella, cuando la invitó al cine.

—Por allí, a la cuadra.

No se atrevía a decirle que no, era más fuerte que ella. Como no se atrevía tampoco a criticarlo; jamás le diría a nadie lo sucios que tenía los zapatos y lo poco que se bañaba y la falta de cuidado que denotaba toda su persona.

—Espérame tantito. Tengo que llevar esto a mi casa. Es harina, están haciendo pan.

—Y, ¿si no te dejan salir?

—Sí me dejan.

Se alejó. Saldría porque ella había estado leyendo en la sala mientras su madre y su hermana cuchicheaban en la cocina. Ni se darían cuenta de su ausencia.

Benjamín chico se paró frente a la casa como si no esperara, con aire distraído, vagamente maligno. Debían ser ya las cinco de la tarde y ver a Patricia era siempre así de sencillo, todo era encontrársela y trasmitirle órdenes; ella, hipnotizada, se limitaba a obedecer. No la veía más porque su pasión no era el dominio, y ser obedecido le dejaba un sabor amargo de gratuidad que se parecía a la insatisfacción.

Regresó Patricia, muy nerviosa, con el pelo mojado cerca de las sienes y olorosa a crema. Se detuvo a su lado y sonrió mientras respiraba fuerte.

—Ya.

—Vamos.

Todo lo que él dijera denotaba intenciones, nada diría. No, ni el cine (no tenía dinero), ni la nevería (no tenía dinero), ni el parque (ya había estado allí y no le daban ganas de regresar). Caminar. Además, había mencionado que darían una vuelta, menos mal. No, no tenía hambre, era una sensación diferente y odiosa, de saciedad, como de haber comido demasiado. Notó que Patricia tenía el paso saltarín de buenas a primeras y lo que pensaba y no expresaba se le había ido a las piernitas flacas para ser alegría.

Las cigüeñas, los inmensos pájaros rosados de las tierras tropicales, los pelícanos, los aires marinos que convierten en sal la saliva y el sudor. . . las ciénagas doradas.

—¿Nunca vas de vacaciones?

—¿Eh? ¿Qué? ¡Ah! Sí, a veces. Hemos ido a Cuautla y a Veracruz.

Él no había ido nunca de vacaciones. La idea de estar en un hotel con sus padres y sus hermanos implicaba tanto dinero, tanto lujo, tanta ropa que no poseían. Era el único de los Enríquez que no conocía el mar; sus hermanos menores habían estado hacía un año en Acapulco y él no fue porque era una especie de invitación infantil y ya no era un niño. Nadie tenía la conciencia intranquila por no haberlo llevado ni haberle dado dinero para que fuera solo justamente ahora, que no era un niño. Como no pedía nada...

—¿Qué te gustó más?

—Veracruz. Cuautla me choca. Comimos muchísimo —se rió—. No parábamos de comer en todo el día... —la aliviaba que Benjamín le hiciera preguntas minuciosas en vez de quedarse callado porque cuando así sucedía, su próximo comentario podía resultar insoportablemente cruel y no era posible defenderse ni herir a su vez, ni pensar cosas análogas a las que él decía cuando estaba en ese humor temible.

—Trajimos conchas, caracoles, quién sabe cuantas cosas...

No muchas más, pensó Benjamín chico. Tampoco eran tan ricos, lo que pasaba es que eran menos de familia, su padre llevaba a casa la quincena completa y su madre ahorraba especialmente para ir de vacaciones. Allí estaba un sistema de vida inexplorado, pero previsible y que no le despertaba añoranzas de ninguna clase. Ya era tarde para nacer en otra familia y no tenía interés en formar una suya. Ahorros, quincenas completas, orden, nada de ideales. Patricia iba a ser ginecóloga y su hermana lo mismo; nadie en su casa escribiría un libro ni soñaba con ello... Tampoco él, quien no aceptaría ese sistema que era el de sus abuelos paternos, ese sistema parco que daba tan buenos resultados, pero exigía una perseverancia que había estado ausente de su vida desde el principio y ahora resultaba inimaginable. ¿Cómo ganar dinero?, ¿en qué empleo?, ¿haciendo qué trabajo? El futuro estaba prohibido porque él no quería seguir el camino de sus padres y este otro era una especie de vía animal, receta para hormigas y abejas, cosa inaceptable.

Estaban llegando al parque a fuerza de caminar derecho. De lejos, el parque era basurero con las copas verdes, papeles de todos colores flotando por las avenidas apenas conservadas, remolinos de polvo visibles a distancia, algo terroso, irrespirable y maloliente que se proyectaba hacia arriba y hacia los lados como si fuera una sombra espectacular, o pensamientos simbólicos o un halo contrario al de los santos.

Instintivamente, los dos se detuvieron a contemplar el parque. Espacio cuadrado, no luminoso, con el misterio que a veces tienen las cosas descuidadas, misterio que se basa en la posibilidad de descubrir algo desagradable como un animal muerto debajo de unas hojas, o una carta cerrada o personas en actitudes públicamente inadecuadas. Sintieron una angustia que era la suma de estas diversas sensaciones: el parque era un antiparaíso terrenal donde uno podía atiborrarse de manzanas, cenar con las serpientes y no ser expulsado jamás. Era el infierno.

—Hace meses que no te veo.

—Hace mes y medio.

Ella no lo dijo como reproche y él contestó con suavidad, por afán de precisión.

—Sí. Mes y medio. ¿Qué has hecho? ¿Por qué no vas a la preparatoria?

Benjamín se sobresaltó. Esa pregunta no se la hacía a sí mismo aun cuando fuera tan vigente. Además, no fue una decisión rápida sino paulatina: empezó a adormecerse interiormente en clase hasta el grado de no escuchar ni una palabra y hacer letras para engañar el ojo del maestro, las que estaban en el cuaderno viejo. . . luego, con lentitud, llegó a la conclusión de que era innecesario asistir a la escuela porque también podía adormecerse, como si eso fuera su meta, en la calle, en los bancos, en el parque; también caminando. Le quedaba nada más una conciencia instintiva que sirve para no ser atropellado, no caerse, no chocar con objetos y personas. No podía explicarlo.

—Yo ya no estudio —mentira, no había tomado tampoco esta decisión ni le importaba hacerlo. Entraron al parque y Patricia, como si sus piernas se negaran a sostenerla, se sentó en una banca de golpe. Benjamín se montó en la tabla y se puso el cuaderno entre las rodillas.

—¿Para qué traes cuaderno?

—Estoy escribiendo un libro.

Se odió tanto y tan inmediatamente por haber dicho eso, que hizo un gesto nervioso: el de quien es abofeteado cuando está indefenso.

—¿Qué te pasa?

—Nada —miró el vientre hundido de Patricia, sus deditos cruzados sobre el regazo como para parecer muy compuesta, las gotas de agua cerca de sus sienes. No podía tocarla porque Patricia se le desharía entre las manos como si fuera de nieve y él quedaría con aquella sensación horrible del día del cine—. Ya te creció el pelo —había ternura en sus ojos; la de quien hace una observación diferente de la que tenía en la boca porque ésta le resulta imposible y viene a ser mejor abandonarla.

—Sí —Patricia sonrió contenta. Tenía la cara redonda y los dientes blancos. Así, a momentos, era bonita—. ¿Qué vas a hacer ahora? ¿Dónde vas a trabajar?

Por supuesto, trabajar, llegar siempre a tiempo, entregar la quincena completa y ahorrar para las vacaciones.

—En la oficina donde trabaja mi papá —esta vez lo dijo sin asombro, con resignación. No todas las conversaciones prosperan por caminos gallardos, hay de estas que se arrastran para no hundirse enteramente.

—Entonces vas a tener dinero —le daba gusto, era sincera, el dinero sirve.

—Claro. Para gastar. Entonces te. . . —¿te qué?, ¿qué le diría? No el cine, por supuesto— . . . te voy a hacer un regalo.

—¿Sí? —Patricia sonreía y le miraba la cara de cerca, con el interior de sus ojos castaños; al atardecer todos los ojos son translúcidos, también los de los animales—. Pues gracias.

Benjamín hijo sonrió a su manera, sin mostrar los dientes. Empezaba a sentir un dolor intenso no sabía adónde, tanto, que lo suavizaba y le daba esta calidad agonizante de no ser brusco ni huraño sino mentiroso y gentil. Patricia tenía el cuello delgado, frágil como si pudiera apenas soportar el peso de su cabeza y de sus cabellos abundantes. Además, lo perdonaba; si no le perdonara lo de aquel día, no podría mirarlo así, con esa incandescencia.

—¿Qué quieres que te regale? —Patricia se ruborizó, no sabía qué pedir—. ¿Te gustan los chocolates?

Benjamín chico no había tenido nunca dinero para comprar una caja de chocolates y la distancia entre sus palabras y la posibilidad de cumplirlas era de kilómetros luz.

—Sí. Pero regálame mejor algo que no se acabe. Los chocolates se acaban y las flores se secan.

—¿Una pulsera? —al decirlo recibió en el pecho algo que podía compararse a la entrada de un puñal; sentía la carne desgarrada y hasta la tibieza de la sangre extendida por encima de su piel. Creía, además, que las pulseras valían alrededor de diez mil pesos, como había oído en una película. Patricia intuyó esta ignorancia.

—Hay unas pulseras en la tienda que valen veinte pesos y hasta les ponen iniciales.

—¿Veinte pesos? —¿era eso verdad? Tampoco tenía veinte pesos—. No, yo quiero regalarte una mejor.

¿De dónde nacían estos ofrecimientos, esta dulzura sin nombre y sin futuro? ¿De dónde esta repentina aceptación de la fantasía más imposibe? ¡Él regalando pulseras caras, de más de veinte pesos! Sonrió de nuevo y Patricia bajó los ojos como si no soportara la dicha de verlo sonreír. La sensación de dolor venía mezclada con una de peso, de ahogo, que él deseaba disimular. Para no suspirar, respiraba apenas, casi no dejaba que el aire le entrara en los pulmones ni separaba los ojos del rostro de ella para vigilar sus reacciones y seguir sus pensamientos. Patricia soñaba, tenía el alma cerca y lejos, suspiraba... Benjamín chico supo que por esta vez, esta única vez, le perdonaba que se mostrara así. Miró su cuello de nuevo; debía de ser fácil matarla, por ejemplo. Y él tenía las manos gruesas, fuertes y salvajes.

—Vamos al estanque.

—Vamos.

Patricia sabía que el estanque era un charco de agua sucia, que apestaba y que a estas horas, nubes de moscos se aglomeraban sobre quien se acercara, pero no podía negarle nada, ni hacerle aclaraciones o advertencias.

Caminaron unos pasos muy cerca uno del otro. Si Benjamín chico hubiera querido, con mover una mano la hubiera tomado por la cintura como otra pareja que habían visto pasar y que terminó por besarse casi delante de ellos. No, tocarla no, ni siquiera bajo el influjo de este dolor que estaba convirtiéndolo en polvo. El hombro de Patricia le rozó el pecho, ya estaba ella dispuesta, como la había odiado el otro día. Hoy no, hoy no venía al caso el odio, era cosa diversa el día de hoy. Le pasó el brazo por el hombro y el estómago se le convirtió en un nudo de zozobra. ¿Qué estaba haciendo si ya sabía que no podía soportarlo? Patricia le puso la cabeza sobre el hombro, sin apoyarla del todo, como si tuviera miedo, un miedo justo, de ser rechazada. Benjamín chico tenía el cuerpo bañado en sudor y sobre todo la mano que palpaba los huesos afilados del hombro de Patricia. Estaban en la orilla del estanque.

Como ella había previsto, vinieron los moscos a parárseles encima para picarlos; ninguno se movió. Benjamín fue dejando caer lentamente la mano a lo largo de su cuerpo y ella, como si fuera una rueda del mismo mecanismo, irguió la cabeza.

—¿Cómo no habías venido a verme?

—Venía y no te veía nunca. Me daba pena tocar la puerta de tu casa —al fin una verdad que decía con alivio, casi con orgullo y sin deshacerse de dolor.

—¿De veras?

—Sí.

—Yo tampoco te veía —Patricia se volvió y lo besó en la mejilla. Un beso ligerito como un aletazo de gorrión. El corazón de Benjamín cayó al suelo con un estrépito de platos y se quedó quieto, sin sentir cómo lo picaban los moscos, sin ahuyentarlos. De pronto, en el agua verdosa, vio su cuaderno como un barco náufrago, mostrándose a medias.

—Mira, ese cuaderno es mío.

—¿Por qué lo tiraste?

—Se me cayó —renunciaba de nuevo a darse a entender. Mejor hacer esta pantomima y que ella pensara lo que fuera. Era largo explicarle y no tenía fuerza porque él era débil y algo estaba abandonando su cuerpo, algo sin nombre que podía ser su sangre, o su alma, o la distancia imprecisa que hay entre estar vivo y muerto. Patricia buscó su mano y entrecruzó sus dedos morenos, delgadísimos y tibios con los suyos. Los moscos se movieron en el aire y Benjamín dejó de respirar para no ahogarse, ni hacer ruidos, ni traicionar estos fenómenos monstruosos que estaban ocurriéndole.

—Yo te quiero mucho y te he extrañado.

No podía guardar silencio, tenía que decir alguna cosa aunque él supiera desde siempre que Patricia pensaba en él y lo quería.

—Yo también te extraño. . . y te quiero —su voz era fatal y solemne; había dicho esto y le parecía que ahora podría seguir adelante sin miedo a la inexactitud. Decir esto era más que ofrecerle una pulsera de esmeraldas—. Algún día. . . algún día voy a casarme contigo, si tú quieres.

—Sí —la voz le salió pastosa, seria como si ya estuviera frente al juez o frente al cura, con una dicha honda que traspasaba su cuerpo y se proyectaba hacia el de Benjamín como sombra, frío o tibieza. La mano de él seguía sudando entre la de ella y estaba a punto de desmayarse. ¿Qué era esta intimidad de las palmas de las manos, este sentirse de la misma temperatura, con un líquido indiferenciado corriendo entre los dedos? No la soltó; ahora Patricia esperaba que la besara y él lo hizo rápidamente, en los cabellos. Sentía los labios resecos, rotos, ardorosos, los músculos tensos y adoloridos y las venas batiendo apenas para conservarlo con vida. No, no le negaría nada el día de hoy, que pidiera lo que quisiera; él haría todo, diría todo, moriría si era necesario. Sentía los moscos en el cuello, en la frente, en el pecho por encima de la camisa.

—Me gustaría que el estanque fuera limpio, como hay otros, que tuviera patos —el comentario venía como expresión de su deseo de que el mundo circundante fuera limpio y hermoso para un momento así, limpio y hermoso.

—Ojalá fuera —concedió Benjamín—. Son feos los parques como éste, tanto polvo le hace daño a los niños —Patricia lo besó de nuevo en la mejilla, con la misma ligereza... eran unos besos tan alados que podía hacerse caso omiso de ellos, casi no se sentían. No así la mano, esa formaba ya un terribe nudo de humores confundidos y de espanto. Él casi no la sentía; esa mano mojada, unida a la de ella como con pegamento, lo hubiera hecho gritar si no estuviera decidido desde antes a tomar esta actitud que todo lo soporta.

—Te quiero mucho, cuando dejaste de verme me pasaba el día pensando en ti y por las noches lloraba antes de dormirme —el cuerpo se le agitaba y apretaba la mano de los dedos de alambre: era cierto.

—Yo... también me sentí mal. Pasaba horas pensando en ti —era cierto en otro matiz porque él se revolcaba de angustia y de repulsión al recuerdo del beso, porque se maldecía a sí mismo y a ella y por si fuera poco odiaba a todo el sexo femenino e imaginaba mujeres llenas de tentáculos, la cabeza sembrada de serpientes y el rostro redondo de Patricia.

Patricia respiró hondo porque era feliz. Benjamín chico pensó que valía la pena soportar que suspirara porque aunque él nunca perdonaba lo que le producía molestias intensas, Patricia perdonaba todo y esto era bueno tenerlo en cuenta. Que llorara si quería. La mano aquella seguía apretando la suya y si hubiera podido hacer lo que sus instintos le pedían la hubiera metido, para separarla, debajo de un chorro de agua cristalina, luego se la hubiera secado con una toalla áspera y finalmente se la hubiera frotado con alcohol. Esta mano de Patricia tan delgada, bañada en el sudor de la angustia de él, perduraría como una sensación imborrable, vendría muchas veces a recorrerle el cuerpo, a hacerle caricias que imaginaba obscenas, porque, ¿cuáles caricias no lo eran? Tal vez estos besos que pasaban como hojas secas o alas de pájaro, porque no eran absolutamente nada. Por otra parte, Patricia tampoco esperaría que la besara en la boca porque tendría miedo a repetir la experiencia anterior y se conformaría con lo que estaba ocurriendo ahora que al fin y al cabo era casi todo.

—¿Sabes?

—¿Qué?

—Quisiera que me prometieras algo —la mano de Patricia hacía eco a sus pensamientos con tensiones, con flojedad, con una especie de firmeza.

—¿Qué?

—Que no te vas a ir y me vas a dejar.

—¿Irme?

—Digo, como en estos días, que no te veía.

—Pero estaba muy cerca.

—Yo había pensado que nunca volverías a hablarme y eso me haría sufrir mucho. Prométemelo.

—Sí. Claro. Te lo prometo, te lo juro.

No tan claro, pero no había motivo ya para llevarle la contraria ni era momento de explicar la verdadera situación. Era necesario jurar para que sonara convincente. Ella miraba el estanque en forma benévola, como si se hubiera convertido en algo hermoso y ella viera desfilar los cisnes y los contara: uno, dos, tres, cuatro. Allí estaba el cuaderno; él pensó que se hundiría. ¿Pensó eso? No, tal vez no. No pensó nada y lo tiró en forma mecánica.

—Ya somos novios.

—Sí. Ya somos novios.

—¿No te da gusto? —la pregunta era retórica y coqueta, no nacida de la sospecha o de la desconfianza.

—Me da mucho gusto —apenas le salía la voz, el

esfuerzo estaba agotándolo y de un momento a otro mataría a Patricia por exigente, por ciega, por obligarlo a que tuviera conversaciones antinaturales que lo hacían pedazos. ¿Cómo?, ¿qué había pensado?, ¿matarla?, ¿qué palabra era esa que se pensaba tan inocentemente?

—¿Qué te pasa? ¿Por qué haces gestos?

—Trataba de acordarme del significado de una palabra.

—¿Cuál?

No podía decirla y sin embargo, ya la tenía en la boca. Imaginó el asombro que después se convertiría en espanto y el temor de la mano de alambre. Tenía que dominar ese impulso, tenía que perdonar a Patricia por esta sola vez.

—¿Eres feliz entonces?

—Soy más feliz que nunca.

—¿Has tenido otras novias?

—No. Nunca. Nada más tú.

—Qué bueno. Yo tampoco he tenido novios y no he besado a nadie más que a ti.

¿Lo diría por el cine o por los besos de hoy? No se ganaba nada con pedir precisión. Cuando ella sacara la mano, ya estaría desollada y descarnada como una tenue mano de esqueleto y en la suya se quedarían la piel y la carne como un guante monstruoso. No la retiraría, de cualquier forma, porque no sabría donde ponerla y tendría que colocarla en un hombro o en la cintura de ella. No quería exponerse a nada porque se sabía próximo al fin de su resistencia y no era bueno enfrentar pruebas que sabía de antemano insuperables.

Patricia se rió de pronto y se contoneó. Las dos cosas eran muestras de un júbilo intenso, como locura rápida y peligrosa.

—¿Piensas tener muchos o pocos hijos?

La pregunta fue una ola de sal que los envolvió para ahogarlos y Benjamín pensó en salvarse y en que ella se hundiera como las mujeres pecadoras de algún libro sobre una ciudad maldita, leído hacía años. ¡Qué desenfreno, qué despropósito, qué pecado mortal! Hablar de lo que implicaba desfloramiento, cópula y concepción, ritmo en las camas cojas, resuello, palabras sin valor, cuerpos sudorosos y. . . su imaginación no iba más lejos porque no lo ayudaba su experiencia. El sudor le corría desde la nuca en un hilo que cruzaba su espalda y él pensó que era sangre. Estaba hecho pedazos, torturado, moribundo al fin. No podía echar a rodar todo con sus respuestas inexplicables, lo único lógico, adecuado y natural eran estas cosas tremendas que él no comprendía, estas mentiras que se había propuesto decir en el más desconocido de los momentos y de las que no se arrepentía: era lo justo, era una deuda que pagaba con sudor y castigo, como ocurre que se pagan las deudas.

—No sé. Nunca había pensado en eso.

—Yo quiero tener dos hijas y dos hijos.

—Como en mi casa —comentó tratando de que el tono fuera distraído.

—¿Sí? —la actitud de Patricia era de curiosidad y de sorpresa—. ¡Qué extraño! ¿Son mayores que tú tus hermanos?

—Yo soy el mayor —era como si ella, mejor encaminada que nunca, estuviera a punto de descubrir una verdad que Benjamín mismo no conocía y que se proponía ignorar.

—No es posible —se rió—. ¿Sabes qué había pensado? Creí que estabas solo en el mundo y que vivías en una casa de huéspedes de esas que quedan cerca de la preparatoria y alguien, una persona o una institución, te daba una beca para que estudiaras.

—¿Por qué pensaste eso? —hizo lo posible porque su voz no tuviera filos de crueldad, porque se limitara a seguir los pensamientos de ella dócilmente.

—Por. . . no sé. Te ves muy solo —lo pensaba porque se veía a las claras que nadie cuidaba de él ni de su ropa, porque estaba astroso, flaco y sin dinero, pero no lo diría porque podía tomarse como ofensa.

Benjamín apretó los dientes. Nadie le había exigido tanta paciencia, tanta mansedumbre; estaba allí, agarrado de la mano como una bestia pequeña e inerme, sujeto a los caprichos inconscientes de un verdugo distraído y locuaz.

—Resulta que somos muy pobres —su voz sonó suave como si la inocencia la inspirara y esa verdad fuera límpida y concreta. No agregaría que eran hijos de un imbécil que quería escribir un libro sobre la clase media frustrada, que su madre no tenía mayor interés que acostarse con su padre y por ello, porque ninguno de los dos tenía la atención puesta en los hijos, ellos eran más que huérfanos, peor que huérfanos, todos hijos del resuello y del olvido pasajero nunca convertido en afecto vigente. No diría nada de eso, porque aunque pareciera fácil de formular, lo que se ha vivido durante años no viene a la boca como explicación esquemática sino como una interminable serie de fotografías dialogadas que no pueden trasmitirse al detalle—. Pero pronto voy a tener dinero para comprarme... dos camisas —no sabía qué era lo que sonaba más conveniente, si camisas, o pantalones, o zapatos.

Patricia enrojeció y en ese momento encendieron la luz del farol que les quedaba cerca y que revolvió el aire de la tarde, echó a perder el resto del crepúsculo y trajo un cambio en el ánimo de ambos.

—No te decía eso. Yo te quiero aunque no te compres las camisas. A mí no me importa que no tengas mucha ropa...

—Es cierto, no te importa —¿agregaría una ironía que ya tenía en la lengua? No. Imposible. Era descender de golpe una montaña difícil y escarpada cuando ya estaba por llegar a la cumbre. (Iba a hacerle sentir que no era perceptiva ni sensible a cosas más sutiles que la ropa; en el caso de él, más feas que el andrajo más roto y sucio.)

—Voy a tener que volver a mi casa porque no avisé que salía. Pueden preocuparse por mí —sus ojos ya no eran traslúcidos sino opacos y cotidianos; se disculpaba por no quedarse allí más rato, por no tener tiempo de seguir construyendo el futuro matrimonial y familiar.

—Te acompaño.

Se dieron vuelta de diferente lado, la mano de Patricia dejó la suya inesperadamente y él se sorprendió de sentir el aire de la noche en la palma mojada como si fuera herida y deseó poseer un pañuelo, aunque fuera uno, en ese momento, para frotarse la mano, recobrarla, reconocerla como suya: "No es una bandera, no es un pez espada, no es un caracol que ha perdido la concha, no está rota, dejará de sudar, es mía..."

Había oscurecido o la oscuridad se dibujaba en la luz artificial. Patricia conservaba la euforia y en sus pasos se adivinaba la intención reprimida de correr, como hacía tal vez cuatro o cinco años, cuando seguramente venía a este parque a brincar sobre un dibujo de tiza, a jugar al avión, a discutir acaloradamente con sus compañeras de juego.

—Vamos a correr. Ven, apúrate —también en eso quería complacerla, sin reflexionar en que además acortaba el tiempo de su estancia, sin hacer trampas.

Corrieron hasta la salida. Luego, sin detenerse, con cuidado de no atropellar a nadie, siguieron hasta la casa de ella, donde se detuvieron sin aliento. Patricia lo abrazó con rapidez; era notablemente feliz.

—¿No quieres pasar? Para que conozcas a mi hermana y a mi madre.

—Otra vez que venga más arreglado.

—Eso no importa.

—A mí sí me importa —era la mentira mayor, la que borraba años de descuido intencional y de mugre aquilatada y afilada para herir, para llamar la atención divagada de quienes igualmente se la negaron. Aquí estaba el dolor de nuevo, aquí este elemento que carcomía sus entrañas esenciales y mataba con lentitud.

—Bueno, tienes razón. ¿Vienes mañana?

—Mañana a las cinco de la tarde.

—¿Qué haces en la mañana?

—¿En la mañana? Buscar empleo, entrevistarme con los jefes de mi papá.

—Ah vaya. Buena suerte —le sonreía mirándolo a los

ojos, otra vez con las manos juntas, en espera de una despedida satisfactoria.

Era mejor abrazarla, mejor que exponerse a otro beso que para él traería significados más recónditos, sacudidas nerviosas más incontenibles. La abrazó fuertemente, con los ojos cerrados, fuerte, para sentirla como un tronco de árbol, como un objeto que puede apretarse sin riesgo de romperse sobre él. Abrió los ojos un instante y pudo ver en los de ella una rápida mirada estupefacta; entonces, a causa de aquella mirada, la besó largamente como si muriera por dar aquel beso desde hacía siglos, como si su sola meta en el mundo fuera besar así, ferozmente, sin miedo al miedo, ni al sexo, ni a los preliminares y las consecuencias del sexo. No tuvo tiempo ni era su intento interpretar la reacción de Patricia. La abrazó, la besó y echó a andar, todo con fuerza, como si no se tratara de cuerpos ni de bocas, sino de látigos, de animales de madera, o de piedras que chocan.

Caminó de prisa sostenido por la idea de que Patricia lo miraba alejarse, hasta doblar la esquina; allí se detuvo como si hubiera echado raíces. Ahora tenía que enfrentarse a esta situación grave, creada no sabía cómo, en las últimas dos horas. ¿Qué había hecho del aire sucio y caluroso de esta tarde? ¿Qué de la relativa paz y seriedad de sus reflexiones en el parque? Se sintió como quien ahorra dos monedas para jugar con ellas, tirarlas al aire, hacerlas sonar en los bolsillos y luego, por un movimiento torpe, las ve rodar hacia una alcantarilla.

Estaba de pie junto al zaguán de una casa de vecindad con muchas viviendas; a dos metros, se veía una llave de agua. La miró fija y distraídamente, tuvo una contracción en el estómago: este líquido amargo que sin duda había aumentado durante la tarde no se dejaba gobernar; subía hasta su garganta como si fuera a ahogarlo, hacía ruidos... pero se sentía mejor porque con la carrera y la agitación de la despedida el dolor parecía haber cambiado de sitio y de intensidad. Iba a volver el estómago o no, tal vez no. Fue a la llave y se lavó repetidamente en un chorro exiguo que, sin embargo, lo salpicó. Luego, en el mismo patio aprovechando que estaba solitario, se frotó las manos con tierra, hasta cubrírselas con una gruesa capa de lodo que lavó muchas veces, porque él no quería quitarse una sustancia o un olor, sino una sensación. Se entregó a esta tarea en forma absoluta, sin pensar en otras cosas, sin pensar nada más que en limpiarse las manos y principalmente la mano aquella que aún bajo el lodo se le crispaba de asco. ¡Si esto fuera arena y él estuviera a las orillas de esa playa arbitraria que él imaginaba torpemente! ¡Si él pudiera enterrarse en las arenas ásperas y así despojar su cuerpo de todos estos rictus, si la arena lo limpiara en forma profunda y para siempre! Su piel quedaría como un lienzo intocable, como un jarrón de porcelana, como un barco infinito que atraviesa las aguas puliéndose con las olas revueltas y el cuerpo feliz de los pescados; sería posible el donaire, la gallardía, la gracia de la línea curva de la flecha que se dispara al aire. La hazaña espléndida de lanzar un hilo que vaya de continente a continente.

Finalmente se secó las manos y levantó su cuaderno del suelo. Ahora podía irse; mejor dicho tenía que irse porque uno no puede quedarse un tiempo indefinido en otras casas dedicado a hacer limpiezas extraordinarias que tienen sentido sólo para uno. Era necesario seguir el camino propio, deteniéndose tal vez aquí y allá, pero sin apartarse de la ruta central y sobre todo, sin acampar porque existía la ilusión de la meta, del ejemplo, de la proeza cumplida.

Al fin y al cabo, todo era geometría; círculos, rayas, curvas, el capricho de una línea roja trazada al azar sobre un papel en blanco. En el fondo de todo, por supuesto, la conciencia de lo pasado con Patricia y la necesidad momentánea de olvidarlo, de dejarlo en el charco que estaba al pie de la llave. Y caminar, ahora que la noche era fresca y el aire le entraba a pesar del saco. También detrás de un polígono que estaba formándose delicadamente en su cerebro con trazos luminosos, la necesidad de eludir aquel dolor que nació de Patricia, sus promesas, las palabras blasfemas que él había pronunciado y que eran peores para su alma que el aniquilamiento porque habían abierto una puerta cerrada que así debía permanecer porque era la entrada a un sendero tapiado de los que no se penetran porque van en dirección opuesta al destino del héroe.

Llegó al parque y fue al estanque. El estanque, ahora, se llamaba Patricia y era la habitación verdosa de Benjamín Benito, su refugio, el retiro final donde las aguas espesas limpiarían la mancha y darían testimonio de la intención heroica de poner el ejemplo, el aire hermoso donde podía hinchar sus velas y avanzar como el tránsfuga que salta los obstáculos para lanzarse a la libertad y a la pureza.

El cuaderno allí estaba, todavía flotando. Él, Benjamín Benito, era como la luz del farol, reflejada mil veces en esta agua poblada de generaciones minúsculas que no le daban asco. Al fin y al cabo, la esencia del ser humano es el fermento que no puede detenerse por voluntad propia. La luz del farol osciló un momento y se apagó. Así era bueno, porque un chapoteo en la oscuridad no quiere decir nada. Entró al estanque y se tendió de golpe; ahora atravesaba el cielo y dejaba flotando sólo el dibujo bello de su fuga. En el fondo estarían los nidos de batracios y un amor destructible de insectos que se perpetúan porque saben que la materia es una sola y el alma cosa que no puede apresarse.

... del modo que he delineado a Amadís, pudiera, a mi parecer, pintar y describir todos cuantos caballeros andantes andan en las historias en el orbe, que por la aprehensión que tengo de que fueron como sus historias cuentan, y por las hazañas que hicieron y condiciones que tuvieron, se pueden sacar por buena filosofía sus faciones, sus colores y estaturas. DON QUIJOTE

México, mayo de 1966

índice

IMPRESO Y HECHO EN MÉXICO
PRINTED AND MADE IN MEXICO
EN LOS TALLERES DE
EDITORIAL MUÑOZ, S. A.
PRIVADA DEL DR. MÁRQUEZ, 81
MÉXICO 7, D. F.
EDICIÓN DE 2 100 EJEMPLARES
13-X-1967